# 성경과의
# 만남

# 서문 ─────────────────────

'신앙계'의 기획으로 '성경과의 만남'을 연재하기 시작한지도 벌써 33개월이 지났다. 이 글이 연재되고 있는 동안 많은 분들이 전화와 편지를 주셨고 언제쯤 책으로 나오느냐는 재촉도 꽤 많았는데 이렇게 책이 나오게 되었으니 한결 마음이 놓인다.

언제나 고백하는 것이지만 성경을 읽게 된 것이 내게는 바로 기적의 시작이었다. 그때의 나는 성경을 읽을 수밖에 없도록 되어 있었다. 그렇게해서 내가 성경을 손에 잡았을 때 하나님께서는 즉시 성경을 어떻게 읽어야 하는가를 가르쳐 주시었고 문제에 부딪혔을 때 그 책의 필자이신 하나님께 직접 질문할 수 있도록 기도하는 방법까지도 일러 주시었다.

내가 질문할 때마다 그분은 지체하지 않고 응답해 주시었다. 그분은 성경의 구절들을 하나하나 손가락으로 짚어가며 가르쳐 주시었고 하늘과 땅과 세상에 있는 모든 것들 가운데서 일일이 예를 들어가며 설명해 주시었다.

뿐만 아니라 또 그분은 성경에 적혀진 모든 가르침들을 그대로 실습하게 하심으로써 그 말씀의 능력이 얼마나 크며 그 영광을 목격하는 기쁨이 얼마나 벅찬 것인가를 증명해 주시었고 시간과 공간 속에 담겨진 은밀한 섭리와 놀라운 비밀들을 풀어서 들려주심으로써 그분과의 데이트가 얼마나 감격적이며 얼마나 신기한 것인가를 실감하게 해 주시었다.

그분은 때로 나의 가는 길에 험한 절벽과 깊은 골짜기도 설계하시고 뜨거운 사막과 바람부는 광야를 설치하시는가 하면 힘들만한 때에 다시 아름다운 화원과 푸른 초장을 지나게 하시고 마침내 나를 바다로 이끌어내사 '소원의 항구'(시 107 : 30)로 인도하셨던 것이다.

'신앙계'에 33회에 걸쳐서 적었던 내 글들은 바로 그러한 만남의 고백들이었다. 그러므로 그 고백들 속에는 때로 하나님의 옷자락에 매달리기도 하고 그분의 손을 잡아 흔들며 떼를 쓰기도 하고 또는 침묵하시는 그분의 뒤를 허겁지겁 따라가면서 알아내고 받아내었던 그분의 진심과 다짐들이 알알이 들어 있는 것이다.

　성경 속에서 이루어지는 그분과의 만남이 이론과 계산으로 다가오는 것은 아니다. 그러나 비록 그렇다 하더라도 당연히 따질 것은 따지고 넘어가야 한다. 상대방이 누구인지도 모르고 그의 진심이 무엇인지도 모르고 그의 능력이 어떤지도 모르면서 섣불리 몸을 맡기는 정신나간 여자는 지극히 높으신 분의 신부가 될 자격이 없는 것이다. 그래서 모세는 호렙산에서 처음 하나님의 음성을 들었을 때,

　"그들이 내게 묻기를 그의 이름이 무엇이냐 하리니 내가 무엇이라고 그들에게 말하리이까?"
하고 물었던 것이다.

　그러므로 성경을 읽다가 의문에 부딪혀서 질문해오는 후배들에게 무조건 믿어두라고 말씀하시는 분들을 나는 무책임하다고 생각한다. 모르는 이에게 자신을 맡기는 것이 믿음이 아니듯 모르는 것을 믿는다고 하는 것은 바로 그것 자체가 거짓의 시작인 것이다. 그러므로 차라리 그럴 때에는 성경의 의문을 깨달아 알아냈던 자신의 체험을 들려주고 너도 그렇게 해 보라고 답변해야 한다. 그렇게 하는 것이 가장 정확한 답변일 것이다.

　이 글들이 연재되고 있는 동안 어떤 분들은 성경에서 내가 얻어낸 만남들이 자신의 견해와 다르다는 것을 지적해 주시기도 했다. 그것은 아주 당연한 것이다. 하나님은 본래 변함이 없으신 분이지만 그분과 우리와의 관계는 은밀하고도 개별적인 것이며 그분께서 우리에게 주시는 메시지는 받는 이의 개성과 그에게 주어진 상황과 그 사명에 따라서 모두 다르기 때문이다.

　그래서 나는 이 글을 시작할 때에도 그렇게 썼었다.

"……그러므로 나는 이제부터 그런 깨달음의 체험들을 적어나가려고 하지만 누구나 똑같은 내용으로 공감해주실 것을 바라지 않는다. 그것은 가르치심의 다양성을 제한하는 것이기 때문이다. 다만 나는 내 공부의 과정을 통하여 성경을 이해해나간 방법을 소개하고 싶을 따름인 것이다"

나는 그래서 다른 분들이 성경과 만난 일에 대해서 적어놓은 글들도 늘 많이 읽는다. 그리고 그런 고백들을 통해서 나에게 이렇게 말씀하셨던 하나님께서 그분에게는 그렇게 주셨구나 하는 것을 알게 되고 그만큼 더 크시고 더 높으신 하나님의 영광을 짐작하고 더 큰 기쁨을 얻게 된다. 그렇기 때문에 이스라엘 백성들은 늘 '나의 하나님'만을 찾은 것이 아니라 '아브라함의 하나님, 이삭의 하나님, 야곱의 하나님'을 인정하고 섬겼던 것이다.

그러나 하나님께 질문하고 성경 속에서 그분을 찾아나가는데 있어서 우리가 꼭 알아두어야 할 기준이 하나 있다. 그것은 곧

"기록한 말씀 밖에 넘어가지 말라"(고전 4 : 6)

는 것이다. 성경에서 만나는 모든 걸림들은 모두가 성경 안에서 풀리게 되어 있다. 성경을 두고 하나님과 오랜 동안 문답하면서 나는 성경 안에 모든 것이 다 들어 있다는 것을 신뢰하게 되었다. 무조건 믿는 것이 믿음이 아니라 바로 성경 안에 모든 비밀이 다 들어 있다고 믿을 수 있게 되는 것이 곧 믿음인 것이다.

내가 이 글에서 내가 만난 하나님을 여러분께 소개 했듯이 더 많은 분들이 성경 안에서 우리의 좋으신 하나님과 만나고 그분을 신뢰하고 사랑하게 되어 그 사랑의 넓이와 길이와 높이와 깊이가 어떠함을 깨달아(엡 3 : 19) 내게도 소개하여 주심으로써 그분들이 만나신 하나님을 다시 나도 그렇게 만날 수 있게 되기를 바란다.

김 성 일

# 목차

# 나무에서
# 나무까지

'선악을 알게하는 나무'가
애초에 없었다면 유혹도 없었을 것이고
죄도 없었을 것이고
타락도 없었을 것이다.
그런데 어째서 하나님은
그 나무를 에덴동산 중앙에
심어놓으신 것일까?

# 나무에서 나무까지

참으로 성경은 신비스러운 책이다. 만일 누가 인류 역사상 최대의 기적이 무엇이냐고 묻는다면 거의 모든 크리스천들은 바로 성경이라고 대답할 것이다. 때로 우리가 성경을 읽을 때에 믿기 어려운 부분이 있기도 하고 이해가지 않는 데가 있는데도 불구하고 사람들은 성경이 완벽하다고 말한다. 그것이 바로 성경의 위대성인지도 모른다. 이사야 선지자의 말대로 성경은 여기서도 조금 저기서도 조금 뒤섞어 놓아 넘어져 부러지게도 하고 걸려서 잡히게도 하는 것이다.

게다가 성경이 보내 주는 계시는 모든 사람에게 똑같지 않다. 비록 역사를 이끌어 가시는 하나님의 계획이 도도한 강물처럼 흐르고 있을지라도 간절히 찾는 자에게 나타나는 지혜의 메시지는 그 사명과 달란트를 따라 사람마다 다르다. 그런 보편성과 특수성이 공존하는 성경이기 때문에 그것이 인류 역사를 꿰뚫으며 인정받아온 까닭일 것이다.

내 경우로 말하면…, 성경을 읽어 나가다가 막히는 부분이 바로 계시 (啓示)의 시작이었다. 막히는 부분이 있을 때 나는 더 이상 나가지 않고 하나님께 기도하며 버티었다. 나는 도마처럼 당신의 말씀을 만져보고서야 앞으로 나가겠다고 떼를 썼다. 그럴 때마다 내 눈은 열렸고 거기엔 하나님께서 내게 하고 싶으신 말씀이 감추어져 있었다.

성경에서 의문이 없었다면 내게는 메시지도, 깨달음도 없었을 것이다. 그러므로 이제부터 나는 그런 깨달음의 체험들을 적어 나가려고 하지만 누구나 똑같은 내용으로 공감해 주실 것을 바라지 않는다. 그것은 가르치심의 다양성을 제한하는 것이기 때문이다. 다만 나는 내 공부의 과정을 통하여 성경을 이해해 나간 방법을 소개하고 싶을 따름인 것이다.

## ① 선악(善惡)을 알게하는 나무

처음 성경을 읽는 사람은 그것을 펼치자 마자 수많은 의문의 덫 속에 갇히게 된다. 그 중에서도 가장 이해하기 어려운 문제의 하나가 바로 이 '선악을 알게 하는 나무' 일 것이다. 하나님께서는 에덴동산에 사람을 창조하신 후 그 에덴 동산을 다스리며 지키게 하시고 동산 각종 나무의 실과는 임의로 먹되 선악을 알게하는 나무의 실과는 먹지 말라고 하셨다(창 2 : 17).

바로 이 나무 때문에 인류의 길고 긴 죄의 역사가 시작되고 고난의 길이 시작되며 하나님의 안타까운 구원 계획이 시작되는 것이다. 애초에 그 나무가 없었다면 유혹도 없었을 것이고 죄도 없었을 것이고 타락도 없었을 것이다. 그런데 어째서 하나님은 그 나무를 에덴 동산 중앙에 심어놓으신 것일까?

많은 사람들이 그 나무에 대해서 의문을 가졌고 나름대로의 이유를 생각하였다. 아마도 그들은 또 그들 나름대로의 깨달음이 있었을 것이다. 어떤 사람은 그것이 사람을 하나님보다 조금 못하게 지으셨으므로 사람으로 하여금 자기의 분수를 자각하도록 하기 위하여 선악과의 규제를 장치하셨다고 했다.

그러나 창세기 1장 27절에는 하나님이 자기 형상, 곧 하나님의 형상 '대로' 사람을 창조하셨다고 되어 있다. 오히려 히브리서에서는 하나님 자신이 고난을 통한 영광을 위하여 천사보다 '잠깐' 못한 사람의 아들로 이 땅에 오셨다고 기록되어 있는 것이다. 그러므로 나는 사람이 뭔가 규제되고 제한받아야 하는 존재로 지어졌다는 것에 대해서는 납득할 수 없었다. 더구나 사람은 하나님의 사랑을 받기 위하여 지어졌는데 하나님은 불완전한 미완성품을 만들어놓고 사랑하시는 분이라고는 생각할 수 없었던 것이다.

또 어떤 사람은 사람에게 그가 선택할 수 있는 가치의 지표를 줌과 동시에 선택의 자유를 주기 위하여 이 나무를 준비하셨다고도 말했다. 그러나 그렇다고 하더라도 이 열매를 먹으면 죽으리라고 경고하였으니 그것은 완전한 자유선택이 아니고 규제된 선택이며 불완전한 자유였던 것이다. 그래서 나는 이 설명에도 시원스럽지 못하게 느끼고 있었다.

그리고 내게는 더욱 큰 의문이 있었는데 그 나무의 이름이 '선악을 알게 하는 나무'라는 점이었다. 어째서 선악을 알면 죽는다는 말인가. 사람이 선악도 모르고 그냥 짐승처럼 '무식'의 상태에서 사는 것이 행복이란 뜻인가. 하나님은 인간의 지식을 제한해야 할 정도로 그렇게 독재적인 통치자였던가. 어째서 하나님께서는 알 자유, 말할 자유를 제한해놓고 통치하는 세상 임금들과 똑같은 말씀을 하셨을까?

정말 그렇다면 사탄의 속삭임이 오히려 옳은 것이다. 사탄은 하와에게 너희가 그것을 먹으면 눈이 밝아져서 하나님과 같이 되어 선악을 알까봐 하나님이 그것을 못먹게 하신다고 귀띔했던 것이다. 이 단계에서 이미 하나님은 하와의 신뢰를 얻지 못하고 계셨다.

나는 우선 이 문제로 고심하면서 '자유'에 대한 생각을 하기 시작했다. 무엇보다도 나는 하나님께서 인간의 자유를 제한하셨다고 믿고 싶지 않았다. 하나님께서 인간에게 불완전한 자유를 주셨다고 생각할 수가 없었던 것이다. 나는 우선 하나님께서 인간에게 완전한 자유를 주셨다고 '믿었다'.

왜냐하면 사람은 하나님의 형상 '대로' 지어졌으며 하나님 그분 자신은 완벽한 자유를 가지고 계시는 분이었기 때문이다. 그런데…이

'믿음'에서 나의 의문은 드디어 풀리기 시작했던 것이다. 완벽한 자유를 지니고 계시는 하나님…그 생각을 하다가 나는 깜짝 놀랐다.

하나님은 완벽한 자유를 지니고 계시는 분이었다. 그러나 그 분은 자유를 모두 '행사'하는 분이 아니었던 것이다. 하나님께서 그 자유를 모두 다 행사하신다면 어떻게 될까? 하나님이 마구 술 취해서 비틀거리고 하나님이 마구 거짓말을 하며 마구 불의를 행하신다면 세상은 어찌 될 것이며 우주는 어떻게 될 것인가. 실로 소름끼치는 일이 아닐 수 없는 것이다.

그러나 하나님은 거짓말을 하지 않으시며 (히 6 : 18) 불의를 행치 않으신다 (습 3 : 5).

그것은 무엇을 의미하는가? 하나님께서는 천지를 창조하시고 모든 것을 다스리시며 전능하신 분이시나 온전하게 자제 (自制) 하시는 분임을 증명하는 것이다. 그래서 하나님의 이 자제의 열매는 동산 '중앙'에 있는 그 나무에 아름답게 열린다. 그것은 너무도 아름다워서 보기에 먹음직도 하고 보암직도 하고 탐스럽기도 하게 열리는 것이다.

하나님께서는 사람에게도 하나님처럼 다스리는 자로서의 자제를 권유하셨다. 하나님의 자제로 열리는 아름다운 열매를 보여주며 그것을 보고 '선과 악'을 알라고 하신 것이다. 이 나무의 이름은 영어로 'Tree of the knowledge of good and evil'이며 히브리어로는 '에츠 하따앗 토브 와라아'이다. 그냥 선악을 알게 하는 나무이지 '먹으면 선악을 알게 된다'는 것은 사탄의 속임수인 것이다.

그렇다면 '먹는다'는 것은 무엇을 의미하는 것인가? 그것은 바로 '자제'를 포기한다는 의미이다. 아름다운 자제의 열매를 먹어버리고 그것을 포기한 사람은 결국 '자멸'의 길로 들어서게 된 것이었다. 물론 이 죽음의 길로 들어선 사람을 살려내기 위하여 하나님께서는 비장한 구원계획을 세우셨고 인간의 멸망을 조금이라도 늦추기 위하여 '출산'의 은혜와 '노동'의 건강 유지법을 주셨으나 인간의 무절제는 걷잡을 수 없이 가속화되어가고 있었던 것이다.

## ② 생명나무

결국 무절제로 인하여 파멸에 이르게 되는 인류가 붙잡아야 했던 것은 무엇인가? 에덴 동산에는 또 하나의 나무가 있었는데 그것은 바로 생명나무였다. 그런데 하나님께서는 사람을 에덴 동산에서 내어보내시며 말씀하셨다.

"보라 이 사람이 선악을 아는 일에 우리 중 하나 같이 되었으니 그가 그 손을 들어 생명나무 실과도 따먹고 영생할까 하노라"(창 3 : 22).

하나님은 사람을 쫓아내신 후에 에덴 동산 동편에 그룹들과 두루 도는 화염검을 두어 생명나무의 길을 지키게 하셨다.

생명나무 실과란 무엇일까? 그리고 어째서 하나님은 사람이 그것을 먹을까봐 내어 쫓으셨을까? 하나님은 그토록 인색하신 분인가?

본래 생명나무의 실과는 먹지 말라고 금지되지 않았었다. 그런데 사람이 선악을 아는 나무의 실과를 먹고 자제를 포기한 이후에 먹지 못하도록 규제되었던 것이다. 사실 사람이 자제를 포기하기 전에는 생명나무의 실과가 필요 없었다. 그들은 그 이전에는 죽지 않는 존재였기 때문이다. 그러나 자제를 포기한 후로 사람이 그것을 필요로 하는 날이 올 것을 하나님은 예측하셨다.

생명나무란 글자 그대로 'Tree of life', 히브리어로는 '에츠 하하임'이다. 어째서 사람은 이것이 필요하게 되는 것일까?

선악을 알게하는 나무의 실과를 먹고 자제를 포기함으로써 사람에게는 어떤 변화가 오게 되었는가? 물론 하나님께서는 죽으리라, 즉 흙으로 돌아갈 것이라고 하셨다. 좀더 구체적으로 말한다면 인류는 탐욕 때문에 어떻게 되었는가? 신명기 28장 15절 이하의 상황이 전개되었던 것이다. 자연의 파괴, 오염과 공해, 윤리의 타락, 불치병의 만연, 전쟁과 기근…마침내 지구의 균형은 깨어지고 20세기의 미래학자들은 지구의 멸망이 얼마남지 않았다고 단언하기에 이르렀다. 그 어떤 지혜도 이 병든 지구를 되살릴 수는 없게 되었다.

이제 인류는…마침내 그 모든 문제를 해결하기 위해서는 단 한가지 방법밖에 없는 것을 알게 되었다. 그것은 바로 생명의 유전자를 조작하여 생명체를 대량 생산해내는 '생명공학'이었던 것이다.

하나님은 이미 일이 이렇게 될 줄을 알고 계셨다.

"보라 이 사람이 선악을 아는 일에 우리 중 하나같이 되었다고 생각하기에 이르렀으니 그가 마치 하나님이라도 된 것처럼 손을 내밀어 생명의 창조까지도 손대어 살아보겠다고 발버둥칠 것이다."

하나님은 그래서 탐욕의 화신이 된 사람에게 생명나무를 맡길 수가 없었던 것이다. 하나님은 생명나무로 가는 길에 화염검을 장치하셨다. 그러나 이미 사람은 그 길로 들어섰다. 사람은 이미 쥐의 유전자를 조작하여 두 마리의 같은 쥐를 만들어 내었으며 동물과 식물의 유전자를 합성시켜 고기처럼 질긴 토마토도 만들어 내었다. 이제 사람은 바로 화염검 칼날 속으로 들어서고 있는 것이다.

그래서 인류의 역사는 나무에서 시작하여 나무로 끝난다. 이 무서운 무절제와 파멸의 역사를 생각하면서 내가 쓴 소설이 1982년 '소설문학' 4월호에 발표했던 「마지막 나무」였던 것이다.

생명나무로 가는 길은 탐욕을 버릴 때에만 접근이 가능하다. 그 나무의 열매는 이제 하나님의 성전, 곧 그리스도의 몸으로부터 나오는 생명수의 강가에서만 만날 수 있다 (겔 47:12). 오직 어린양을 섬기는 성도들에게만 그 열매는 주어진다 (계 22:2).

영생의 약속을 얻은 성도들은 다시 하나님과의 관계를 회복하게 되고 그들은 비로소 자신들이 정말로 하나님의 형상 '대로' 지음을 받았음을 깨닫게 될 것이며 그들은 비로소 아름다운 열매가 열린 '선악을 알게 하는 나무'에 하나님의 열매와 자신들의 열매가 '함께' 열려 있는 것을 보게 될 것이다. 그것이 바로 사람을 완전한 연인 (戀人) 으로 회복시키시는 하나님의 계획이었던 것이다.

# 큰자와
# 어린자

"두 국민이 네 태중에 있구나
두 민족이 네 복 중에서 나누이리라.
이 족속이 저 족속보다 강하겠고
큰자는 어린자를 섬기리라"
(창 25 : 23)

# 큰자와 어린자

☐ 가인의 항의

　어릴 때 성경을 공부하면서 이해가 가지 않는다거나 좀 마음에 들지 않는 부분들이 더러 있었는데 그 중에서도 내게 늘 불만스러운 것은 바로 가인과 아벨에 관한 대목이었다.

　"…세월이 지난 후에 가인은 땅의 소산으로 제물을 삼아 여호와께 드렸고 아벨은 자기도 양의 첫 새끼와 그 기름으로 드렸더니 여호와께서 아벨과 그 제물을 열납(悅納)하셨으나 가인과 그 제물은 열납하지 아니하신지라…"(창 4 : 3~5).

　여호와의 이 불공평한 '열납'으로 인하여 마침내 인류 최초의 살인 사건이 발생하게 되는 것이다. 가인은 이러한 여호와의 처사에 분하여 안색이 변하였고 여호와의 추궁을 받아 시선을 깔더니 급기야는 그 아우 아벨을 쳐 죽이고 말았던 것이다.

　우선 내게 불만이었던 점은 제물의 열납같은 절차적 문제가 아니고 하나님의 이해할 수 없는 장남 기피증에 있었다. 하나님께서 이렇다 할 이유없이 장남을 못마땅하게 여기신 것은 비단 가인의 경우만이 아니었다.

　한 날 한 시에 태어난 쌍동이 에서와 야곱의 경우에도 하나님은 사내답고 효성스러운 에서 대신 모친 곁에서 부엌일이나 하는 야곱을 택하였고, 야곱이 요셉의 아들들에게 축복할 때에도 그 손을 어긋나게 얹음으로써 장남인 므낫세가 밀려나고 둘째인 에브라임이 축복을 받았던 것이다.

그뿐만이 아니다. 하나님의 지시를 받아 선지자 사무엘이 이스라엘의 왕 사울의 후계자를 이새의 아들 중에서 고를 때도 하나님은 위로부터의 일곱 아들을 모두 제쳐두고 막내인 다윗을 택하도록 하셨다.

구약성서는 또 구약이니 그렇다고 하자. 누가복음 15장에서 예수님은 돌아온 탕자의 비유를 들려 주시는데 이 비유에 나오는 아버지는 제 몫의 유산을 미리 받아가지고 나가서 유흥비로 다 날리고 돌아온 아들을 위해 큰 잔치를 베풀었다. 아우가 집을 나가 있는 동안 힘든 집안일을 돌보며 아버지를 섬겨 온 장남에게는 염소새끼 하나도 잡아주지 않던 아버지가 돌아온 탕자를 위하여는 살찐 송아지를 잡았던 것이다. 하나님은 또 그렇다치고 그 아들이신 예수님까지 이러시니 아마도 이 끈질긴 장남 기피증은 하나님 가문의 유서깊은 고질병인지도 몰랐다.

어쨌든 이 성경의 장남 기피증에 내가 그토록 불만이었던 것은 바로 나 자신이 5남매 중의 가장 맏이인 장남이기 때문이었다. 결국 나는 중학교를 졸업하면서 교회도 졸업을 해 버렸지만 이 억울하고 서글픈 장남 기피증은 교회 밖에도 엄존하고 있었다. 우리나라의 옛날로부터 전해져 내려오는 고전소설 「흥부전」이 그것이었다. 흥부전을 가만히 보면 놀부는 부모를 모시며 열심히 일하여 가세를 일으킨 효자였고 흥부는 무능한 형편에 자식만 줄줄이 낳아 놓는 구제불능의 룸펜이었다. 그런데도 흥부전은 놀부에게만 악담을 퍼부었고 소설뿐 아니라 세상사람 모두가 흥부의 편이 되어 있었던 것이다.

그것은 또 내 개인적 환경에서도 예외가 아니었다. 경제 성장의 속도가 빠르다보니 집안 형편이 좋아지는 속도도 아래로 갈수록 빠르다. 그런데 부모님 생신이라도 되면 엄청난 잔치비 부담하는 것은 장남이요, 부엌에서 죽어나는 것은 예나 지금이나 맏며느리다. 자식들이 다 커버려서 생활비도 많이 들어가는 형편에 장남이 꾸려대는 잔치 비용은 생색도 없고 결혼한 지 얼마 되지도 않으면서 아파트에 살고 자가용 굴리는 막내가 들고 오는 값싼 선물은 온 동네에 자랑거리가 된다. 어쩌다 형제간에 의견이 달라져서 불화라도 생기면 모두 장남의 잘못이요, 맏며느리 잘못 얻은 탓이다.

그런 입장에 있는 내가 다시 예수를 믿기 시작했으니 이 하나님의 장남 기피증에 대해서 따지고 넘어가지 않을 수가 있겠는가 ?

### ② 세월이 지난 후에

다시 성경을 잡고 공부하기 시작하면서 나는 이 가인의 문제를 해결하기 위하여 많은 참고 서적을 뒤적였다. 도대체 어째서 하나님이 가인의 제물을 열납하지 않으셨는가에 대해서 파고들기 시작했던 것이다. 그러나 그 어느 책에서도 속시원한 해답은 얻을 수가 없었다.

어떤 이는 하나님의 뜻에 맞는 제물을 드려야 한다고 했다. 하나님은 아담과 하와가 범죄한 후에 그들의 벌거벗은 몸을 가리워 주기 위해서 가죽으로 옷을 해입히셨다. 그것은 곧 그리스도의 피로 이루실 구원사업을 예고해 주신 것이다. 아벨은 이 뜻을 잘 알고 양을 잡아서 드렸다. 그러나 가인은 그것을 모르고 자기 생각대로 땅의 소산을 드렸다. 그래서 아벨의 제물만이 열납되었다.

또 이런 이야기도 있었다. 땅의 농산물은 수고와 땀으로 거둔 '행위'의 제물이요, 양의 새끼와 그 기름은 '믿음'의 제물이니 믿음으로써 구원받는다고 한 바울의 말과 같이 하나님은 '행위'보다 '믿음'을 택하셨다는 논리였다.

그러나 이들 어떠한 해석도 내 생각에는 이치에 닿지 않는 것 같았다. 왜냐하면 이미 처음부터 가인은 '농사하는 자'이었고 아벨은 '양치는 자'였기 때문이다 (창 4 : 2) . 농사하는 자가 농산물로 드리고 양치는 자가 양으로 드리는 것은 당연한 일이었다. 하나님이 채식보다는 육식을 좋아하시는지 모르지만 그렇다고 가인이 아벨에게 가서 양을 빌려다가 드린다면 그것이 옳은 제물일 것인가.

내 생각이 옳다면 하나님이 아벨의 제물을 받은 것에는 이유가 없었다. 아무런 해명도 성경에는 나와 있지를 않은 것이었다. 그러나 성경에는 의미없는 것이 적혀 있지 않을 것이라고 나는 '믿었다.' 그 의미를 알기 위하여 나는 결사적으로 매달렸다. 그리고 마침내 그 의문이 풀어지는 날이 왔던 것이다. 어느 날…, 막내가 다니는 학교에서 무슨 행사가 있다고 해서 아내는 막내에게 새옷 한벌을 사 입혔다. 그런데 내가 깜짝 놀랐던 것은 그 아이가 새옷을 입고서 그렇게도 좋아하는 것이었다. 그 모습을 보면서 가만히 생각해 보니 우리가 막내에게 새옷을 사 준 것은 그것이 처음인 것 같았다. 그 아이는 늘 언니들의 것을 물려 입었던 것이다.

나는 큰 충격을 받았다. 그러고 보니 내가 막내에게 소홀하게 했던 것은 비단 그 옷 문제만이 아니었다. 첫 아이를 기를 때 생각을 해 보았다. 몸에 열이 조금만 있어도, 배설물의 빛깔이 조금난 이상해도 그대로 둘쳐안고 병원으로 달려갔다. 아침저녁으로 들여다보며 입을 맞추었고 1주일 멀다하고 기념사진을 찍었다. 입을 오물거리기만 하면 말을 가르쳤고 아이가 겨우 걸을 수 있게 되자 지능이 발달된다는 장난감을 찾아 백화점을 헤맸고 유치원도 들어가기 전부터 끙끙거리며 한글을 가르쳤다.

그런데 막내에게는…. 얼굴이 뜨거울 만큼 무관심했던 게 사실이었다. 퍼뜩 생각이 들어 앨범을 펼쳐보니 역시 막내의 사진은 적었다. 언니들하고 같이 찍은 것은 더러 있지만 밥만 먹으면 카메라를 들이댔던 첫째와는 비교가 안될 정도로 적었다. 장난감은 모두 언니가 쓰다가 망가뜨린 것이요, 옷은 모두가 언니의 헌옷들이다. 아프다면 약국에 가서 약 사먹으라고 돈 주고 소풍간다면 콜라 사먹으라고 돈으로 때웠다.

그로부터 우리 부부에게는 막내에 대한 미안스러움이 보상 심리로

작용하기 시작했다. 관심도 안 두었는데 심부름 잘하고 말 잘 듣는 막
내가 그렇게 귀여울 수가 없었다. 그런데 이번에는…큰 아이가 막내
를 질투하기 시작한 것이었다.

나는 비로소 가인의 문제로 돌아올 수 있었다. 어째서 가인과 아벨
은 '제물'을 드리게 되었는가? 그 이유는 알 수가 없었다. 아담과 그
아들들 사이에는 오직 3절 첫머리의 '세월이 지난 후에'만 있을 따름
이었다.

결국 그 '세월이 지나는 동안' 제사의 의식이 생겨났다. 아담과 직
접 대화하시던 하나님은 아담을 에덴동산에서 내어보내신 후 제사를
통한 대화를 시작하시었다. 그리스도의 때까지 성전의 휘장이 쳐진
것이었다. 이 제사의 주관자가 아담의 장남인 가인이었다. 4장에 보
면 하나님은 아벨과 대화하시지 않고 오직 가인과만 대화하셨던 것
을 알 수 있다. 가인은 하나님의 미움받는 자가 아니라 '택함받은' 제
사장이었다.

또 직업을 보면 아담의 직업은 '농사'였고 (창 3 : 23) 장남인 가인
이 그 아버지의 기업을 물려받았다. 그런데 아벨은 양치는 자가 되었
다. 어째서 그는 양을 치게 되었을까? 창세기 9장 3절에 의하면 사
람들은 노아의 홍수 이전에 육식을 하지 않았다. 그렇다면 아벨은 왜
양을 쳤는가? 그 대답은 아담과 하와가 입었던 '가죽옷'밖에는 없다.
즉 가인은 먹을 것을 위해 농사짓는 아담의 기업을 물려받았고 아벨
은 입을 것을 위해 양을 기르고 그것을 죽여 가죽을 벗기고 그것으로
곡식을 바꾸어 먹으며 살아가고 있었다. 즉 아벨은 '백정'이었던 것
이다.

그래서 아벨은 양 새끼밖에는 바칠 것이 없었다. 그래서 양으로 가
슴아픈 제물을 드렸던 것이다. 하나님은 비로소 그와 대화하는 '창구
'인 가인에게만 주의하셨던 것에 대해 보상심리를 가지기 시작하였
다. 아벨을 불쌍히 여기기 시작하셨던 것이다. 하나님은 아벨의 마
음을 돌아보셨고 그의 마음을 받으셨다. 그런데 가인이 하나님의 마

음을 이해하지 못하고 그 아우를 시기하게 되었던 것이다.

언제나 부모의 마음은 부지런하고 잘사는 큰 아들보다 가난하고 가엾은 작은 아들에게 가 있다. 그리고 부모의 마음은 큰 아들에게 이렇게 바란다. "너에겐 그렇게 잘 해 주었지 않니? 이제는 내 대신 네가 네 아우에게 좀더 잘 해 줄 수 없겠니?"

여기까지 추적하고 나서야 나는 예수님이 흘리신 '아벨'의 피로 우리가 모두 '가인'이 된 것을 깨달을 수 있었다. 하나님의 부름을 받고 택함받은 크리스천들은 모두가 가인인 것이다. 그 가인들에게 이제 하나님은 말씀하고 계신다.

"내가 너를 짐승의 부르짖는 광야에서 만나고, 호위하며, 보호하며, 자기 눈동자처럼 지켰다. 마치 독수리가 그 보금자리를 어지럽게 하며 그 새끼 위에 너풀거리며 그 날개를 펴서 새끼를 받으며 그 날개 위에 그것을 업는 것 같이 내가 너를 홀로 인도하고 함께 한 다른 신이 없었다"(신 32:10~12).

그러니 이제 하나님께서는 우리에게 아우들을 찾아가라고 부탁하신다. 큰 자가 어린 자를 섬기라고 부탁하신다.

"두 국민이 네 태중에 있구나. 두 민족이 네 복 중에서 나누이리라. 이 족속이 저 족속보다 강하겠고 큰자는 어린자를 섬기리라"(창 25:23).

큰자와 어린자는 바로 에서와 야곱이 아니라 우리 가운데 있는 쌍동이이다. 우리가 하나님으로부터 택함을 받아 '큰자'가 되었다면 이제 우리는 가엾은 아우를 생각하시는 하나님을 대신하여 '어린자'들에게 사랑과 구원을 전해야 하는 책임이 있는 것이다. 우리가 불쌍한 아우들을 보살피고 이끌어 주고 섬기게 될 때… 그리하여 다시 세월이 지난 후에… 하나님은 우리의 제물을 비로소 열납하실 것이다.

이 가인에 대한 깨달음을 나는 소설로 적었다. '87년 10월 「월간문학」에 발표했던 「흥보가」(興甫歌)가 바로 그것이었다.

# 가이난의
# 비밀

가이난은 누구인가?
왜 가이난의 이름은 누가복음에만 있고
창세기와 역대기엔 없는 것일까?
분명히 누가복음은 창세기나
역대기보다도 나중에 기록된 것이다.
창세기가 처음부터
잘못 기록되었다는 것인가?

# 가이난의 비밀

## ① 사라진 이름

우리는 흔히 야곱의 후손들을 이스라엘 사람이라고 부르거나 유대인이라고 부른다. 이스라엘은 야곱이 얍복 나루에서 환도뼈가 위골될 정도로 하나님과 씨름한 끝에 얻은 이름이요 (창 32 : 28) , 유대인이란 야곱의 열두 아들 중에서 주도권을 잡았던 그 넷째 아들 유다의 이름에서 비롯된 것이다.

그러나 이 이름들 외에도 우리는 때로 그들을 히브리인이라 부른다. 애굽 땅에서 종살이 할 때에도 그들은 히브리인이라 불리워졌으며 (출 2 : 6) 바나바가 기록하였다고 알려진 서한도 우리는 그것을 「히브리서」라고 부른다. 바울 사도는 자기 자신을 가리켜 '히브리인 중의 히브리인'이라고 부르고 있다 (빌 3 : 5) .

도대체 이 히브리인이라는 이름은 어디서 온 것일까? 왜 그들에게는 이스라엘도 유다도 아닌 또 하나의 이름 '히브리인'이 붙은 것일까?

이런 의문을 가지고 나는 도대체 성경의 어디서부터 그 호칭이 등장하기 시작하는가 뒤적거리기 시작했다. 성경에 '히브리인'이라는 호칭이 처음 등장하는 대목은 창세기 14장이었다. 조카 롯과 함께 아버지 데라를 따라 갈대아 우르를 떠나 하란에 이주했던 아브람은 '너로 큰 민족을 이루게 하리라'는 하나님의 약속을 따라 다시 가나안 땅으로 떠난다. 그러나 아브람은 본래 하나님의 지시에 잘 따르기는 했어도 성품이 모질지 못하고 심약한 것이 결점이었다. 그는 가뭄을 피하여 애굽으로 내려갔다가 누이라고 위장했던 아내 사라를 애굽 왕 바로에게 빼앗길 뻔하였고, 하나님의 도우심을 받아 무사히 탈출하기는 했으나 역시 그 후로도 소심하기는 마찬가지였다. 그는 주체하기 어려울 정도로 가축과 재산이 불어나자 조카 롯에게 서로 갈라질 것을 제안했다. 그리고 계산이 밝은 롯이 비옥한 동편 들을 택하자 그는 험악한 산지 헤브론을 택하여 옮겨간 것이었다. 이 어리숙한 아브람을 하나님은 격려하신다.

"너는 눈을 들어 너 있는 곳에서 동서남북을 바라보라 보이는 땅을 너와 네 자손에게 주리니 영원히 이르리라"(창 13 : 13).

그러나 아직도 아브람은 그저 소심하고 어리숙한 사내였다. 하나님은 마침내 이 소심한 남자 아브람을 훈련시키기 위해 엄청난 준비를 하시게 된다. 아브람이 살고 있는 가나안 땅에 '세계대전'이라는 대 사건을 계획하신 것이다.

당시 지중해 연안에서 천하를 지배하고 있는 나라들은 메소포타미아 평원을 중심으로 연합하고 있는 시날, 엘라살, 엘람, 고임 등의 북방 왕국들이었고 그들의 맹주는 엘람의 그돌라오멜 왕이었다. 그런데 이들로부터 늘 지배당하며 지내온 남쪽의 다섯 나라 즉, 소돔, 고모라, 아드마, 스보임, 소알 등이 복종을 거부했기 때문에 마침내 세계대전이 발발했던 것이다. 이들이 싯딤 골짜기에서 대회전(大會戰)을 벌이고 있을 때 하나님께서는 소심한 아브람의 궁둥이를 걷어차서 그 전쟁의 소용돌이 속으로 쳐넣으셨다.

전쟁의 승기를 잡은 엘람왕이 소돔성을 격파하고 아브람의 조카 롯과 그 재물, 양식들을 약탈해 갔던 것이다. 소돔성에서 간신히 도망해 온 한 사람이 아브람에게 달려와 급보를 전했다.

"도망한 자가 와서 히브리 사람 아브람에게 고하니 때에 아브람이 아모리 족속 마므레의 상수리 수풀 근처에 거하였더라"(창 14 : 13)

마침내 아브람은 전쟁에 끌려들어가게 되었다. 그는 자기가 데리고 있던 겨우 3백 18명의 군사를 이끌어 이 엄청난 세계대전에 휘말려들게 된다. 그러나 결과는 아브람의 대승리였다. 이 전쟁에서 아브람은 세계 제일의 강자가 되었고 떡과 포도주를 들고 나온 살렘 왕 멜기세덱으로부터 축복을 받게 되었던 것이다. 이것은 바로 '히브리 사람' 아브람에 대한 하나님의 엄청난 격려였던 것이다.

나는 다시 이 '히브리'의 어원을 찾기 시작하였다. 결국 이 히브리의 어원은 하란 지방에 세워졌던 '에블라 왕국'에서 기원하는 것이었고 이 에블라 왕국을 건설한 사람은 셈의 셋째 아들인 아르박삿의 손자 에벨이라는 것을 알게 되었다.

"셈은 에벨 온 자손의 조상이요, 야벳의 형이라. 그에게도 자녀가 출생하였으니 셈의 아들은 엘람과 앗수르와 아르박삿과 룻과 아람이요, 아람의 아들은 우스와 훌과 게델과 마스며 아르박삿은 셀라를 낳고, 셀라는 에벨을 낳았으며 에벨은 두 아들을 낳고…"(창 10 : 21~25).

홍수 이후 전 세계로 퍼져나간 노아의 자손들을 적어놓은 창세기 10장의 족보들을 읽으면서 나는 결국 그 모든 족속들이 모두 자기 나름대로의 신들을 섬기게 된 것을 알 수 있었다. 그 많은 신들 가운데서 우리가 아는 여호와 하나님은 노아에게서 셈에게로, 셈에게서 아르박삿에게로, 아르박삿에게서 다시 셀라에게로, 셀라에게서 에벨에게로 가느다랗게 명맥을 유지하고 있었던 것이다.

이렇게 간신히 명맥을 유지해 오던 여호와 하나님은 셀라의 아들 에벨에 와서야 겨우 그 체면을 세울 수 있게 된다. 셀라의 아들 에벨이 하란을 중심으로 하는 밧단아람 지방에다가 에블라 왕국을 건설했기 때문이었다. 여호와 하나님은 그제서야 이 에블라 왕국에서 제사다운 제사를 받으실 수 있었던 셈이었다. 그리고 이 에벨 덕분에 셈

은 창세기 10장 21절에서 '에벨 온 자손의 조상'이라는 경칭을 얻게
된 것이었다.

나는 그나마 이 히브리 사람들의 자존심 회복을 다행스럽게 여기
며 다른 성경들 속에서 에벨의 이름을 확인하였다. 에벨의 이름은 역
대기에도 있었다.

"아르박삿은 셀라를 낳고 셀라는 에벨을 낳고 에벨은 두 아들을 낳
아 하나의 이름을 벨렉이라 하였으니 이는 그 때에 땅이 나뉘었음이
요…"(대상 1 : 18, 19).

나는 다시 누가복음 3장을 찾아보았다. 거기에는 예수님의 족보가
거꾸로 올라가며 아담까지 이르게 되어 있기 때문이었다. 그러나 누
가복음의 족보를 펼친 나는 깜짝 놀라고 말았다.

"…그 이상은 야곱이요, 그 이상은 이삭이요, 그 이상은 아브라함
이요, 그 이상은 데라요, 그 이상은 나홀이요, 그 이상은 스룩이요,
그 이상은 르우요, 그 이상은 벨렉이요, 그 이상은 헤버요, 그 이상
은 살라요, 그 이상은 가이난이요, 그 이상은 아박삿이요, 그 이상은
셈이요…"(눅 3 : 34~36).

물론 헤버는 에벨, 살라는 셀라, 아박삿은 아르박삿이라는 것을 알
수 있었다. 그러나 문제는 살라와 아박삿 사이에 있었다.

"…그 이상은 헤버요, 그 이상은 살라요, 그 이상은 가이난이요,
그 이상은 아박삿이요…"

분명히 살라(셀라)와 아박삿(아르박삿) 사이에 '가이난'이라는 이
름이 들어가 있었다. 여기서부터 내 생각은 혼란의 소용돌이 속으로
빠져들어가게 되었다.

(가이난은 누구인가? 왜 가이난의 이름은 누가복음에만 있고 창
세기와 역대기엔 없는 것일까? 분명히 누가복음은 창세기나 역대기
보다도 나중에 기록된 것이다. 그렇다면 누가는 어째서 그 가이난이
라는 이름을 추가로 집어 넣었단 말인가? 성경의 족보가 틀렸단 말
인가? 창세기가 처음부터 잘못 기록되었다는 것인가?)

## ② 히브리인의 뿌리

히브리어 성경 사본과 사마리아 사본에는 물론 아르박삿과 셀라의 사이에 가이난이란 이름이 나타나지 않는다. 다만 주전 280년 경에 헬라어로 번역되었다고 알려진 소위 「70인역본」에 이 가이난이란 이름이 등장하고 있는 것이다. 그렇다면 모든 일을 근원부터 자세히 미루어 살폈다는 (눅 1 : 3) 헬라인 누가는 누가복음 3장의 족보를 기록할 때 70인 헬라어 역본을 참고했음이 분명한 것 같다. 그렇게 볼 때 가이난의 이름이 사라진 이유는 3가지로 분석해 볼 수 있을 것이다.

첫째, 처음부터 모세는 가이난을 기록하지 않았으나 또 다른 자료가 있었을 경우. 그리고 둘째로, 70인역의 번역자들이 가이난의 이름을 잘못 삽입했을 경우와 셋째로는, 70인역 이후의 히브리어 사본을 기록한 사람들이 고의적으로 이름을 삭제해 버린 경우가 있을 것이다.

그러나 우선 성경의 번역자들이 기록되어 있는 이름을 고의로 삭제해 버린다는 것은 거의 불가능하다고 추정할 수 있다. 왜냐하면 히브리 사람들은 성경의 점하나도 가감할 수 없었을 뿐만 아니라 어떤 불미스러운 기록이라도 삭제하지 않고 남겨둔 것이 바로 성경의 최대 강점이기 때문이었다. 그렇다면 창세기 말고 또 다른 자료가 있었다는 것이 가장 가능성있는 추리가 될 것이다.

나는 혹시나 하여 70인 역과 거의 동시대에 기록된 것으로 추정되는 외경 「요벨서」를 뒤지다가 가이난의 이름을 발견하고 흥분하지 않을 수 없었다. 「요벨서」는 쿰란 동굴에서 발견된 문서 중의 하나로서 말하자면 창세기의 외경같은 것이었다. 외경 요벨서의 제 8장은 이렇게 기록하고 있다.

"아르박삿의 아들 가이난은 성장하여 도시로 나가 점성술사의 가르침을 받고 일월성신의 징조로 점을 쳐서 죄를 범하였다…가이난은 셀라를 낳았고 가이난의 아우 게세대는 에벨을 낳았다…"

물론 요벨서가 정경 (正經)이 아니므로 우리는 이 기록을 어디까지 믿어야 하는지 알 수 없는 일이다. 그러나 '옛세네'파 사람의 기록으로 보여지는 이 가이난의 이야기가 '도시적 점성술'을 경계하고 있는 것은 흥미있는 일이었다. 왜냐하면 에벨의 아들인 벨렉의 시대에 '세상이 나뉘는'사건, 즉 바벨탑의 사건이 일어났으며 바벨탑은 곧 도시 문명과 점성술을 상징하고 있기 때문인 것이다. 그렇다면 가이난은 이미 아버지 아르박삿의 명을 거역하고 바벨탑 공사에 참여하고 있었는지도 모르는 것이다.

그러므로 가이난의 이야기가 사실이든 아니든 한가지 분명한 것은 가이난이 성경의 족보에서 제외되었다는 사실이다. 에벨이 가이난의 아들이든 셀라의 아들이든, 아니면 셀라의 사촌 동생이든 그런 것과 상관 없이 성경의 족보는 '신앙의 계보'였다는 사실에 나는 충격을 받았다. 시간과 공간을 초월하시는 하나님께 육체적 계보는 아무런 의미도 없는 것이다. 하나님은 영이시며 하나님의 관심은 오직 그 자녀들의 '신앙의 계보'일 수밖에 없는 것이었다.

그 '신앙의 계보'를 타고 여호와 하나님은 가느다란 명맥을 유지해 오셨다. 온 세상이 멸망하더라도 하나님께서는 가냘프게 남겨진 그 루터기를 타고 자기를 이어오셨던 것이다. 그 계보마저 자칫 가이난에 이르러 끊어질 뻔 하였다. 그러나 힘겹게도 그 계보는 다시 아버지의 전철을 밟지 않은 셀라가 에벨을 길러냄으로써 간신히 에벨에게로 이어졌던 것이다. 하나님은 비로소 에벨에게서 자기의 권능을 나타내 보이셨다. 에벨은 밧단 아람의 하란 땅에 에블라 왕국을 세웠다. 유브라데 강과 힛데겔 강이 발원하는, 그 옛날 에덴 동산이 있었다고 여겨지는 바로 그 자리였다. 그러나 그 에블라 왕국도 오래가지는 못했다. 메소포타미아에서 부는 죄악의 바람이 너무나 강했다. 바벨탑의 사건이 일어났다. 온 땅의 언어는 갈라지고 사람들의 갈등과 투쟁은 더욱 깊어갔다. 에블라 왕국은 다시 타락하고 사람들은 뿔뿔이 우상을 따라 흩어져 갔다. 동쪽으로 흘러들어간 스룩의 아들 나홀과 나홀의 아들 데라는 갈대아 우르에서 우상들에 파묻혀 살았다. 어느 날 데라는 갈대아 우르의 타락한 도시생활에 환멸을 느꼈다. 그는 아들 아브람과 손자 롯을 데리고 갈대아 우르를 떠났다.

"가자, 밧단아람으로. 돌아가자, 하란으로." 그들은 히브리인들의 꿈이 묻혀 있는 하란의 폐허로 떠났고 데라는 하란에서 죽었다. 그러나 여호와 하나님은 다시 아브람을 불러내셨다. "너는 너의 본토 친척 아비집을 떠나 내가 네게 지시할 땅으로 가라"

아브람은 하나님의 지시에 순종하여 뿌리의 땅 하란을 떠났다. 그러나 그는 늙었을 때 그 종 엘리에셀에게 말한다.

"이 지방 가나안 족속 딸 중에서 내 아들을 위하여 아내를 택하지 말고 내 고향 내 족속에게로 가서 (밧단아람) 내 아들 이삭을 위하여 아내를 택하라"(창 24 : 4).

그 아들 이삭도 나이 많아 늙었을 때에 집을 떠나는 야곱에게 명령한다.

"너는 가나안 사람의 딸들 중에서 아내를 취하지 말고 일어나 밧단아람으로 가서 너의 외조부 브두엘의 집에 이르러 거기서 너의 외삼촌 라반의 딸 중에서 아내를 취하라…"(창 28 : 1,2).

이토록 밧단아람, 즉 에덴의 옛터요 에블라 왕국의 그 자리는 히브리 사람들의 고향이요, 집념이었던 것이다. 이 집념을 타고 여호와 하나님은 자기를 나타내시었고 그 약속을 성취하시었다. 그 분은 기어코 에블라 왕국보다도 더 크고 장엄한 그리스도의 왕국을 건설하셨던 것이다. 이제 그 왕국이 온전한 모습을 드러낼 때가 다가오고 있다. 이미 천사들은 새 예루살렘 성의 하강을 위해 나팔을 들고 서 있다.

그 성에 입성할 수많은 이름들 가운데서 가인난처럼 삭제되는 어리석음을 범하지 않기 위해 우리는 오늘도 우리의 집념을 하나님의 나라에 단단히 걸고 우리 '믿음의 계보'가 끊어지지 않도록 우리 믿음의 아들들을 길러내야 하는 것이다. 셀라가 에벨을 길러 냈듯, 바울이 디모데를 길러냈듯 우리는 그 계보를 이어가야 하는 것이다.

# 여호수아를 찾아서

여호수아의 이름이 예수의 이름처럼
'여호와가 구원하신다'는 뜻인 것을
알게 된 나는 다른 성경의 이름들을
또 뒤지기 시작했다 그리고
내가 찾아낸 이름이 엘리사였다.

# 여호수아를 찾아서

[1] 이스라엘의 하나님

　주일학교까지는 곧잘 다니던 내가 중학교에 들어가면서 차츰 교회를 멀리하게 되었고 마침내 중3이 되면서 교회를 안 나가게 되었는데, 거기에는 몇 가지 이유가 있었지만 그 중의 하나가 바로 '가나안 진멸(珍滅)'에 관한 의문이었다.

　모세가 이끄는 히브리 백성들은 애굽을 탈출하여 홍해를 건너 바란 광야에 이르렀으나 가나안 땅으로 들여 보냈던 정탐자 열두명의 보고를 듣고 마음이 약해져서 다시 발길을 돌리게 되었고 이로부터 광야 40년의 긴 하나님의 훈련 기간이 시작되었다. 처음에는 에돔왕이 길을 막자 발길을 돌이켜야 했던 겁장이 히브리인들이 아랏 왕과의 싸움에 이기면서 자신을 갖기 시작했고 마침내 시혼 왕, 바산 왕과 전투할 때에는 그들을 전멸시킬 정도로 담대해지게 되었다.

　그러나 이때부터 히브리 사람들은 점점 난폭해지기 시작하였고 여호와 하나님은 오히려 그들에게 하나도 남기지 말고 진멸하라는 명령을 내리고 있는 것이다.

　"…우리 하나님 여호와께서 그를 우리에게 붙이시매 우리가 그와 그 아들들과 그 모든 백성을 쳤고 그 때에 우리가 그 모든 성읍을 취하고 그 성읍을 그 남녀와 유아와 함께 하나도 남기지 아니하고 진멸하였고…"(신 2 : 33,34).

"…우리 하나님 여호와께서 바산 왕 옥과 그 모든 백성을 우리 손에 붙이시매 우리가 그들을 쳐서 한 사람도 남기지 아니하였느니라…"(신 3 : 3).

모든 대적과 그 백성까지도 진멸하라는 하나님의 명령은 여호수아가 가나안으로 진군할 때에 절정에 이르게 된다.

"오직 네 하나님 여호와께서 네게 기업으로 주시는 이 민족들의 성읍에서는 호흡있는 자를 하나도 살리지 말지니, 곧 헷 족속과 아모리 족속과 가나안 족속과 브리스 족속과 히위 족속과 여부스 족속을 네가 진멸하되 네 하나님 여호와께서 네게 명하신 대로 하라"(신 20 : 16,17).

그리하여 여호수아 10장과 11장은 남녀노유를 불문하고 가나안 백성들을 참살하는 피비린내로 얼룩져 있다. 이스라엘 사람들이 볼 때에는 신명나는 승전의 행진곡일는지 모르나 다른 나라 사람들이 볼 때에는 눈살이 찌푸러지지 않을 수 없는 대목이요, 심지어 이 대목을 읽고서 분개한 어떤 교수는 '여호와 하나님'은 깡패 하나님이라고까지 극언을 서슴치 않을 정도였다.

그러므로 이 대목에서의 의문은 당시 철학 서적들을 탐독하고 있던 중학 시절의 나에게도 충격을 주었던 것이며 나는 결국 이 의문을 풀지 못한 채 여호와 하나님이란 이스라엘만의 신이라는 결론을 내리고 교회와 결별하게 되었던 것이다.

이 세상 모든 것을 하나님이 창조하였다면 가나안에 살고 있던 백성들도 모두 하나님의 뜻에 따라서 이 땅에 태어난 사람들일 것이었다. 그들이 설사 무식해서 다른 신들을 섬겼다 할지라도 그들은 하나님의 뜻에 따라 고귀한 생명을 가지고 태어난 인간이었다. 그런데 여호와 하나님은 히브리 사람들에게 정착지를 마련해 주기 위하여 남녀노유를 불문하고 가나안 사람들을 살육하는 대참극을 연출한 것이었다. 그 어떤 설명도 내게 이것을 해명해 주지 못하였고 내 결론은 너무도 당연한 것이었다.

그런 내가 다시 예수를 믿겠다고 성경을 잡았으니 이 문제를 눈 감아두고 지나갈 수는 없었다. 나는 다소 떨리는 마음으로 창세기를 끝낸 후 출애굽기로 넘어 들어갔다. 하나님의 산(山) 호렙…, 떨기나무 속의 음성…, 모세의 출동… 그리고 드디어 히브리 백성들은 바로의 손을 벗어나 광야로 들어섰다. 바로의 추격…, 홍해의 기적…, 다시 히브리 백성들은 마라의 물이 정결해지고 만나가 내리는 기적을 목격하게 된다. 그리고 드디어 17장에 들어서면서 반석에서 생수가 솟아난 므리바가 있는 르비딤에서 아말렉 군대와의 전투가 벌어지게 된다.

여호수아는 칼을 잡고 나가 대적과 싸우고 모세는 하나님의 지팡이를 손에 잡고 산 꼭대기로 올라간다. 모세가 두 손을 들고 기도하면 여호수아 군대가 이기고 팔이 아파서 손을.내리면 아말렉 군대가 기세를 올린다. 곁에 시립했던 아론과 훌이 모세의 팔을 들어올렸고 그 손이 해가 지도록 들려져 있었으므로 여호수아는 마침내 아말렉을 제압하고 승리를 거둘 수 있었다. 거기까지는 전에도 읽은 적이 있어서 이미 알고 있는 터였다. 그런데 그 다음에 걸리는 곳이 있었다.

"여호와께서 모세에게 이르시되 이것을 책에 기록하여 기념하게 하고 여호수아의 귀에 외워 들리라…"(출 17 : 14).

이 아말렉과의 르비딤 전투가 여호와 하나님에게는 뭔가 중요한 의미가 있는 모양이었다. 그러니까 책에 기록하고 여호수아에게 외워서 들려주라고 했을 것이다. 그리고 또 있었다. 모세는 이 장소에 단을 쌓고 그 이름을 '여호와닛시'라고 붙였는데 그것은 히브리 말로 '여호와는 나의 기(旗)'라는 뜻이었다. 모세는 지팡이만 들고 있었는데 갑자기 기(旗)는 또 무엇인가. 그러자 내게는 얼핏 머리에 떠오르는 것이 있었다. 그것은 바로 이사야서 11장 10절이었다.

"그 날에 이새의 뿌리에서 한 싹이 나서 만민의 기호(旗號)로 설 것이요, 열방이 그에게로 돌아오리니…"

이새의 뿌리에서 나온 싹이란 말할 것도 없이 다윗의 자손 예수 그리스도를 의미하는 것이었다. 말하자면 모세의 깃대에 달려야 하는 깃발은 바로 예수 그리스도라는 뜻이었다. 또 예수란 이름은 헬라어로 '여호와가 구원하신다'는 뜻인데 그것을 히브리어로 하면 바로 여호수아가 되는 것이었다. 그렇다면 여호수아는 바로 1천5백년 후에 오실 예수 그리스도의 예표적 인물로 등장했다고 볼 수 있었다. 그러고보니 모세의 지팡이는 바로 율법을 상징하는 것이었고 여호수아의 칼은 바로 말씀의 검을 의미한다는 것이었다. 또 여호수아는 히브리 백성을 모세로부터 인계받아 가나안 입성을 완수한 사람이었고 예수 그리스도는 '율법의 완성자'(마 5 : 17)로서 오신 것이었다.

그렇게 보면 여호수아의 가나안 입성도 모든 성도들을 이끌고 천국에 입성하는 예수 그리스도의 구원사역을 예표하는 사건이었다. 하나님의 말씀이신 그리스도 안에서 모든 사람들의 썩어버린 골수와 관절들은 쪼개져야 했던 것이다. 그것이 바로 바벨탑 사건 이후로 여호와 하나님에게 등 돌리고 살던 가나안 사람들에게 내려진 역사적 종말이었고 그것은 다시 온세계의 종말과 그리스도의 구원 그리고 심판으로 연결되어 이어지게 되는 것이었다.

## ② 르비딤에서 변화산까지

이 여호수아의 추적으로 말미암아 나는 '모형론'이라는 것을 배우게 되었다. 여호수아뿐만이 아니고 이삭, 요셉, 삼손, 다윗, 솔로몬, 엘리사 등 많은 사람들이 그 생애의 일부분을 예수의 모형으로 살다간 것이었다. 그것은 또한 메시야를 기다리는 히브리 사람들의 줄기찬 갈망의 행진이기도 하였다.

뿐만 아니라 사건들까지도 그것이 모두 서로가 모형과 예표의 고리로써 연결되고 있었다. 아브라함이 한발을 피해 애굽으로 내려갔던 사건은 다시 야곱의 70명 식구가 애굽으로 내려간 사건의 모형이 되었고 아브라함의 모리아산 제사는 예수 그리스도의 골고다 수난을 예표하고 있었다. 그리고 하나님께서 광야의 모세에게 지시하여 세웠던 성막과 제사도 하늘에 있는 것의 모형이었다 (히 9 : 23) .

그러므로 마치 원자의 구조와 태양계의 구조가 닮은 것처럼 천국도 역시 '너희 안에 있으며' (눅 17 : 21) 동시에 '너희를 위하여 예비한' (요 14 : 2) 천국도 있는 것이다.

이 모형론의 발견은 내가 성경을 공부하는 데 있어서 획기적인 발전의 계기가 되었다. 이로써 성경 안에 있는 모든 사건들과 이 세상에서 일어나고 있는 모든 사건들이 한 눈에 꿰어져서 보이게 되었던 것이다.

그런 수확 중의 하나가 엘리사에 대한 것이었다. 여호수아의 이름이 예수의 이름처럼 '여호와가 구원하신다'는 뜻인 것을 알게 된 나는 다른 성경의 이름들을 또 뒤지기 시작하였다. 그리고 내가 찾아낸 이름이 바로 갈멜산 사건의 불같은 선지자 엘리야의 제자인 엘리사였던 것이다. 엘리사라는 이름은 히브리어로 '하나님이 구원하신다'는 뜻이었다. 나는 이 유사한 이름의 뜻만 가지고 엘리사도 혹시 예수의 예표적 인물이 아닐까 기대하며 그의 행적들을 뒤져보았다. 그리고 나는 너무도 예수와 닮은 그의 삶을 발견하고 깜짝 놀라게 되었다. 여호수아가 이스라엘의 열두 지파를 지휘했다면 엘리사는 열두 겨리의 소로 밭을 갈다가 엘리야를 만났다 (왕상 19 : 19) . 예수도 열두 제자를 거느리셨다.

뿐만 아니라 엘리사는 죽은 과부의 아들을 살렸고 (왕하 4 : 36) , 보리떡 20개로 1백명을 먹이고 오히려 떡이 남았으며 (왕하 4 : 42~44) , 문둥병자를 고쳤고 (왕하 5 ; 14) , 그가 죽은 다음에도 그의 뼈는 죽은 사람을 부활시키는 능력이 있었다 (왕하 13 : 21) .

또 엘리야가 아합왕 시대를 질책한 선지자였다면 엘리사는 그의 후계자로서 아합 왕과 마녀 이세벨의 시대를 마감하고 이스라엘의 종말과 구원을 예언하며 그 생애를 마친 사람이었다.

모세와 엘리야 사이에도 공통점이 있었다. 모세와 엘리야는 둘 다
그 성격이 불과 같았고 괴로울 때에는 차라리 죽여 달라고 떼를 썼으
며 모세가 홍해를 갈랐듯이 엘리야도 요단 강 물을 갈랐다. 그들의 후
계자인 여호수아도 요단강 물을 갈랐으며 (수 3 : 16) 엘리사도 역시
요단강물을 갈랐다 (왕하 2 : 14).

그 여호수아와 엘리사가 예표로써 보여 주었던 예수 그리스도께서
드디어 이 세상에 오시었다. 그리고 그 예수 그리스도의 수난은 이제
그 준비가 다 되어 가고 있었다. 이미 그 분은 시돈 지방에서 귀환하
면서 예루살렘 행을 결심하였고 제자들에게 자기가 수난당할 것과 죽
은 지 사흘 만에 다시 살아나실 것을 예고하였다. 그리고 나서 그는
갈릴리 남서쪽 10마일 지점에 반원형으로 솟아 있는 다볼산에 오른
것이다.

이 역사적인 순간에 그 산정에서 예수는 모세와 엘리야를 만난다.
그것은 참으로 '필연적'인 사건이었다. 예수의 모습은 변화되어 해같
이 빛나고 그 옷도 희어져서 광채가 났다고 한다. 그리고 그분은 모
세, 엘리야와 함께 장차 예루살렘에서 별세하실 일에 대하여 의논하
고 계셨다 (눅 9 : 30,31).

베드로는 너무나 흥분한 나머지 그 산정에 세 분을 위하여 초막을
짓겠다고 주청하였다. 히브리 사람들이 초막을 짓는 것은 바로 초막
절을 말하는 것이며 초막절은 그들이 메시야가 오실 날을 고대하는
절기였던 것이다. 그러나 예수께서는 동행하였던 베드로와 야고보와
요한에게 자신이 수난을 당하고 죽은 자 가운데서 다시 살아날 때까
지 이 일을 아무에게도 이르지 말라고 말씀하셨다 (마 17 : 9).

이 길고 긴 추적이 바로 모세와 엘리야로부터 시작하여 하나님의
구원 계획을 완성하신 예수 그리스도의 성취까지 연결되었던 것이
다. 그 대장정 (大長征) 속에서 어느새 내앞에 다가서신 그분 예수
그리스도를 위해 오늘도 나는 베드로처럼 초막을 세우며 그분이 나
팔소리와 함께 다시 오시는 날을 기다리고 있다.

# 나와 너
# 사이에

'여호와께서 영원히 나와 너 사이에 계시다'고
믿었던 다윗과 요나단의 사랑이 요나단의
죽음으로 허무하게 막을 내려버렸다.
하나님은 어찌하여 이들의 아름다운 사랑을
삶과 죽음으로 갈라놓으셨는가?

# 나와 너 사이에

## ① 요나단의 슬픈 사랑

성경에 사랑이야기가 많이 나오지만 그 중에서도 내가 제일 아픔을 느꼈고 또 가장 당황했던 사랑이야기는 바로 다윗을 '자기 생명같이 사랑했던'(삼상 18 : 1) 요나단의 사랑이었다. 다윗을 향한 요나단의 사랑은 그야말로 어떤 물로도 끌 수 없을 정도로 뜨거운 것이었고 목마른 사슴이 시냇물을 갈망하듯 간절한 것이었다. 여자도 아닌 다윗에게 퍼부은 그의 사랑은 그가 혹시 동성연애자가 아닌가 느껴질 만큼 애틋한 것이어서 다윗 자신도 그의 사랑을 두고 '여인의 사랑보다 더한'(삼하 1 : 26) 것이었다고 술회했을 정도였다.

요나단이 다윗을 처음 만나 그를 숙명적으로 사랑하기 시작하게 된 것은 다윗이 블레셋의 거인 골리앗을 넘어뜨려 그 머리를 베어들고 사울 왕 앞에 나아왔을 때였다. 이 때 '요나단의 마음이 다윗의 마음과 연락되어 요나단이 그를 자기 생명같이 사랑' 하게 (삼상 18 : 1) 되었다고 성경에는 적혀 있다. 이 때부터 요나단의 슬픈 사랑은 시작된 것이었다.

"요나단은 다윗을 자기 생명같이 사랑하여 더불어 언약을 맺었으며 요나단이 자기의 입었던 겉옷을 벗어 다윗에게 주었고 그 군복과 칼과 활과 띠도 그리하였더라"(삼상 18 : 3, 4) .

요나단은 다윗의 무엇을 보고 그에게 마음이 연락되어 사랑하게 되었던가? 물론 다윗은 그 용모가 아름다왔다고 적혀 있다(삼상 17 : 42). 그러나 요나단이 주목한 것은 그 용모가 아니었다. 그가 다윗을 처음 만났을 때의 상황에서 무엇보다도 충격적인 사건은 바로 골리앗의 붕괴였던 것이다. 그러나 요나단의 경우, 그 정도의 승리 때문에 다윗을 여인의 사랑보다 더한 사랑으로 사랑할 정도는 아니었다. 요나단도 이미 역전의 용사였으며 단신으로 적진에 들어가 적군을 20여 명이나 무찔렀을 정도로 담대한 군인이었던 것이다. 그렇다면 그 요나단이 처음 만난 다윗에게서 본 것은 무엇이었던가? 그는 바로 하나님께서 다윗과 함께 하시는 것을 보았던 것이다. 요나단은 이미 단신으로 적진에 들어갈 때 하나님과 동행한 것을 체험한 신앙인이었다(삼상 14 : 10). 그러므로 요나단이 하나님께서 다윗과 함께 하심을 보고 그를 사랑하게 된 것은 당연한 일이었던 것이다.

그러나 하나님에 대한 믿음으로 다윗을 사랑했던 요나단은 그 아버지 사울이 다윗의 성공을 시기하여 그를 죽이려고 마음먹으면서 점점 슬픔과 아픔의 길로 들어서게 된다. 그는 다윗을 피신시키고 사울에게 다윗의 죄 없음을 들어 그의 마음을 돌이키기를 탄원하였으나 이미 악신에게 사로잡힌 사울의 마음은 바꿀 수가 없었다.

"사울이 요나단에게 단창을 던져 치려한지라 요나단이 그 부친이 다윗을 죽이기로 결심한 줄 알고 심히 노하여 식사자리에서 떠나고 달의 제 2일에는 먹지 아니하였으니 이는 그 부친이 다윗을 욕되게 하였으므로 다윗을 위하여 슬퍼함이었더라"(삼상 20 : 33, 34).

"다윗이 곧 바위 남편(南便)에서 일어나서 땅에 엎드려 세번 절한 후에 피차 입맞추고 같이 울되 다윗이 더욱 심하더니 요나단이 다윗에게 이르되 평안히 가라 우리 두 사람이 여호와의 이름으로 맹서하여 이르기를 여호와께서 영원히 나와 너 사이에 계시고 내 자손과 네 자손 사이에 계시니라 하였느니라"(삼상 20 : 41, 42).

이로부터 다윗의 기나긴 도망의 길은 시작된다. 다윗이 놉으로, 가

드로, 아둘람 굴로, 그리고 모압을 거쳐 헤렛으로, 십 황무지로, 엔
게디 황무지로, 전전하는 동안 사울은 끈질기게 다윗을 추격하며 그
의 목숨을 노리고 있었다. 그 사이에 다윗은 사울을 죽일 수 있는 기
회를 몇번씩이나 얻었지만 하나님께서 기름부어 세운 종을 자기 손
으로 죽일 수 없다는 믿음으로 그 자리를 피하였고 사울과 요나단은
마침내 블레셋과의 전쟁에서 참패하여 둘다 전사하고 마는 것이다.
요나단을 잃은 다윗은 그 슬픔을 시로 써서 모든 유다 족속에게 들려
주게 하였다.

　"내 형 요나단이여, 내가 그대를 애통함은 그대는 내게 심히 아름
다움이라 그대가 나를 사랑함이 기이하여 여인의 사랑보다 승하였도
다…"(삼하 1 : 26).

　너무나 슬프고 허전한 요나단의 최후였다. 이 어찌 다윗의 몇 줄 시
로써 보상될 수 있는 것인가. 물론 다윗은 요나단과의 언약을 지켜서
그 후손을 보호하였다. 다윗은 계속해서 자기를 대적하는 사울의 잔
당들을 소탕한 후에 요나단의 절뚝발이 아들 므비보셋을 사랑하여 사
울의 유산을 모두 그에게 주었으며 언제나 그와 함께 식사를 하였고,
훗날 다윗이 그 아들 압살롬의 반란으로 예루살렘에서 떠날 때에 므
비보셋이 자기를 따르지 않았는데도 불구하고 그를 용서하여 곁에 두
었던 것이다. 이렇게 하여 사울의 일가가 모두다 멸족되었는데도 불
구하고 그 핏줄은 요나단의 아들 므비보셋을 통하여 이어지게 된다.

　그러나 그것만으로 요나단의 지극한 사랑은 보상받은 것일까. 무
엇보다도 우리를 쓸쓸하게 하는 것은 '여호와께서 영원히 나와 너 사
이에 계시다'고 믿었던 그 사랑이 요나단의 죽음으로 허무하게 막을
내려버린 사실이다. 하나님께서는 어찌하여 이들의 아름다운 사랑을
삶과 죽음으로 갈라놓으셨는가?

## ② 내 자손과 네 자손 사이에
　요나단은 너무나 허무하게 죽어버렸다. 물론 요나단과 다윗은 모

든 죽은 자가 부활할 때에 (요 5 : 29) 함께 일어나 뜨거운 우정의 회
포를 풀게 될런지 모른다. 그러나 아무리 이 세상에서의 우리 삶이 아
침 안개와 같은 나그네 길이라 할지라도 나름대로의 열매가 있어야
하지 않겠는가?

나는 이 요나단의 이야기를 다 읽고 나서도 너무나 허전한 마음을
가눌 길이 없어서 성경책을 놓지 못하고 이리저리 뒤적거리고 있었
다. 그러다가 문득 내 눈이 한 페이지에 머물렀다. 요나단이 다윗을
에셀바위에 피신시키면서 한 말이었다.

"여호와께서 너 다윗의 대적들을 지면에서 다 끊어버리신 때에도
너는 네 인자 (仁慈) 를 내 집에서 영영히 끊어버리지 말라 하고 이에
요나단이 다윗의 집과 언약하기를 여호와께서는 다윗의 대적들을 치
실지어다 하니라" (삼상 20 : 15, 16) .

이것은 바로 요나단과 다윗 사이의 언약일 뿐만 아니라 '요나단의
집'과 '다윗의 집' 사이의 언약이었던 것이다. 물론 히브리어의 '배일
'은 'house'뿐 아니라 'family'즉 가문의 뜻도 있는 것이다.

나는 다시 요나단의 가문과 다윗의 가문을 뒤져올라가기 시작했
다. 요나단과 그 부친 사울은 이스라엘 열두 지파 중에서 베냐민 지
파였고 (삼상 11 : 21) 다윗은 말할 것도 없이 유다 지파였다. 이들 열
두 지파는 야곱의 열두 아들에서 나온 것이었고 유다는 야곱의 넷째
아들이며 레아의 소생, 베냐민은 야곱이 세겜을 떠나 벧엘에서 하나
님과의 약속을 지키기 위해 돌기둥에 기름을 붓고 베들레헴으로 가
던 도중에 라헬이 낳은 막내아들이었다. 베냐민을 노중에서 출산하
고 죽어가면서 그의 모친 라헬은 그를 베노니라고 불렀는데 그것은
'슬픔의 아들'이라는 뜻이었고 야곱은 그 아들의 이름이 너무 안스러
웠던지 다시 베냐민이라고 고쳐불렀는데 그것은 '오른손의 아들'이라
는 뜻이었다 (창 35 : 16~18) .

야곱은 본래 레아보다 라헬을 더 사랑하였으므로 라헬의 소생인 요
셉과 베냐민을 지나치도록 편애하였다. 야곱이 밧단아람에서 내려올

때에도 형 에서의 군대가 두려워서 요셉은 뒤로 빼돌리고 다른 아들
들을 방패막이로 내세웠으며 (창 32 : 2), 이러한 야곱의 편애는 그 아
들들을 난폭하게 하여 세겜의 소동을 일으키게 하였고 작당하여 미
디안 장사꾼들에게 요셉을 팔아 넘기게 한 것이었다. 그러나 이들 중
에서 제일 먼저 아비 야곱의 마음을 이해한 아들이 바로 요셉을 팔아
넘기자고 먼저 제의했던 유다였다. 그는 두 아들을 잃고 며느리와 불
륜의 관계를 맺어 수치를 당하면서 험난한 세월을 살아가는 동안에
요셉을 편애했던 아비의 마음을 이해하게 된 것이다. 이러한 유다의
마음은 애굽의 총리 앞에서 자기를 대신 체포하고 베냐민을 놓아달
라고 탄원하는 유다의 열변에 넘쳐흐르고 있다(창 44 : 18~34).

이 슬픔의 막내아들 베냐민 지파는 사사기의 마지막 부분에 와서
한번 큰 수난을 당하게 된다. 한 레위 사람이 베들레헴 친정에 가 있
던 자기 첩을 데리고 오던 중 베냐민에 속하는 기브아에서 유숙하다
가 불량배의 습격을 받아 욕을 당한 끝에 살해된 사건이 일어난 것이
었다. 이에 그 남편이 첩의 시체를 열두덩이로 토막내어 이스라엘 각
지파에 보내 그 분함을 호소하였고 마침내 이로 인하여 격분한 모든
지파들이 베냐민 지파를 치기 위하여 궐기하였다. 이 베냐민 지파 공
격에 선봉으로 뽑힌 것이 공교롭게도 유다 지파였다. 유다 지파는 울
면서 베냐민을 공격하였으며 모든 이스라엘 사람들도 함께 울었다.
그러나 전쟁이 끝난 후에야 그들이 깨달은 더 큰 문제는 베냐민 지파
가 멸족의 위기에 처했다는 사실이었다. 전쟁에서 살아남은 베냐민
사람이 겨우 6백명에 불과했기 때문이었다 (삿 20 : 47). 이스라엘 사
람들은 이들을 실로의 딸들과 결혼시켜서 간신히 그 가문을 이어 나
가게 하지 않으면 안되었다.

그 베냐민 지파가 다시 사울의 실패로 말미암아 멸족당하게 되었
고 베냐민의 혈통은 요나단의 아들인 절뚝발이 므비보셋을 통하여 겨
우 이어지게 되었다. 이 므비보셋의 후손들은 다시 한번 다윗으로부
터 입은 은혜를 갚게 되는데 그것이 바로 다윗의 손자며 솔로몬의 아

들인 르호보암 때였다. 르호보암은 무거운 징세를 탕감하여 달라는
백성들의 청원을 묵살하여 이스라엘의 열 지파를 반역자 여로보암에
게 빼앗기게 되었다.

여로보암과 이스라엘 백성들은 다윗의 집과 관계가 없다면서 르호
보암을 버리고 북쪽으로 올라가서 이스라엘의 왕국을 세웠다 (왕상
12 : 16~24). 그러나 이 때 베냐민 사람들은 그들을 따라가지 않고
그대로 유다의 집에 남은 것이었다. 혈통대로 하면 북쪽 이스라엘의
지도자 여로보암이 요셉의 아들인 에브라임 지파 출신이었으며 (왕상
11 : 26), 요셉은 베냐민과 같은 라헬의 소생이었기 때문에 의당 그
들을 따라 갔어야 함에도 불구하고 그들은 유다의 집에 남았던 것이
다.

이렇게 요나단의 집과 다윗의 집 사이의 관계는 그 아래 위로 깊고
도 각별한 것이었으며 무엇보다도 중요한 것은 그것이 '아비의 마음
으로 돌아갔던' 유다의 깨달음에서 비롯되었다는 사실이다.

"내가 어찌 아이 (베냐민) 와 함께 하지 아니하고 내 아비에게로 올
라갈 수 있으리이까 ?"

이 마음이 바로 아비 야곱에게로 돌아가는 마음이었고, 그것이 야
곱의 하나님이신 여호와에게로 돌아가는 마음이었던 것이다. 그리고
바로 이 마음에서 예수 그리스도가 탄생하게 되는 것이다. 그래서 예
수 그리스도는 '유다의 집'에서 탄생하시게 된다. 그는 '다윗의 자손
'으로 오시게 되는 것이다 (마 1 : 1).

그런데 이 '다윗의 자손' 예수 그리스도는 '요나단의 자손'과 어떤
관계를 맺으셨는가 ? 예수 그리스도께서 이 세상에 오셔서 그 모든
대적자들과 싸우실 때에 그 대적자 중에서 한 사람을 불러 자기의 사
도를 삼으셨으니 그가 곧 '베냐민 지파'의 바울이었던 것이다 (롬 11 :
1).

이것이 곧 유다 지파와 베냐민 지파 사이에 세우신, 그리고 다윗의
집과 요나단의 집 사이에 세우신 하나님의 멀고도 긴 계획이었다. 시

기와 원망을 버리고 아비의 마음으로 돌아갔던 유다의 마음, 하나님께서 다윗과 함께하시는 것을 보고 그를 사랑했던 요나단의 마음이 다시 바울을 부르신 그리스도의 마음으로 이어지고 그것은 다시 그리스도를 향한 바울의 뜨거운 사랑으로 연결되었던 것이다. 이 기나긴 러브스토리를 이해해야만 고린도전서 13장은 우리의 가슴에 와서 닿을 수 있다.

"…사랑은 오래 참고, 사랑은 온유하며 투기하는 자가 되지 아니하며…"

요나단과 다윗의 뜨거운 사랑이 그리스도를 향한 바울의 사랑으로 이어졌던 것처럼 이제 그 사랑이 온 세상에 이어져 나갈 때에 비로소 하나님의 나라는 임하시리라. '너와 나 사이에 하나님께서 계신 것'을 모든 인류가 깨달을 때에 지구촌의 총소리는 영원히 그치게 되리라.

# 실로암에서 만날 때

예수님께서는 병든자들을 고치실 때
'말씀'으로 고치셨는데 날 때부터
소경된 자의 눈을 뜨게 해 주시는 장면은
'땅에 침을 뱉아 진흙을 이겨
그의 눈에 바르고 실로암 못에 가서 씻으라'고
지시하셨던 것이다. 왜 실로암에 가서
씻으라 하셨을까…?

# 실로암에서 만날 때

## 🔲 이사야의 수수께끼

내가 처음 성경공부에 열중하기 시작했을 때 가장 흥미를 느꼈던 부분은 '종말론'이었다. 성경을 붙잡기 이전에도 로마클럽의 미래학이라든가 노스트라다무스의 예언같은 데 호기심을 가지고 있기는 했으나, 막상 성경공부를 시작하고 보니 인류의 미래에 대해서 성경은 어떻게 기록하고 있는가 궁금했던 것이다. 그리고 나의 이러한 종말론적인 접근은 성경을 이해하는 데 큰 도움이 되었다. 그 방대한 내용들을 우선 역사에 대한 하나님의 계획이라는 거시적 관점에서 파악할 수 있었기 때문이다.

그럴 즈음에 나는 출석하고 있던 「경동감리교회」에서 청년부 토요예배를 인도해 달라는 부탁을 받았다. 아직 초보적인 내 성경 지식으로는 어림도 없는 임무였지만 당장 그 일을 맡을 만한 사람이 없으니 수고해 달라고 하는데 순종하지 않을 수 없는 입장이어서 덜커덕 그것을 맡아 버렸던 것이다.

청년부의 토요예배를 인도하면서 내가 시작한 것이 '이사야서'였다. 이사야서는 예언서 중의 하나였고, 종말론에 관한 이사야 선지자의 예언이 어떤 것인가에 대해서도 궁금했기 때문에 그 난해함에도 불구하고 많은 참고 서적들을 뒤져가며 그 내용들을 분석했고, 토요일이면 내가 공부한 내용을 청년들에게 강해했던 것이다. 그런 대로 나의 이사야서 강해는 제법 청년들의 관심을 모았고 매주 토요일마다 아슬아슬하게 넘어가고 있었는데 그만 36장에 가서 나는 벽에 부딪쳐 버리고 말았다.

앞에도 적은 바와 같이 이사야서는 이사야 이후에 벌어질 일들에 대한 예언서이다.

유다에 대한 책망과 경고로부터 시작하여 여러 주변 국가들의 운명, 유다와 이스라엘에 대한 하나님의 심판과 포로생활로부터의 귀환, 그리고 메시야의 고난과 승리를 거쳐 새 하늘과 새 땅에 이르기까지 소상하고도 구체적으로 예언하고 있는 기록이 이사야서였던 것이다. 그러나 이 놀라운 예언서의 중간 부분인 36장에서 39장까지의 네 장은 갑자기 이사야가 생존해 있을 당시 유다 왕이었던 히스기야 시대의 역사를 기록하고 있는 것이었다.

이사야는 유다 왕 아마샤의 시대에 태어나 웃시야 왕이 죽던 해 (사 6 : 1)인 기원전 758년부터 활동을 시작하여 므낫세왕의 통치 때에 톱에 잘려서 죽었다고 하니 (히 11 : 37) 모두 6대에 걸친 왕들의 시대를 살았던 셈이고 웃시야의 증손이며 므낫세의 아비인 히스기야 왕도 물론 그 6왕 중의 하나였다.

어찌하여 이사야는 그의 예언서 가운데 자기 당대의 역사인 히스기야 왕 때의 기록을 끼워 놓았던 것일까?

물론 히스기야는 역사의 기록에 소중히 다루어야 할 많은 치적을 남긴 왕이었다.

25세의 젊은 나이로 유다의 14대 왕이 된 히스기야는 솔로몬 후기 이후로 유다의 고질병이 되어 버린 우상숭배를 타파하기 위해 산당들을 없애고 아세라 목상과 모세가 만들었던 놋뱀까지도 제거하였으며 성전을 수축하고 번제와 성가대의 찬양을 회복하는 한편 유월절과 십일조를 부활시킨 신앙부흥의 기수였던 것이다 (대하29~31).

그러나 모든 유다 왕들의 치적과 역사는 이미 사관 (史官)들에 의

해서 기록되었고(대하 25 : 26), 이들 기록은 나중에 예레미야의 열왕기(列王記), 에스라의 역대기(歷代記) 등 선지자들의 시각에 의하여 충실하게 편집되었던 것이다.

그런데 어째서 이사야는 그 당대의 기록을 자기의 예언서 가운데 끼워 넣었던 것일까?

교회 청년부와 만나야 하는 토요일은 점점 다가오는데 나는 이 벽에 부딪쳐서 도무지 앞으로 나가지를 못하고 있었다. 초조하고 답답한 나머지 나는 새벽기도회에서 하나님께 이 의문을 풀어 달라고 떼를 썼다. 토요일은 이제 이틀밖에 남지 않았었다. 기도로 질문을 하던 중에 새벽기도회의 설교 시간이 되었다. 목사님께서 어딜 가셨는지 단 위에는 여자 전도사님이 서 계셨다. 성경 본문은 요한복음 9장이었다. 예수께서 날 때부터 소경된 자의 눈을 뜨게 해 주시는 장면인데 땅에 침을 뱉아 진흙을 이겨 그의 눈에 바르시고 이르시되 "실로암 못에 가서 씻으라 하시니, 이에 가서 씻고 밝은 눈으로 왔더라"(요9 : 6, 7)는 것이었다. 얼핏 또 내게 의문이 생기기 시작했다. 예수님께서는 병든 자들을 고치실 때 '말씀'으로 고치셨는데 이 소경에게는 "가서 씻으라"고 지시하셨던 것이다.

(왜 실로암에 가서 씻으라고 하셨을까…?)

그런 생각을 하며 성경을 다시 보니 '실로암'이라는 글자 옆에 작은 ㄴ자가 붙어 있었다. 관주(貫珠)를 보라는 뜻이었다. ㄴ의 관주를 보니 느헤미야 3장 15절과 이사야 8장 6절이 나와 있었다. 느헤미야 3장 15절은 유다를 정복했던 바사 왕의 허가를 받아 유다총독으로 임명된 느헤미야가 예루살렘 성을 재건할 때 실로암 못가의 성벽을 수리하는 대목이었고 이사야 8장 6절은 실로암의 물을 소홀히 여기는 유다백성에게 대한 하나님의 경고가 기록되어 있었는데 다시 열왕기하 20장 20절을 보라고 되어 있었다.

이런 식으로 실로암에 관한 관주들을 찾아가다가 나는 모두 기억할 수 없을 정도가 되어 버려서 그 내용들을 종이에 베껴쓰기 시작했다. 내가 찾아낸 구절들은 열왕기상 1 : 38, 39 열왕기하 18 : 17 ; 20 : 20 역대기하 32 : 3, 4 ; 32 : 30 ; 33 : 14 느헤미야 2 : 14 ; 3 : 15, 16 이사야 7 : 3 ; 8 : 5~8 ; 22 : 9~11 ; 36 : 2 누가복음 13 : 4 요한복음 9 : 7 등이었다.

바로 이 과정은 나중에 내가 쓴 소설 「땅끝에서 오다」의 주인공 임준호가 텔아비브의 힐튼 호텔에서 이 세원이 남긴 수상한 쪽지 「실로암의 비밀」을 풀기 위해 밤을 새우며 고심하던 그것과 똑같은 것이었다.

## 2 숨겨진 종말론

이 실로암의 추적에서 내가 얻어낸 그 비밀의 전모 (全貌)는 소설 「땅끝에서 오다」의 주제이며 클라이맥스가 되었다. 아예 「땅끝에서 오다」의 324~325페이지를 그대로 옮겨 적어 '실로암의 비밀'을 열기로 한다.

…본래 예루살렘 성 동문 (東門)밖, 기드론 골짜기에 기혼샘이라는 성천 (聖泉)이 있었다. 이 샘은 간헐천 (間歇泉)으로 때를 따라 솟아 나오는 신비의 샘이어서 모두들 신유의 효능이 있는 거룩한 샘으로 믿고 있었다.

그래서 다윗 왕의 아들 솔로몬은 이 샘에 와서 기름부음을 받고 왕이 되었던 것이다. 솔로몬 이후 줄곧 우매한 왕들이 유대를 통치하였으나 제 14대의 히스기야 왕은 믿음이 깊고 지혜로운 왕이었다. 성전을 청소하고 우상들을 때려부수며 예배를 부활시키고 유월절을 다시 지키게 하는 등 많은 치적이 있었으나 그 중에서도 특이한 일은 바로 실로암 터널 공사였던 것이다.

25세의 젊은 나이에 유다 왕이 된 히스기야는 그가 즉위한 지 4년 만에 북방의 형제국 이스라엘이 앗수르에게 멸망되었다는 보고를 받았다. 이스라엘의 수도 사마리아는 쑥대밭이 되고 앗수르 왕은 모든 나라의 이방인들을 사마리아로 이주시켜 마구 이스라엘 여인들을 겁

탈하게 함으로써 하나님의 백성들을 잡종으로 만들어 버렸다. 이로써 사마리아는 바로 수치와 모멸의 대명사가 되어버렸던 것이다.

그 무서운 앗수르의 다음번 목표는 바로 유다 나라였다. 그리고 이미 앗수르 왕이 유다를 향하여 군대를 움직이기 시작했다는 보고가 들어오고 있었다. 그러나 히스기야 왕은 묵묵히 한 가지 일을 시작하였다. 성 밖에 있는 하나님의 샘물을 적에게 유린당할 수 없다는 생각에서 기혼샘으로부터 터널을 뚫어 성 안으로 끌어들이려는 대공사였다. 마침내 히스기야는 이 일을 해내었다. 지하의 암석들을 떡조각처럼 잘라내어 가면서 장장 6백 미터에 달하는 대 도수로(導水路)를 뚫었던 것이다. 그 기혼의 샘물을 끌어들여 성내로 모은 새 못이 바로 실로암 못이었다. 그리고 이 대역사를 끝낸 히스기야는 성 밖의 기혼샘을 돌로 막아 버렸던 것이었다.

그리고 마침내 앗수르의 산헤립 왕은 대군을 이끌고 들이닥쳤다. 그는 예루살렘 성을 완전히 포위하였다. 적장 랍사게는 바로 그 봉한 우물 기혼샘 근처에 서서 히스기야와 예루살렘 백성을 조롱하고 하나님을 모욕하였다. 그들은 앗수르왕의 글을 히스기야에게 전하였다.

"너는 네 하나님에게 속지 말라. 앗수르가 모든 나라들을 어떻게 멸하였는지 네가 들었으리라. 모든 나라의 모든 신들이 감히 앗수르에게서 그 나라들을 구할 수 있었더냐? 그 나라 왕들이 지금 어디 있느냐?"

적군의 포위 속에서 히스기야는 앗수르 왕의 편지를 성전에 펴놓고 하나님께 울부짖으며 기도하였다. 그리고 그 무서운 밤이 지난 후에 그들이 성에 올라가 보니 앗수르의 대군은 성 밖에서 전멸되어 있었고 홀로 달아난 앗수르 왕 산헤립은 그의 도성 니느웨에서 자기 아들의 칼에 맞아 죽는 비참한 최후를 마쳤던 것이었다.

적의 대군이 오고 있다는 보고를 듣고 터널 공사를 시작한 히스기야의 용기는 바로 오늘날 종말을 눈 앞에 둔 지구인들에게 사탄의 포위로부터 살아남을 수 있는 방책을 가르쳐 주고 있었다. 하나님을 향하여 터널을 파라. 어려운 시절이 닥쳐 오리니, 문을 닫고 어두움 속에서 네 눈을 밝힐 수 있는, 하나님의 말씀을 끌어들일 수 있는 터널을 뚫어라. 그것만이 네가 살 길이다. 무서운 밤이 지나고 아침이 되었을 때, 사탄은 모두 전멸하여 사라졌을 것이다…

준호는 비로소 왜 예수가 소경을 바로 그 자리에서 고쳐 주지 않고 실로암 못에 가서 씻으라고 했는지 그 이유를 깨달을 수 있었다. 그것은 후세 사람들에게 종말의 환난으로부터 살아남기 위한 대책을 가르쳐 주기 위해서였던 것이다…(소설「땅끝에서 오다」 324~325페이지).

요한복음 9장 7절에서 출발했던 나의 긴 여행은 마침내 저 예루살렘의 땅굴 실로암에 이르러 이사야의 종말론과 만난 셈이었다. 이사야는 바로 이 히스기야의 터널 공사를 가지고 종말에 처할 후세들의 대책을 일러 놓았던 것이다.

그의 배려는 오늘날 우리에게 더욱 절실한 현실로서 닥쳐오고 있다. 온갖 이단이며 사교가 판을 치고, 심지어는 교회안에서까지 여호와 하나님은 금과 은으로 도장(塗裝)되고 있다. 그리스도의 사랑은 내던진 채, 이기(利己)와 탐욕(貪慾)의 기도만이 무성한 가운데 하나님 대신 금송아지를 모셔 놓은 교회가 늘어가고 있는 것이다.

어떤 교회에서는 하나님을 정치 투쟁의 선봉으로 내세우기도 하고, 민족주의의 애국투사로 동원하기도 한다. 하도 내세울 것이 없어서 쑥스러워진 어떤 교회들은 강단에 태극기를 내걸고 철 지난 독립 만세의 리바이벌로 흩어지는 교인들의 관심을 붙잡아 보려고 한다. 지난날 가난한 이 땅에 와서 교회와 병원과 학교를 세웠던 언더우드, 아펜셀러, 스크랜튼의 충성과 사랑은 이제 이 나라 교회에서는 찾아 보기 어렵게 되었다.

수많은 사람들이 지구촌의 곳곳에서 굶어죽고 있는데 일부 종교 지도자들은 예루살렘의 제사장들처럼 과부들의 헌금으로 분을 바르고 치장하며 인사받기를 좋아하는 시대가 되었다. 이 어두운 종말의 시대에 우리가 살 길은 '말씀'을 향하여 터널을 뚫고, '말씀'으로 돌아가는 것이다.

오직 하나님의 '말씀'이신 예수 그리스도만이 우리의 산성이시며 환난 때의 피난처이시다. '떡'으로만 살 수 없고 '말씀'으로 살아야 하는 때가 온 것이다(마 4 : 4). 그리스도를 사랑하고 그 '말씀'대로 사는 자만이 그가 계신 곳에 살게 될 것이기 때문이다(요 14 : 23).

그래서 예수님은 날 때부터 소경된 자가 그 소경된 것은 그에게서 하나님의 하시는 '일'을 나타내고자 하심이었다고 말씀하셨다. 한국의 교회는 이제 날 때부터 소경된 지구촌의 모든 사람들에게 '실로암의 빛'을 실어나르는 그 역사적 '일'을 나타내보여야 할 것이다.

# 무엇을 구하느냐?

고기가 많이 잡혀 올라온 것을 보고
어째서 베드로는 자기가 죄인이라는 것을
깨달았던 것일까? 갈릴리의 어부로 살아온
우직한 베드로가 많은 물고기가 그물에 걸려
올라온 것을 보고 놀라서 예수의 무릎아래
엎드렸던 것이다. 왜 베드로는 자신이
죄인이라고 말했던 것일까…?

# 무엇을 구하느냐?

## ① 요단강과 갈릴리 사이

예수께서 세례 요한에게 세례를 받으시고 광야에서 사탄의 시험을 물리치신 다음 우리가 만나는 아름다운 장면은 바로 갈릴리에서 고기를 잡던 베드로와 안드레 형제, 그리고 요한과 야고보 형제를 부르시는 대목이다.

어느 날 갈릴리의 호숫가에는 두 척의 고기잡이 배가 정박하고 있었다. 두 배에서 일하는 어부들은 모두 밤새도록 고기를 잡았으나 허탕을 친 채 빈 그물만 씻고 있었다. 그 때 많은 무리에게 에워싸여 하나님의 말씀을 전하시던 예수께서는 시몬의 배에 다가와 그 배에 잠깐 오르시기를 청하고 다시 그 배를 육지에서 조금 떼어달라고 부탁한 다음 무리에게 가르치기를 계속하셨다.

말씀을 마치신 예수께서는 시몬의 배에 수확이 없는 것을 보시고 그에게 "깊은 데로 가서 그물을 내려 고기를 잡으라"고 권하셨다. 이에 시몬 베드로는 "저희가 밤이 새도록 수고하였어도 얻은 것이 없으나 선생께서 그렇게 말씀하시니 한번 더 해보지요"하며 그물을 내렸는데 고기가 너무 많이 잡혀 그물이 찢어질 정도가 되었다. 근처의 모든 동료들이 다 놀라서 달려와 시몬을 도와서 고기를 올리니 배가 잠기게 될 정도였다. 이를 본 시몬 베드로가 예수의 무릎 아래 엎드려

"주여, 나를 떠나소서. 나는 죄인입니다"(눅 5 : 8) 하고 고백하자 예수께서는 그에게 말씀하시기를, "나를 따라오너라 내가 너희로 사람을 낚는 어부가 되게 하리라"하시니 그들이 모든 것을 버려두고 예수를 따랐다는 것이다.

이 낭만적인 '만남'의 장면에서 나는 또 한 가지 의문에 걸리기 시작하였다. 고기가 많이 잡혀 올라온 것을 보고 어째서 베드로는 갑자기 자기가 죄인이라는 것을 깨달았던 것일까? 물론 죄의 깨달음은 바로 구원의 시작이라고 말한다. 예수께서 베드로에게 깊은 데로 가서 그물을 내리라고 권유하시기 전에 어떤 설교를 무리들에게 하셨는지는 기록되어 있지 않으나 갈릴리의 어부로 살아온 우직한 베드로가 그 설교에 감동하여 갑작스러운 고백을 한 것 같지는 않다. 분명히 이 때의 문맥으로 보아 베드로는 많은 물고기가 그물에 걸려 올라온 것을 보고 놀라서 예수의 무릎 아래 엎드렸던 것이다.

(어째서 베드로는 자신이 죄인이라고 말했던 것일까…?)

나는 다시 마가복음에 나오는 같은 장면을 찾아서 비교해 보다가 오히려 또 하나의 의문에 부딪쳐 버렸다. 예수께서 베드로와 안드레 형제에게 '나를 따라오너라, 내가 너희로 사람을 낚는 어부가 되게 하리라…'하시는 말씀으로 그들을 부르신 다음의 대목은 이렇게 되어 있었다.

"조금 더 가시다가 세배대의 아들 야고보와 그 형제 요한을 보시니 저희도 배에 있어 그물을 깁는데 곧 부르시니 그 아비 세배대를 삯군들과 함께 배에 버려두고 예수를 따라 가니라"(막 1 ; 19, 20).

분명히 누가복음 5장 9절에는 근처의 모든 사람이 다 놀랐으며 5장 7절에는 모두들 베드로의 형제가 그물 올리는 것을 도와 주었다고 했는데 마가복음에는 야고보와 요한이 그물을 깁고 있었다는 것이었다. 그리고 그것은 마태복음 4장에서도 마찬가지였다.

나는 다시 요한복음을 펼쳐보았다. 그러나 요한복음에는 이 갈릴리 바닷가의 대목이 아예 없고 예수께서 베드로를 만난 장소는 세례 요한이 세례를 베풀던 유대 광야의 요단강가라고 나오는 것이었다. 요단강에서 세례를 베풀던 요한이 하루는 예수께서 지나가시는 것을 보고 그의 두 제자에게 예수를 가리켜 "보라 하나님의 어린 양이로다" (요 1 : 36) 하였다. 이 말을 들은 안드레와 또 한 사람의 제자는 즉시 예수를 좇아갔다.

예수께서 그들이 좇아오는 것을 아시고 "무엇을 구하느냐?"(요 1 : 38) 하고 물으셨다. 좇아가던 두 제자는 당황하여 "랍비여, 어디 계시오니이까?"하고 되물었는데 예수께서는 그들에게 "와 보라"고 말씀하셨다. 두 사람 중 하나인 안드레는 자기 형제 시몬을 데려왔고 그를 보신 예수께서 "네가 시몬이니 장차 게바(베드로)라 하리라" (요 1 : 42)고 말씀하셨던 것이다.

나는 더욱 혼란 속으로 빠질 수밖에 없었다. 이미 예수께서는 안드레와 베드로를 요단강가에서 만나고 있었던 것이다. 이 요단강과 갈릴리 사이의 미스테리를 나는 다시 파헤치기 시작하였다.

### ② 두 사람 중의 또 한 사람

우선 이 문제를 해결하는 열쇠가 될 만한 것은 복음서가 기록된 연대들이었다. 순서로 보아 베드로에게 구술된 자료를 기록한 것으로 보여지는 마가복음이 가장 먼저로 간주되고 있으며 대략 그 연대는 베드로가 순교한 주후 64년 이전으로 잡고 있었다. 그 다음의 마태복음이 기록된 것은 예루살렘 멸망 직전인 주후 70년 이전으로 추측되고 누가복음은 그것이 데오빌로 각하라는 익명의 고관 앞으로 발송된 편지의 형식인 것으로 보아 그보다 훨씬 뒤에 기록되었을 것이다.

어쨌든 이들 세 복음서보다 요한복음은 더 나중에 기록되었으며 학자들은 그 기록 연대를 요한이 밧모 섬에서 돌아온 이후, 즉 계시록보다도 더 나중이라고 보고 있는 것이다.

그것이 사실이라면 우선 요한은 앞서 기록된 세 가지 복음서의 기록들을 다 보고 검토하였을 것이다. 그럼에도 불구하고 그는 예수께서 베드로를 처음 만난 곳이 요단강가였다고 기록하고 있는 것이었다. 더구나 마가나 누가는 모두 수집한 자료들을 정리한 사람들이고 마태가 비록 예수의 제자였다 하나 이 대목은 마태 자신이 부름받기 이전이므로 역시 당사자들에게서 들은 대로였을 것이다. 그러나 요한은 달랐다. 그는 바로 이 현장에 있었던 사람인 것이었다.

그러므로 나는 다시 이 요한이라는 사나이에 대해서 사실을 추적하였고 마침내 한가지 사실을 알아내게 되었다. 그것은… 요한은 자기가 쓴 복음서에 반드시 익명으로 등장하고 있다는 사실이었다. 세례 요한과 혼동을 피하기 위해서였는지, 아니면 그저 단순한 겸손에서였는지 모르나 요한은 한사코 자기의 이름을 숨기고 있었다. 그는 자기가 등장하는 대목에서는 '사랑하시는 제자'(요 19 : 26 ; 21 : 20) 또는 '다른 제자'(요 18 : 15 ; 20 : 3) 등으로 표현하였으며 나중에 가서야 "이 일을 증거하고 이 일을 기록한 자가 이 사람이라…"(요 21 : 24) 하여 그 익명의 제자가 바로 요한 자신이었음을 밝히고 있는 것이다.

그렇다고 하면 요한복음 1장에서 안드레 말고 또 한 사람의 제자는 바로 요한 자신이었다는 결론이 되며 예수께서는 베드로와 안드레, 그리고 요한을 요단강가에서 처음 만났음이 분명하게 되는 것이었다. 그러고보니 마가, 마태, 누가는 갈릴리의 만남이 처음이었다고는 쓰지 않았다. 그렇다면 이들은 요단강에서 처음 예수를 만나고나서 어떻게 되었던 것일까? 요한복음 1장 39절에는 그들이 그날 예수와 함께 지냈다는 기록만 있을 뿐 그 다음에는 어떻게 되었다는 설명이 없는 것이었다.

나는 다시 요한을 추적하면서 얻어낸 그의 성격들을 곰곰히 생각해 보았다. 요한은 본래 성격이 급하여 예수께서는 그의 별명을 '보아너게(우뢰의 아들)'이라고 붙여 주셨다(막 3 : 17). 그는 예수의 일행을 소홀히 대하는 사마리아 사람들을 하늘에서 불을 내려 멸해 달라고 예수께 건의할 만큼 격한 사람이었고(눅 9 : 24), 예수의 이름으로 귀신쫓는 사람들을 시기하였고 (막 9 : 38) , 예수께서 집권하실 때 높은 자리에 올려달라고 청탁하였으며 (막 10 : 35) , 자기 어머니까지 동원하여 그 일을 부탁하였다 (마 20 : 21) .

이 모든 요한의 면모들은 그가 몹시 실리적이며 권력지향적인 야심가였음을 말해 주고 있는 것이었다. 그런 요한이었으므로 세례 요한이 예수를 가리켜 '하나님의 어린 양 (메시야) '이라고 하니까 주저없이 선생을 버리고 예수를 쫓아갈 수 있었던 것이다. 더구나 요한은 대제사장 가야바와도 밀접한 관계를 가지고 있어서 그 집에 수시로 드나들었기 때문에 그집 여종까지도 알고 지낼 정도의 기회주의자였던 것이다 (요 18 : 15, 16) .

이러한 요한의 성격을 파악하고 나서야 나는 이 사건의 미스테리를 겨우 풀어나갈 수 있었다. 내가 추적한 이 사건의 전모는 이런 것이었다….

출세지향적이고 기회주의적인 야심가 요한은 동료 어부 안드레와 시몬을 설득하여 사람들이 메시야로 알고 있는 요한을 찾아가 그의 제자가 되었다. 그러나 어느날 세례요한이 예수를 가리켜 그가 바로 메시야라고 하는 말을 듣고 곧 그를 따라갔다. 예수께서는 그들이 따라오는 것을 보시고 물으셨다.

"무엇을 구하느냐?"

요한은 당황했다. 그가 구하는 것을 솔직하게 말하기가 어려웠다. 그는 동문서답을 해버렸다.

"랍비여, 어디 계시오니이까?"

예수께서는 그들에게 따라오라고 말씀하셨고 그들은 베드로까지 합세하여 그날 예수와 함께 지내며 그의 말씀을 들었다. 그러나 예수의 말씀은 그들이 기대하고 있던 '실리적' 메시야의 말씀이 아니었다. 그들은 고개를 갸웃거리며 예수를 떠났다. 그리고 그들은 다시 갈릴리로 돌아가 고기를 잡고 있었던 것이다.

그러던 그들에게 다시 예수의 소문이 들려오기 시작했다. 가나안

혼인잔치의 기적, 왕의 신하의 아들을 말씀으로 고치신 기적…. 그리고 마침내 예수는 갈릴리에 오신 것이다. 베드로도 요한도 이미 마음 속으로 떨고 있었다. 그런데 예수께서는 베드로의 배로 다가오셔서 그의 배를 빌리시고 또 조금 떼어 달라고 부탁하였다. 베드로의 이마에서는 진땀이 솟고 있었다. 설교를 끝내신 예수께서는 깊은데로 가서 그물을 내리라고 하셨다. 베드로의 오랜 경험과는 맞지 않는 분부였지만 복종하지 않을 수 없었다. 그런데 엄청난 고기떼가 잡혀 올라온 것이었다. 마침내 베드로는 무릎을 꿇었다.

"주여, 나를 떠나소서, 나는 죄인입니다!"

예수께서는 베드로에게 자기를 따르라고 말씀하셨다. 그것을 보며 요한은 자기 배에서 그물을 깁는 척하고 있었으나 자기의 경솔했던 판단이 죽고 싶도록 후회스러웠을 것이다. 그런데 예수께서는 다시 요한의 배 쪽으로 걸어오시었다. 그는 얼굴이 헬쑥해져 있는 요한에게 말씀하시었다.

"너희도 나를 따르라"

그 말씀을 들은 요한이 얼마나 좋았으면 "그 아비 세배대를 삯군들과 함께 배에 버려두고"(막 1 : 20) 예수를 따라 나섰겠는가?

물론 이러한 제자들의 실리적인 추구는 부름을 받은 이후에도 계속되었다. 그들은 서로 누가 높은가를 따지며 싸웠고(눅 9 : 46) 그것은 예수 부활 이후까지도 계속되어 "이스라엘 나라를 회복하심이 이때이니까?"(행 1 : 6)고 예수께 물었던 것이다. 그러나 결국 이 모든 제자들은 주님의 신실한 종이 되어 그가 가르치신 대로 살며 그의 가르치신 것과 부활하신 것을 증거하다가 매맞고 갇히고 죽어갔다. 지금도 주께서는 우리에게 묻고 계신다.

"무엇을 구하느냐?"

이 물으심에 가장 잘 대답한 사람은 바로 사도 바울이었다.

"우리의 돌아보는 것은 보이는 것이 아니요 보이지 않는 것이니 보이는 것은 잠깐이요 보이지 않는 것은 영원함이니라"(고후 4 : 18).

# 일어나서
# 따라 나섰다

예수께서 지나가시다가 "나를 따라오라" 고
말씀하셨다. 그러자 그는 일어나서
예수를 따라 나섰다. 예수께서는
세관에 앉아 있던 마태에게 최면술을
걸으셨는가, 아니면 마술을 쓰셨는가?
어떻게 세관에 앉아있던 마태가 벌떡
일어나서 그분을 따라갈 수 있었는가?

# 일어나서 따라 나섰다

① 세관에 앉아 있던 사나이

　신약성경을 펼치면 우리는 먼저 마태복음과 만난다. 기독교인이 아닌 사람도 신약성경의 맨 처음에 마태복음이 있다는 것쯤은 알고 있다. 그 마태의 복음서를 읽어내려가면 우리는 아브라함의 때로부터 2천년간을 줄기차게 흘러내린 메시야의 꿈과 만나게 되고 마침내 아름다운 그리스도의 탄생을 목격하게 되는 것이다.

　이사야의 예언을 따라 구체적으로 펼쳐지는 그리스도의 길은 광야의 외치는 소리 세례 요한에 의하여 열려지고 세례와 시험의 과정을 거친 하나님의 아들을 통하여 하늘나라의 복음이 선포된다. 위로와 소망의 산상수훈이 서늘한 샘물처럼 흘러내리고 귀신들이 쫓겨나며 병든자가 일어서고 바람과 바다가 그분의 말씀에 순종하여 잔잔해진다.

　이 감격의 순간들을 밀물처럼 적어내려가는 마태의 문장은 문득 9장 9절에 이르러 갑자기 담담해지기 시작하는 것이다.

　"예수께서 그곳(가버나움)을 떠나 길을 가시다가 마태오(마태)라는 사람이 세관에 앉아 있는 것을 보시고 '나를 따라오라'하고 부르셨다. 그러자 그는 일어나서 예수를 따라나섰다"(마태복음 9 : 9 공동번역).

이것이 마태복음을 기록한 마태 자신이 예수의 부름을 받은 내용의 전부이다. 너무나도 설명이 제거된 이 간단한 한절의 기록때문에 나는 몹시 당황하지 않을수 없었다. 그것은 도무지 믿어지지 않는 이야기였다. 어떻게 마태는 "나를 따라오라"는 한마디를 듣고 그렇게 벌떡일어나서 그 분을 따라갈 수 있었던가? 나 자신은 그분의 부름을 알아들을 때까지 얼마나 오랜 시간이 걸렸던가? 수없이 경고받고 매맞으면서도 도무지 그게 무슨 연고인지 눈치채지 못하다가 마침내 호된 결정타를 얻어맞고 나서야 겨우 어렴풋하게 뭔가 보이는 듯 싶어 성경을 더듬기 시작한 어리석은 내가 아니었던가? 나를 지켜보고 계시는 그분을 믿게 되면서 남에게 그것을 전하기는 또 얼마나 어려웠던가?

그런데 마태는…너무나 간단했다. 예수께서 지나가시다가 "나를 따라오라"고 말씀하셨다. 그러자 그는 일어나서 예수를 따라 나섰다. 예수께서는 세관에 앉아 있던 마태에게 최면술을 걸으셨는가, 아니면 마술을 쓰셨는가? 어떻게 세관에 앉아 있던 사내 마태가 벌떡 일어나서 그분을 따라갈 수 있었는가?

마태라는 사나이에 걸려든 내 강렬한 문학적 호기심은 다시 나로 하여금 그를 철저하게 추적하지 않고는 못 배기게 하였다.

나는 우선 마가복음과 누가복음의 같은 대목을 찾아보았다. 마태 본인이 아닌 마가와 누가의 기록에는 좀더 상세한 설명이 있지 않을까 하는 기대에서였다. 그러나 마가와 누가의 기록에도 더 이상 상세한 기록은 보이지 않고 있었다.

"그리고 그 후에 길을 가시다가 알패오의 아들 레위가 세관에 앉아 있는 것을 보시고 '나를 따라오너라'하고 부르셨다. 그러자 레위는 일어나서 예수를 따라 나섰다"(막 2 : 14 공동번역).

"이 일이 있은 뒤 (중풍병자를 고치신 뒤) 예수께서 그 곳을 떠나 길을 가시다가 레위라는 세리가 세관에 앉아 있는 것을 보시고 "나를 따라오너라"하셨다. 그러자 그는 모든 것을 버리고 예수를 따라 나섰다"(눅 6 : 27, 28 공동번역) .

마가와 누가의 기록에서도 마태의 본명이 레위이며 그가 알패오의
아들이라는 것을 밝혔을 뿐 그가 "나를 따라오너라"는 한 마디에 일
어나서 따라나선 사실만이 간단하게 적혀 있을 뿐이었다. 거기다가
누가는 한 마디를 더 적어 넣음으로써 나를 더욱 자극하였다.

그러자 그는 '모든 것을 버리고'예수를 따라 나섰다…

나는 우선 마가와 누가가 밝힌 마태의 본명에 매달리지 않을 수 없
었다. 레위라는 이름은 본래 야곱의 세째 아들에게 주어진 이름이었
다(창29 : 34) . 이 레위의 후손 중에서 모세와 아론이 나왔고 레위 지
파는 하나님으로부터 제사장의 가문으로 지명을 받았다 (민수기 18 :
6, 7) . 그런데 어째서 레위의 아버지 알패오는 그 아들의 이름을 레위
라고 지었던 것일까? 알패오 자신의 이름은 유대식의 이름이 아닌
헬라식의 이름이었다. 신약성경에는 이 알패오와 같은 헬라식 이름
이 자주 등장하는데 이는 일제 시대의 우리나라 사람들이 일본식 이
름을 썼던 것과 같은 것이었다. 그러나 우리나라 못지않게 유대 나라
도 그 이름의 중요성을 인식하고 있는 나라였다. 아브람이 아브라함
으로, 야곱이 이스라엘로 바뀌는 그들 조상의 역사를 보더라도 그들
의 이름은 그들에게 있어서 생명과 같은 것이었다. 그런데 어째서 많
은 유대인들이 그 이름을 헬라식으로 바꾸었던 것일까?

우선 우리가 이해할 수 있는 것은 알렉산더와 그 후계자들에 의하
여 1백60 여년간이나 헬라 정치 세력의 통치를 받아온 유대인들이 먹
고 살기 위하여 헬라식 이름을 가질 수밖에 없었을 것이라는 점이다.
성을 바꾸는 것은 곧 죽음만도 못한 치욕이라고 여겨 왔던 한국 사람
들이 겨우 36년의 일제 통치 아래서 거의 모두가 그 이름을 일본식으
로 바꾸었는데 그 오랜 세월 동안 헬라 정치권에서 먹고 살아야 했던
유대인들은 이름과 빵을 바꾸지 않을 수 없었을 것이다.

이렇게 직업상의 편의를 위하여 헬라식의 이름을 가졌던 예를 우
리는 삭개오 (눅 19 : 1) 에게서 찾아볼 수 있다. 그는 세리들 중의 구

역장인 세리장(稅吏長)이었던 것이다. 그러고 보면 레위의 아버지 알패오도 세리의 직업을 가지고 있었으리라 추측된다. 왜냐하면 당시에 유능하고 징세 성적이 좋은 세리는 그 직무의 세습이 가능했기 때문이었다.

그밖에 다른 이유로 헬라식 이름을 갖는 경우도 있었을 것이다. 일제 시대의 우리 부모들이 그랬듯 그 자식의 현실적 안락과 출세만을 염원한 나머지 헬라식 이름을 붙여 주었을 수도 있었을 것이고 또는 우물 안 개구리식의 전통주의에서 벗어나려는 자신의 진보적 생각으로 그 이름을 바꾸는 수도 있었을 것이다. 우리는 예수의 제자들 중에서도 열심당 시몬의 친구인 다대오의 이름 역시 헬라식인 것을 금방 알 수 있는 것이다.

그러므로 만일 알패오가 먹고 살기 위하여 헬라식 이름을 지녔던 현실주의자라면 그 아들에게도 의당 헬라식 이름을 지어 주었어야 했다. 그런데 알패오의 경우에는 그것이 거꾸로였다. 자기는 헬라식 이름을 가졌으면서 그 아들에게는 '레위'라는 보수적 이름을 붙여 주었던 것이다.

### ② 하나님이 주신 선물

어째서 알패오는 그 아들에게 레위라는 제사장 집안의 이름을 붙여 주었을까? 유대인들이 그 자식들에게 이름을 지어줄 때 대개 두 가지의 형태를 볼 수 있다. 하나는 이름에 부모의 소망을 담아서 지어주는 것인데 레아가 야곱의 세째 아들을 낳고 나서 남편의 사랑이 자기에게 돌아오기를 기대하여 그 아들의 이름을 '연합하다'의 뜻인 '레위'로 지어준 것과 같은 것이다(창29:34).

또 하나는 자식의 이름을 조상들의 이름들 중에서 골라 짓는 것인데 세례 요한의 부친 사가랴가 그 아들의 이름을 요한이라 하매 그 친족들이 말하기를 자기 친족들 중에 그런 이름을 가진 사람이 없다고 이의를 제기한 것과 같은 것이다(눅1:61).

그렇게 볼 때 우선 알패오는 레위지파의 사람이었을 것으로 상정해 볼 수가 있다. 만일 알패오가 제사장의 가문인 레위 지파의 사람이었다면 그는 어떻게 하여 세리가 되었던 것일까?

이런 일들을 추리해 나갈 때 우리는 저 신구약 중간 시대에 있었던 헬라권의 통치자 안티오쿠스 에피파네스의 혹독한 유대인 탄압을 상기하지 않을 수 없게 된다.

"안티오쿠스 왕은 사신들을 예루살렘과 유다의 여러 도시에 보내어 다음과 같은 칙령을 내렸다. 유다인들은 이교도들의 관습을 따를 것. 성소 안에서 본제를 드리거나 희생제물을 드리거나 술을 봉헌하는 따위의 예식을 하지 말 것. 성소와 성직자들을 모독할 것…"(마카베오상 1 : 44~46 공동번역).

이 폭군의 잔혹한 탄압과 학살 때문에 제사장들은 세 가지의 부류로 나뉘어졌다. 헬라식의 철학과 타협한 사두개파, 이들에게 결사적으로 항거한 바리새파…그러나 무엇보다도 비참했던 것은 타협할 비굴도, 항거할 용기도 갖지 못했던 나약한 다수들이었다. 그들은 제사장의 직분에서 쫓겨나 뿔뿔이 흩어졌다. 그러나 그들에게는 농사지을 땅도 고기잡는 기술도 없었다. 그들이 할 수 있는 일이란 고작 말단 공무원 같은 사무직뿐이었다. 그래서 그들 중에는 어쩔 수 없이 먹고 살기 위하여 세리가 된 사람도 있었다. 백성들로부터 반역자요 죄인이라는 멸시를 받으면서도 그들은 먹고 살아야 했다. 알패오도 그런 치욕의 인생을 살면서 그 아들에게 꿈을 걸었다. 너의 때에는 다시 하나님과 연합하자는 소망에서 레위라는 이름을 지어주었다. 그리고 틈틈이 율법서와 예언서들을 아들에게 가르쳤다.

그러나 알패오의 꿈은 이루어지지 않았고 레위도 역시 세리가 되었다. 그도 역시 아버지가 하던 것처럼 인두세, 토지세, 거래세, 성전세, 통행세, 특별소비세 등을 긁어들였고 세금 징수가 부진할 때에는 특별 징수반을 조직하여 백성들의 남은 것들을 강제로 거둬들였다. 로마정부가 요구하는 그 많은 세금을 거둬들이고 나서도 레위는 또 자기 몫을 위하여 추가 징수를 해야만 했다. 목표액 초과분이 세리의 생활비였기 때문이었다. 마침내 레위도 창녀와 함께 도매금 으로 호칭되는 세리가 된 것이었다(마 21 : 31).

그런 레위도 예수의 소문을 들어서 알고 있었다. 하늘나라의 복음 을 전하며 귀신을 내어 쫓고 병든 자를 고친다고 했다. 그는 이사야 서의 예언대로 갈릴리에 나타났던 것이다(사 9 : 1). 그러나 그 모든 일들은 레위 자신과 관계 없는 일들이었다. 그는 창녀와 같은 죄인었 고 그에게는 오직 이어가야 하는 목숨만 있을 따름이었다.

그런데 어느 날 그가 세관에 앉아 있을 때 한떼의 사람들이 자기 쪽 을 향하여 오고 있었다. 그들에게서 받아낼 통행세를 계산하며 레위 는 그들을 살펴보았다. 그들은 바로 예수와 그 제자들과 그를 따르는 무리들이었다. 레위는 마음 속으로 부르짖고 있었다.

(당신이 비록 메시야라 한들 그것이 나와 무슨 상관인가! 당신도 나와 같이 되어 보라, 당신도 세리가 되었을 것이다!)

레위의 절규를 아는지 모르는지 예수는 그를 향하여 다가오고 있 었다.

(예수여, 나를 욕하려면 욕해 보라! 돌을 던지려면 던져 보라!)

예수는 계속해서 다가오더니 이윽고 레위 앞에서 걸음을 멈추었 다.

(말해 보라, 당신은 나에게 무슨 말을 할 수 있는가?)

그러자 예수의 입술이 가만히 열렸다. 그는 조용히 말했다.

"나를 따라 오너라."

레위의 눈이 점점 커졌다. 그리고 어느새 그 눈에는 눈물이 고이고 있었다. 그는 벌떡 일어섰다. 그리고 예수를 따라 나섰던 것이다. 아 마도 레위는 예수의 뒤를 따라가면서 마음 속으로 외쳤을 것이다. 나 는 세리가 되기를 잘했다. 내가 세관에 앉아 있지 않았다면 그분을 만 나지 못했을지도 모른다!

그 후 레위는 예수와 그 제자들을 집으로 초청하여 잔치를 열고 동료 세리들을 불러 모았다. 자기가 만난 메시야를 그들에게 소개하기 위함이었다. 예수께서 세리들과 함께 식사하시는 것을 바리새인들이 보고 비난하자 그 분은 말씀하셨다.

"내가 의인을 부르러 온 것이 아니요 죄인을 부르러 왔노라" (마 9 : 13).

이 감격스러운 장면을 간직하기 위하여 나는 소설을 썼다. 1984년 11월 「한국문학」에 실렸던 「소명 (召命)」이 바로 그 작품이었다.

생활 전선에서 고달팠던 무력한 지식인 레위…그는 바로 나 자신이었고 우리 모두였다. 그는 바로 '인간'이었던 것이다. 그래서 네 복음사가를 곧잘 계시록 4장 7절의 네 생물로 비유했던 중세학자들은 마태를 '사람'의 얼굴을 가진 영으로 표현했는지 모른다. 그는 기꺼이 자기의 이름을 '마태오'라는 헬라식 이름으로 바꾸었다. 그것은 '하나님이 주신 선물'이라는 의미였고 마침내 그 이름은 신약 성경 첫 번째의 복음서에 녹명되었다. 아브라함으로부터 그리스도까지 한 줄로 꿰뚫어가는 그의 감동적인 통찰은 그가 지녔던 세리의 재능이 아니면 불가능하였을 것이다. "따라 오너라"한 말씀에 '일어나서 따라 나섰던' 마태의 감격은 늘 사도들의 명단에서 하위로 처지는 천대 속에서도 줄기차게 이어졌고 마침내 미개인들의 고도 (孤島)에서 순교하기까지 그것이 계속되었던 것이다.

# 빈들에
# 나온 사람들

떡 다섯 개와 물고기 두 마리를 가지사
하늘을 우러러 축사하시고 떡을 떼어
제자들에게 주시매 제자들이 무리에게 주니
다 배불리 먹고 남은 조각을
열두 바구니에 차게 거두었으며…
이 빈들의 대연회를 상상하면서
도대체 어떤 모양으로 떡이 불어난
것일까를 생각해 보았다.

# 빈들에 나온 사람들

## ① 여러 고을로부터

우리가 복음서의 예수를 따라가다가 마침내 형언할 수 없는 서글픔과 감동 속에서 두 눈 가득히 눈물을 글썽이게 되는 대목은 바로 그분이 벳새다의 빈 들에 멈추셨을 때이다.

한때 유대 백성들에게 메시야로까지 알려졌던 '민중의 목소리' 세례 요한이 한 계집애의 희롱으로 목 베임을 당해 죽었다는 소식을 들은 직후, 예수님은 배를 타고 벳새다 쪽으로 건너가 빈 들에 서신다.

그런데 예수님이 오신다는 소문을 들은 많은 사람들이 '여러 고을로부터 걸어서' 벳새다의 빈 들로 모여들었던 것이다 (마 14 : 13).

바벨론, 메대와 바사, 헬라의 통치 아래서 꺾일 대로 꺾이고 시달릴 대로 시달린 유대 백성, 겨우 일으켜 세웠던 유다 마카비의 자립왕조도 허망하게 무너져버리고 다시 대제국 로마의 수중에 들어간 유대 백성들… 그 중에서도 불쌍한 사람들이 '여러 고을로부터 걸어서' 모여들고 있었던 것이다.

혹시나 하고 그들의 가냘픈 소망을 걸었던 세례 요한마저 죽어 버리자 그들은 예수님께서 보셨듯이 '목자 없는 양'처럼 서글픈 무리가 되었던 것이다 (막 6 : 34).

이 장면이 우리의 가슴을 치는 이유는 '여러 고을로부터'란 말의 영

어 성경을 찾아볼 때 분명해진다. 그것은 '…out of all cities'의 번역
인 것이다. 삶의 터전을 떠나 도시로 흘러들어온 현대인들. 환상적
인 쾌락은 압제자들만의 것일 뿐, 생활에 시달리고, 가난에 찌들고,
무거운 세금에 헐벗고, 오염된 환경 속에서 병들고 귀신들린 사람들
… 그것은 바로 우리들 자신이 아니고 무엇인가?

바로 오늘날의 우리와 같았던 갈릴리 지방의 소시민들은 다시 한
번 세례 요한의 죽음으로 실의에 잠겨 있었다. 그런데 다시 그들은 예
수님에 관한 소문을 들은 것이었다. 다시 그들은 '예수'란 이름에 그
들의 서글픈 마지막 소망을 걸었다.

'out of all cities…' 그들은 도시를 벗어나 하염 없이 '걸었다.' 그
들은 이제는 마지막이라는 심경으로 빈 들을 향해 힘 없는 발걸음을
옮겼다.

예수께서 나오사 '큰 무리를 보시고 불쌍히 여기사' (마 14 : 14) 그
들을 영접하시고 (눅 9 : 11) 하나님 나라의 일을 이야기하시며 (눅
9 : 11) 병 고칠자들은 고치시고 (눅 9 : 11) 여러 가지로 가르치셨다
(막 6 : 34).

그러나 이 대목의 클라이막스는 해가 저물어 저녁이 되면서 고조
되기 시작한다. 빈 들에 모인 사람들이 허기질 시간이 된 것이다. 그
리고 이 저물녘의 허기는 메시야의 사역을 감당해야 하는 예수에게
엄청난 압력으로 그 결단을 요구하며 밀려오고 있었던 것이다.

어떻게 할 것인가. 저 배고픈 민중을 다시 그 가난과 슬픔과 압제
와 수탈과 병과 귀신들이 기다리고 있는 그들의 고을로 돌려보낼 것
인가. 'out of all cities'를 'return to all cities'로 환원시켜야만 하
는가. 예수께서는 그렇게 할 수 없었다. 초조해진 제자들이 그들을
돌려보내자고 제안했을 때 그 분은 입을 열었다.

"갈 것 없다."

그리고 그 분은 다시 제자들에게 명령했다.

"너희가 먹을 것을 주어라" (마 14 : 16).

예수께서는 사탄에게 눌린 자를 자유케 하기 위하여 오셨고 (눅 4 : 18) 예수 해방전략의 3대 공격 목표는 바로 굶주림, 질병, 죽음이었다. 이 굶주림에 대한 예수의 작전이 개시된 것이었다.

그는 제자들에게 떡이 몇개나 있는지 가서 보라고 하셨다 (막 6 : 38). 안드레가 한 아이를 데려왔다. 그 아이는 보리떡 다섯개와 물고기 두 마리를 가지고 있었다 (요 6 : 9). 예수께서는 무리를 명하여 잔디 위에 앉히시고 떡 다섯개와 물고기 두 마리를 가지사 하늘을 우러러 축사하시고, 떡을 떼어 제자들에게 주시매 제자들이 무리에게 주니 다 배불리 먹고 남은 조각을 열두 바구니에 차게 거두었으며, 먹은 사람은 여자와 아이 외에 5천명이나 되었다 (마 14 : 19~21).

그것은 참으로 감격적인 장면이었다. 아마도 그것이 영화의 한 장면이었으면 장엄한 주제 음악이 빈 들을 가득히 메우며 넘쳤으리라. 실제로 그것은 서글프고 외로웠던 인생들의 감격과 예수의 사랑이 얼싸안고 흐느끼는 빈 들의 거대한 스펙타클이었던 것이다.

이 놀라운 빈 들의 대연회를 상상하면서 나는 도대체 남자만 5천명이 먹을 수 있는 그 식사의 규모가 어느 정도였을까 어림으로 계산해 보았다. 남자만 5천명이라고 했으니 여자, 노인, 어린이까지 합치면 적어도 1만명이 배가 부르게 먹은 셈이었다. 떡1인분의 무게를 2백 그램으로 치면 떡의 총 중량은 2톤에 이르고 부피까지 계산하면 적어도 트럭 2~3대에 실어야 하는 분량이 된다.

나는 그 엄청난 양의 떡을 눈 앞에 그려보면서 떡 5개로 그렇게 불어난 기적에 새삼 놀라다가 도대체 어떤 모양으로 떡이 불어난 것일까를 생각해 보았다. 떡 5개에서 2~3트럭분의 분량으로… 그것은 줄줄이 이어져 나왔을까. 아니면 한꺼번에 뻥! 하고 팽창되었을까?

그러고 보니 4개의 복음서에 이 사실을 공통으로 기록해 놓은 네 기자들도 어떻게 그것이 불어났는지에 대해서는 설명이 없는 것이었다. 마가와 누가는 현장을 보지 못했으니 그렇다치고, 어째서 현장에 있던 마태와 요한마저 그 신기한 광경을 기록해 놓지 않았던 것일까? 여기서 내 호기심은 또 발동하기 시작했다. 떡은 어떤 모양으로 불어났던 것일까?

## ② 하늘을 우러러 축사하시고

성경의 의문점을 추적해 들어갈 때 나에게는 하나의 원칙이 있다. '기록한 말씀밖에 넘어가지 말라'(고전 4 : 6)는 바울의 권고가 바로 그것이다. 흔히 어떤 사람들의 성경 해석은 성경의 틈새에 자기의 상상을 끼워넣기도 하는데 나는 그런 것을 좋아하지 않는다.

이 '5병 2어'의 기적을 두고도 어떤 이는 아무도 가진 것을 내어놓지 않고 있다가 어떤 아이가 내어놓는 것을 보고 모두 내놓았다든가, 서로 양보하다보니 먹고도 남았다든가, 또 어떤 사람은 조금씩 먹었지만 은혜가 충만하여 배가 불렀다고 나름대로 해석을 하는데 아무리 그렇게 설명을 하더라도 먹고 남은 '열두 바구니'에 대해서는 설명할 방법이 없는 것이다.

나는 여전히 '기록한 말씀'밖에 넘어가지 않기로 작정하고, 이 대목을 기록한 마태복음 14장 13~21절 ; 마가복음 6장 32~43절 ; 누가복음 9장 10~17절 ; 요한복음 6장 1~15절을 한군데다 모아서 베껴 놓고 동시에 들여다보기 시작했다.

예수께서는 우선 그 떡 다섯개와 물고기 두 마리를 가져오라 하시고 무리를 잔디 위에 앉히셨다(마 14 : 19). 본래 4복음서는 마가, 마태, 누가, 요한의 순서로 집필되었는데 마태와 마가를 바꾸어 편집한 것은 꽤 묘미가 있는 것 같다. 왜냐하면 마태에서 시작한 의문이 마가에서 또는 마가에서 시작한 것은 누가, 요한에서 풀리는 경우가 많기 때문이다. 마태복음에서는 그냥 무리를 앉게 하셨다고 했는데 마가복음에는 모든 사람으로 떼를 지어 혹 1백씩, 혹 50씩 앉게 하셨다고 적혀있다(막 6 : 40). 그런가 하면 누가복음에는 아예 50명씩 앉히셨다고 숫자를 단일화하고 있는 것이다(눅 9 : 14).

헬라어에서 '앉는다(아나클리노)'란 말은 그냥 앉는 것이 아니고 그들의 전형적인 파티의 모습, 즉 비스듬히 모로 눕는 것을 뜻한다. 예수의 대연회는 군색하게 쭈그리고 앉는 것이 아니라 여유있게 비스듬히 눕는 정식의 만찬이었던 것이다.

그리하여 넓다란 빈 들에는 50명씩의 큰 원이 그려졌다. 50명이 누웠다면 1인당 2미터로 잡아 1백미터의 원주가 되었을 것이고 이를 π=3.14로 나누면 그 직경은 약 32미터가 된다.

남녀유별의 그들이 남자만 따로 누웠다면 직경 32미터의 원이 1백개 생겼을 것이고 여자, 노인, 어린아이까지 합하면 2백개도 넘는 사람의 원이 빈들에 벌어졌을 터이니 실로 일대 장관(壯觀)이 아닐 수 없는 것이다.

직경 32미터의 원이 2백개 들어가려면 최소한 20만 평방미터(6만 2천평)가 필요하고 이것은 잠실 올림픽 메인스타디움 그라운드(8천 5백평)의 7배가 넘는 크기인 것이다.

이렇게 무리들을 앉히신 다음 예수께서는 떡 다섯개와 물고기 두 마리를 가지사 하늘을 우러러 축사하시고(마 14 : 19) 떡을 떼어 제자들에게 주시매, 제자들이 무리에게 주었다. 그런데 마가복음은 이 대목에서 "떡을 떼어 제자들에게 주어 사람들 앞에 놓게 하셨다(막 6 : 41)"고 쓰고 있으며 누가복음도 역시 같은 표현을 쓰고 있다(눅 9 : 16).

우선 예수께서는 떡을 '떼어' 제자들에게 주셨다. 제자는 12명이고 떡은 다섯개이니 제자들은 반개도 못되는 작은 조각을 받아들었을 것이다. 그런데 예수께서는 그것을 무리들 앞에 놓으라고 하셨다. 무리가 둘러앉은 직경 32미터의 원가운데 그 떡 조각 하나를 놓았으니 그 떡이 잘 보였을 리가 없었다. 더구나 요한복음 6장 10절에 보면 그 곳에 '잔디가 많았다'고 되어 있으며 마가복음 6장 39절에는 그것이 '푸른 잔디'였다고 했으니 잘 자란 '푸른 잔디'가 '많은 곳'에 놓여진 작은 떡 조각은 보이지도 않았을 것이다. 어쨌든 제자들은 2백개의 원 중에서 겨우 12개의 원 가운데 떡 조각을 놓아두고 다시 예수께 돌아왔다. 그런데 예수의 손에는 아직도 떼던 떡이 그대로 남아 있었다.
예수는 또 떡을 떼고, 제자들은 다시 12개의 원을 향하여 달려가고
…2백개의 원에 떡과 물고기를 다 배달한 제자들은 숨이 차서 헐떡거
리고 있었다. 그들은 도대체 어디서 떡과 물고기가 불어났는지 볼 겨
를이 없었고, 그들이 나눠주기를 끝내고 가쁜 숨을 몰아쉬면서 무리
들을 둘러보았을 때… 그들은 무리들의 엄청난 대 연회를 목격했던
것이다. 즉 그들은 떡과 물고기가 어떻게 불어났는지 전혀 보지 못했
기 때문에 그것을 복음서에 묘사할 수가 없었던 것이다.

여기서 우리는 떡과 물고기가 제자들 모르게 불어날 수 있는 두개
의 장소를 찾아내게 된다. 그 하나는 예수님의 손이었고, 또 하나는
32미터 직경의 원을 그리고 앉았던 사람들의 가운데, 푸른 잔디가 무
성했던 그 자리였다. 이 빈 들의 대연회는 아들과 아버지의 합작품이
었다. 아들의 손은 '마르지 않는 샘'이 되었고 잔디 가운데서 이들을
키워내신 아버지는 '은혜의 바다'가 되신 것이다.

예수로부터 작은 떡 조각을 받아든 제자들의 느낌은 어땠을까? 그
보잘 것 없는 시작에 제자들은 실망하였을 것이다.

예수의 사역은 언제나 그렇게 보잘 것 없이 시작되었다. 유대와 갈
릴리를 헤매며 그는 겨우 1백20명의 문도를 길러내었지만 어느새 그
결실은 모르는 사이에 커지고, 베드로의 설교 한 마디에 남자만 5천
명이 결신하는 기적을 그들은 나중에 체험하게 되었던 것이다. 그리
고 이제 그들은 더 크게 불어나 전 세계를 뒤덮고 있는 것이다.

엄청난 큰 기적은 아무도 모르는 사이에 다가온다. 쌀의 결실이나
나무의 자람을 볼 수 없듯이 하나님의 놀라우신 은혜는 보이지 않는
동안에 더 크게 밀려오는 것이다.

가난과 병마와 압제와 귀신에 찌들은 우리들… 이제 모두가 예수
를 만나러 빈들로 나가자. 비록 우리 손에 가진 것은 보잘 것 없고 초
라하더라도 주께서 그 사랑으로 빈 들을 가득히 채우시리라.

# 나사로의
# 미스테리

나사로의 세 남매는 어디로 갔을까?
나는 이들의 행적을 추적하다가 더 큰
문제를 발견하고 깜짝 놀라게 되었다.
그 중에서 나사로의 부활사건이 마태,
마가, 누가의 세 복음서에는
빠져 있는 것이었다.

# 나사로의 미스테리

## ① 사라진 나사로

예루살렘의 산헤드린 공의회가 예수를 죽이려고 작정한 이유를 우리는 복음서의 여기 저기서 찾아볼 수 있다. 첫째로, 예수는 스스로 안식일의 주인이라 하면서 (막 2 : 28) 안식일에도 회당에서 손 마른 자를 고치셨으며 (막 3 : 1~6) 둘째로, 성전에서 장사하는 자들을 쫓으심으로써 종교지도자들의 권위를 추락시켰고 (눅 19 : 45~47) 셋째로, 너희가 성전을 헐면 내가 사흘동안에 일으키리라 (요 2 : 19) 하여 성전을 모독하였다는 것이었다.

그러나 산헤드린 공의회가 본격적으로 예수의 제거를 모의하기 시작한 것은 바로 나사로의 부활사건 직후부터였다. 죽었다가 다시 살아난 나사로가 버젓이 살아있으니 예수의 표적에 대한 움직일 수 없는 증거가 된 셈이었다. 그래서 그날부터 공의회는 예수를 죽이려고 모의하였으며 (요 11 : 53) 아예 나사로까지 함께 없애버리자는 의견까지도 나오게 되었던 것이다 (요 12 : 10).

이렇듯 나사로의 부활사건은 예수의 수난으로 직접 연결되는 중요한 사건이었다. 뿐만 아니라 예수의 입성 때, 예루살렘 백성들이 그를 열렬히 환영한 것도 이 나사로의 부활사건 때문이었다 (요 12 : 9~18).

나는 예수의 수난 이후 나사로가 어떻게 되었는가 궁금하여 성경의 여기저기를 뒤져보다가 이상한 사실을 알게 되었다. 나사로는 예수가 예루살렘에 입성하기 전날 성밖의 베다니에서 열린 환영잔치에 참석 (요 12 : 1~2) 한후 그 누이들 마르다, 마리아와 더불어 사라져 버렸던 것이다. 그래서 그들이 사라진 후 예수는 베다니에서 아침 잡수실 곳도 없었고 (막 11 : 12) 마지막 유월절 만찬도 마가의 집에서 신세를 지셔야 했다 (막 14 : 12~16) .

예수의 수난 때에도 이들 세 남매의 행적은 보이지 않았고, 골고다의 현장에는 세 사람의 마리아가 있었는데 곧 예수의 어머니 마리아와 글로바의 아내 마리아, 그리고 막달라 마리아 뿐이었다 (요 19 : 25) .

어떤 사람들은 막달라 마리아를 나사로의 누이 마리아와 동일인으로 보기도 하는데 이것은 옳지 않은 것같다. 막달라 마리아는 갈릴리에서부터 예수를 따라온 여인이요 (마 27 : 55~56) 예수께서 일곱 귀신을 쫓아내 주신 타락한 여인이었다 (눅 8 : 2) . 반면에 나사로의 누이 마리아는 예루살렘 성 밖 베다니에 살고 있는 여자였던 것이다.

뿐만 아니라 막달라 마리아는 새벽에도 예수의 무덤을 찾아갈 정도로 (마 28 : 1) 담대하고 활동적인 여자였으나 나사로의 누이 마리아는 언니 마르다와 달리 비활동적이요 (눅 10 : 39, 40) 소극적인 여자였다 (요 11 : 20) . 그러므로 성경의 문맥만을 놓고도 막달라 마리아와 나사로의 누이 마리아가 동일인이라는 것은 무리한 가설이 되는 것이다.

어쨌든 그렇다면 이 나사로의 세 남매는 베다니의 잔치 이후 성경에서 사라진 것이다. 수난의 현장에도 없었고, 마가의 다락방에도 없었고 사도행전에도 나타나지 않는 것이다.

나사로의 세 남매는 어디로 갔을까? 나는 이들의 행적을 추적하다가 더 큰 문제를 발견하고 깜짝 놀라게 되었다.

그 중요한 나사로의 부활사건이 마태, 마가, 누가의 세 복음서에는 고스란히 빠져 있는 것이었다. 그것도 누가복음 10장에만 마르다와 마리아 자매의 이야기가 잠깐 나올 뿐 마태, 마가에서는 아예 그들 세 남매의 이야기가 비치지도 않는 것이었다.

이게 도대체 웬일인가? 물론 요한복음이 먼저 나왔다면 다른 기록자들이 중복을 피하기 위하여 생략했을 수도 있다. 그러나 우리가 알기로는 마가복음이 가장 먼저 기록되었으며 그 다음이 마태복음이고, 누가복음은 그 수신자로서 익명의 고관 '데오빌로 각하'가 등장하는 것으로 보아 로마의 최고위층까지 기독교가 침투할 수 있었던 AD 80년경으로 추정되며, 요한복음이 기록된 것은 요한이 밧모섬으로부터 돌아온 AD 96년경. 즉 그가 세상을 떠나기 직전으로 추정되고 있는 것이다.

우리가 네개의 복음서를 비교해 읽으면서 한가지 공통점을 발견할 수 있는데, 그것은 중복된 부분이나 직접 목격하지 못해서 분명하지 않은 어떤 부분들을 생략할 수가 있다는 것이다. 예를 들어 요한은 자기보다 앞서 기록한 세 복음서에 이미 기록된 사건을 가능한 한 생략하였고, 오히려 거기서 빠뜨린 부분들을 중점적으로 보충한 느낌이 든다. 또 예수와 베드로가 만난 장소에 대하여서도 세 복음서의 기자는 갈릴리 바닷가의 장면만 기록했으나 그 현장에 함께 있었던 요한은 그보다 먼저 요단강변에서 있었던 만남을 추가하였던 것이다('무엇을 구하느냐?' 참조).

그러나 마가와 누가는 예수의 직접 제자가 아니니 그렇다치고 마태는 나사로 사건의 현장에 있었을 텐데 어찌해서 나사로의 사건을 기록하지 않았던 것일까?

나는 다시 '나사로의 현장검증'을 위하여 요한복음 11장을 곰곰이 뜯어보기 시작하였다.

### ② 갈릴리와 예루살렘
요한복음 11장을 보면 우선 예루살렘에서의 성전모독 사건 때문에 베뢰아 지경까지 피신한 예수에게 나사로가 병들었다는 기별이 오는 데서부터 시작된다(요 11 : 7).

예수께서는 나사로를 만나기 위해 베다니로 가자고 하시는데(요 11 : 7) 뜻밖에도 제자들의 반응은 극히 냉담할 뿐만 아니라 불손하기까지 한 것을 발견하게 된다.

"랍비여, 방금도 유대인들이 돌로 치려 하였는데 또 그리로 가시려 하나이까?"

"우리 친구 나사로가 잠들었도다. 그러나 내가 깨우러 가노라."

"주여, 잠들었으면 낫겠나이다."

"나사로가 죽었느니라… 그에게로 가자."

그러자 도마가 이렇게 말했다.

"우리도 주와 함께 죽으러 가자."

그러나 예수와 제자들간의 불화(不和)는 거기까지만 기록되어 있을 뿐, 장면은 바뀌어 베다니의 현장이 되고, 거기에 제자들의 모습은 보이지 않는다. 제자들은 모두 어디로 갔을까? 그러고 보면 "죽으러 가자"고 하던 도마의 말도 충성을 나타내기 보다는 몹시 빈정거리는 말투로 느껴지기도 한다. 과연 제자들은 이 시점의 기록을 어떻게 이어놓았는가? 나는 다시 세 복음서를 비교하면서 기록의 흐름을 검토하기 시작했다.

요한복음 7장 2~4절에 보면 예수의 형제들이 그에게 초막절(草幕節)을 기하여 예루살렘에 올라가는 것을 권하는 장면이 나온다. 왜냐하면 유대인들에게 초막절은 바로 구세주 강림을 기다리는 절기였기 때문이다.

그러나 예수께서는 자신이 유월절(고난)과 칠칠절(부활과 성령강림)을 거쳐야만 초막절(영광의 재림)의 주인이 될 것을 아셨기에 아직 때가 이르지 않았다면서 사양하시다가 형제들이 먼저 올라간 후 별도로 올라가신 것이다(요 8~10).

마가복음에서는 예수의 예루살렘 상경 도중 사마리아 지경에서 기록이 끊어지며 (막 10 : 1) 마태복음은 이들 일행이 유대지경에 도착하면서 기록이 끊어진다 (마 19 : 1) . 그리고 두 복음서는 모두 예수께서 다시 갈릴리 지경에 돌아오셨을 때 제자들이 어린아이들의 접근을 신경질적으로 통제하다가 예수의 핀잔을 듣는 대목으로 이어지는 것이다 (막 10 : 3, 마 19 : 13) . 따라서 이 두 복음서에는 예수의 초막절 설교, 베뢰아 전도, 나사로 사건 등이 몽땅 빠져 있다.

그런데 누가복음에서는 양상이 조금 다르다. 누가복음에는 초막절 기간동안에 있었던 예수의 행적과 설교들을 기록하고 있으며 마르다, 마리아자매의 이야기가 등장하고 베뢰아 지방 전도까지도 상세히 기록했으나 나사로의 사건만이 빠져 있는 것이다. 그리고 엉뚱하게 나사로와 같은 이름인 '거지 나사로와 부자'의 비유가 들어가 있다.

그 후에는 '실족케 하는 자'에 대한 경고, '회개와 용서'의 설교가 나온 다음 (눅 17 : 1~37) '열문둥이의 비유', '휴거의 예고'가 있고 드디어 '어린아이의 신앙'으로 이어지는 것이다.

즉 이 세 복음서를 살펴볼 때, 예수께서 유대인들의 박해를 피해 베뢰아로 물러가셨을 때부터 '나사로 사건'이후 '어린아이'대목까지의 사이에 뭔가 '문제'가 있었음이 틀림없는 것이다.

예수의 제자들은 선생이 나사로에게로 가자고 했을 때 불평하고, 거부하고, 빈정거렸을 뿐만 아니라 그 이후에도 베다니의 잔치자리에서 나사로의 누이 마리아가 예수의 머리에 나드 향유를 부었을때 심하게 나무랐으며 (막 14 : 5, 마 26 : 8) 그 중에서도 가룟 유다는

"이 향유를 어찌하여 3백 데나리온에 팔아 가난한 자들에게 주지 아니하였느냐?"고 비난했던 것이다 (요 12 : 4,5) . 도대체 무엇 때문에 제자들은 나사로와 그 누이들에 대해서 탐탁치 않게 생각하고 있었을까?

나는 다시 제자들 사이에 있었던 미묘한 분위기의 변화를 살펴보지 않을 수 없었다.

예수의 제자들은 예수가 정치적 메시야로 출현하실 것을 기대하여, 예수자신은 십자가상에서 고난당하실 것을 계속 예고하시는데도 불구하고 (막 8 : 31 ; 10 : 45) 서로 누가 높은가 다투었을 뿐만 아니라 (눅 22 : 24) 요한과 야고보는 예수께서 임금의 자리에 앉으실 때에 그 좌우에 모시게 해달라고 인사청탁까지 넣었다 (막 10 : 35).

권좌를 향한 세력다툼에는 의례 그 계보와 파벌이 생기게 마련이다. 예수의 열두 제자중에서 다수당은 단연 베드로 쪽이었다. 그는 자기 형제 안드레를 비롯, 벳새다 출신의 빌립과 그 친구 나다나엘이 있었고 (요 1 : 44) 도마도 역시 갈릴리의 어부였다. 거기다가 요한과 야고보 형제까지 합치면 7명으로 단연 다수당이 되는 것이었다. 다음에는 '열심당'의 혁명세력에서 들어온 시몬과 역시 같은 계열로 보이는 다대오, 가룻 유다 3인의 진보세력이 있었고 마태와 작은 야고보는 제자들중에서도 그 출신성분 때문에 소외된 계층에 있었다. 그러나 다수당 내에서도 요한 형제의 출세욕으로 내분이 표면화되자 이들을 대동단결시키기 위하여 나타난 개념이 '갈릴리 동지' 의식이었고 이 의식화의 주역은 아마도 가룻유다였을 것으로 추측된다.

이렇게 되자 '갈릴리 의식'으로 단결된 제자들은 예수께서 예루살렘에만 가면 친밀하게 지내는 나사로 일가를 집권시의 중요한 라이벌로서 경계하지 않을 수 없었을 것이다. 그는 소외계층인 갈릴리 사람이 아닌 유대의 베다니 사람이었고 제자들은 '지역감정'으로 나사로 일가와 대립하게 되었던 것이다.

그래서 나는 이들이 예수께서 나사로를 살리기 위하여 베다니로 돌아가자고 간청하셨을 때에 따라가지 않은 것으로 본다. 다만 개별행동을 잘하고 기회주의자였던 요한만이 예수의 뒤를 따라가서 이 광경을 목격했을 것이다. 이로써 예수와 제자들은 서로 헤어졌으나 갈릴리에서 다시 만난다. 예수는 '실족'과 '회개'와 '용서'에 대한 설교를 했으며 이때부터 '실족케하는 자'로 지목된 가룻 유다는 예수에 대한 반감을 품게 되었을 것이다.

그러면 나사로 일가는 어디로 갔을까? 요한복음 12장 20~24절에 보면 예수의 위험을 알아차린 헬라인들이 예수께 면담을 청하고 망명을 권유하는 장면이 나온다. 이때 예수는 한알의 밀알이 떨어져 썩어야 많은 열매를 맺는다며 이를 사양하시는데 아마도 이 때 예수께서는 같은 위험을 당하게된 나사로 일가를 그들에게 부탁하셨을 것이다.

초대교회의 전승에는 나사로가 프랑스 리용지방 교회의 감독이 된 것으로 나오는데 아마도 그들 일가는 예수의 수난전에 헬라를 거쳐 리용(당시의 루구두눔) 지방으로 옮겨갔을 것이다.

어쨌든 이 예수의 공생애 기간 중에 있었던 제자들의 부끄러운 사건을 마태와 마가는 기록하지 못했다. 더구나 그들은 나사로의 부활을 목격하지도 못했던 것이다. 다만 누가는 나사로로 상징되는 유대인의 고난을 예고한 '부자와 나사로'의 설교만을 적어놓았다.

그러나 하나님의 뜻에 따라 90이 넘도록 오래 산 요한은 오히려 담대하게 이 사실을 기록할 마음이 생겼다. 요한서신, 요한계시록을 모두 쓰고나서도 망서리던 요한은 마침내 이 사실을 기록하기로 결심하고 예수에 대한 마지막 충성을 쏟았던 것이다. 그러므로 요한복음을 요한의 참회록으로 인식하게 된 나는 이것을 토대로 장편소설 「제국과 천국」을 구상하기 시작했다. 예수의 수난 전에 제자들이 바라던 나라는 로마와 다름없는 현실의 '제국'이었고 예수의 이상은 하늘의 나라 '천국'이었던 것이다.

그러나 결국 가룟 유다를 제외한 모든 제자들은 예수의 부활 후 그의 '천국'을 위하여 목숨을 버렸다. 야고보는 예루살렘에서, 베드로는 로마에서, 안드레는 아가야에서, 시몬과 다대오는 페르샤에서, 도마와 나다나엘은 인도에서, 빌립은 히에라볼리, 마태는 이디오피아에서, 모두들 기꺼이 '천국'을 위해 순교했으며, 마침내 예수 그분이 바로 '진리'였음을 깨달은 노령의 요한은 눈물의 참회 속에 한 복음서를 기록해 놓고 눈을 감았던 것이다.

# 주여,
# 보시옵소서

왜 모든 사람에게 달란트를 공평히
주지 않았을까 하는 것이었다. 그것이
주인의 마음대로라면 할말은 없지만
내가 한 달란트 밖에 못받은 처지였다면
그 불공평한 처사에 화가 나지 않을 수
없을 것 같았다.

# 주여, 보시옵소서

## 1 '달란트'와 '므나'

마태복음 25장은 예수께서 다시 오실 날을 기다리며 우리가 준비해야 할 세 가지일에 대해서 기록하고 있다. 그 서두에는 슬기로운 다섯 처녀가 등과 함께 기름을 준비해 놓고 신랑이 오기를 기다리는 이야기가 적혀 있고, 그 다음에는 유명한 '달란트'의 비유가 나오는 것이다.

"또 어떤 사람이 타국에 갈 제 그 종들을 불러 자기 소유를 맡김과 같으니 각각 그 재능대로 하나에게는 금 다섯 달란트를 하나에게는 두 달란트를 하나에게는 한 달란트를 주고 떠났더니 다섯 달란트 받은 자는 바로 가서 그것으로 장사하여 또 다섯 달란트를 남기고 두 달란트 받은 자도 그같이 하여 또 두 달란트를 남겼으되 한 달란트 받은 자는 가서 땅을 파고 그 주인의 돈을 감추어 두었더니 오랜 후에 그 종들의 주인이 돌아와 저희와 회계할새 다섯 달란트 받았던 자는 다섯 달란트를 더 가지고 와서 가로되 '주여 내게 다섯 달란트를 주셨는데 보소서 내가 또 다섯 달란트를 남겼나이다'

그 주인이 이르되

'잘 하였도다 착하고 충성된 종아 네가 작은 일에 충성하였으매 내가 많은 것으로 네게 맡기리니 네 주인의 즐거움에 참예할지어다'

하고 두 달란트 받았던 자도 와서 가로되

'주여 내게 두 달란트를 주셨는데 보소서 내가 또 두 달란트를 남겼나이다'

그 주인이 가로되

'잘 하였도다 착하고 충성된 종아 네가 작은 일에 충성하였으매 내가 많은 것으로 네게 맡기리니 네 주인의 즐거움에 참예할지어다'하고 한 달란트 받았던 자도 와서 가로되 '주여 당신은 굳은 사람이라 심지않은 데서 거두고 헤치지 않은 데서 모으는 줄을 내가 알았으므로 두려워하여 나가서 당신의 달란트를 땅에 감추어 두었나이다 보소서 당신의 것을 받으셨나이다'

그 주인이 대답하여 가로되 '악하고 게으른 종아 나는 심지 않은 데서 거두고 헤치지 않는 데서 모으는 줄로 네가 알았느냐 그러면 네가 마땅히 내 돈을 취리하는 자들에게 두었다가 나로 돌아와서 내 본전과 변리를 받게 할 것이니라'하고

'그에게서 그 한 달란트를 빼앗아 열달란트 가진 자에게 주어라 무릇 있는 자는 받아 풍족하게 되고, 없는 자는 그 있는 것까지 빼앗기리라 이 무익한 종을 바깥 어두운 데로 내어쫓으라 거기서 슬피 울며 이를 갊이 있으리라' 하시니"(마 25 : 14~30) .

사실 이 '달란트의 비유'는 세상 사람들에게 많은 오해를 불러 일으키고 있는 대목 중의 하나라고 말할 수 있을 것이다. 어떤 이는 이 비유가 전형적인 자본주의적 발상에서 나온 것이라고도 하고, 또 어떤 사람은 예수가 하나님과 재물을 겸하여 섬길 수 없다고 가르쳤으면서 변리를 받겠다고 한 것은 스스로 모순을 드러낸 것이라며 비난하기도 한다.

그러나, 내가 이 비유에서 가졌던 의문은 왜 모든 사람에게 달란트를 공평히 주지 않았을까 하는 것이었다. 그것이 주인의 마음대로라면 할 말은 없는 것이지만 내가 한 달란트밖에 못 받은 처지였더라도 그 불공평한 처사에 화가 나지 않을 수 없을 것 같았다.

그러나 나는 우선 불평하기 전에 누가복음에 있는 유사한 비유를 찾아보기로 했다. 성경은 그래서 재미가 있는 것이다. 아마도 마태복음만 읽고서 성경을 덮어버리는 사람은 끝내 예수를 이해하지 못하게 되는지도 모른다. 내가 찾아본 누가복음의 비유는 삭개오 세리장의 이야기 다음에 나오고 있었는데 마태복음의 그것과는 전혀 다른 것이었다.

"어떤 귀인이 왕위를 받아 가지고 오려고 먼 나라로 갈 때에 그 종 열을 불러 은 열 므나를 주며 이르되 내가 돌아오기까지 장사하라 하니라 그런데 그 백성이 저를 미워하여 사자를 뒤로 보내어 가로되 우리는 이 사람이 우리의 왕 됨을 원치 아니하노이다 하였더라 귀인이 왕위를 받아가지고 돌아와서 은 준 종들의 각각 어떻게 장사한 것을 알고자 하여 저희를 부르니 그 첫째가 나아와 가로되 '주여 주의 한 므나로 열 므나를 남겼나이다' 주인이 이르되

'잘하였다 착한 종이여 네가 지극히 작은 것에 충성하였으니 열 고을 권세를 차지하라'하고 둘째가 와서 가로되

'주여 주의 한 므나로 다섯 므나를 만들었나이다' 주인이 그에게도 이르되 '너도 다섯 고을을 차지하라'하고 또 한사람이 와서 가로되

'주여 보소서 주의 한 므나가 여기 있나이다 내가 수건으로 싸서 두었나이다 이는 당신이 엄한 사람인 것을 내가 무서워함이라 당신은 두지 않은 것을 취하고 심지 않은 것을 거두나이다'

주인이 이르되

'악한 종아 내가 네 말로 너를 판단하노니 너는 내가 두지 않은 것을 취하고 심지 않은 것을 거두는 엄한 사람인줄을 알았느냐 그러면 어찌하여 내 은을 은행에 두지 아니하였느냐 그리하였으면 내가 와서 그 변리까지 찾았으리라'하고 곁에 섰는 자들에게 이르되 '그 한 므나를 빼앗아 열 므나 있는 자에게 주라'하니 저희가 가로되 '주여 저에게 이미 열 므나가 있나이다' 주인이 가로되

'내가 너희에게 말하노니 무릇 있는 자는 받겠고 없는 자는 그 있

는 것도 **빼앗기리라** 그리고 나의 왕 됨을 원치 아니하던 저 원수들을
이리로 끌어다가 내 앞에서 죽이라'하였느니라"(눅 19 : 12~27) .

이 두 개의 비유에서 나는 이미 상당한 자료를 얻고 있었다. 우선
두 비유가 설교된 장소가 달랐고, 듣는 사람들이 달랐으며 주인이 주
고 간 것도 한 쪽은 금(金)이었고 한 쪽은 은(銀)이었다. 그러나 무
엇보다도 다른 것은 마태복음에서는 주인이 각각 다른 양의 달란트
를 주고간 데 비해 누가복음에서는 똑같이 한 므나씩을 주고 갔다는
점이었다. 또 달란트의 경우는 그 최대의 성과가 받은 만큼까지인데
비하여 므나의 경우는 그 노력에 따라 원금의 다섯 배도 되고 열 배
도 되었던 것이다. 또 성과에 대한 보상도 달랐다. 므나의 보상은 다
스리는 권세임에 비해서 달란트에 대한 보상은 주인의 즐거움에 참
예하는 것이었다. 일하지 않은 자에 대한 징벌도 달랐다. 달란트의
경우에는 밖으로 **쫓겨난** 데 비하여 므나의 경우에는 반역자로 지목
되어 '죽음'이 내려졌던 것이다.

이 정도면 나는 상당한 자료를 얻은 셈이었다. 나는 용기를 내어 이
문제를 파고들기 시작했다.

## ② 주께서 오실 때까지

내가 우선 찾기 시작한 것은 '금'과 '은'에 대한 성격적 의미였다.
성경에 하나님께서 처음으로 금과 은에 대하여 언급하신 것은 이스
라엘 자손들에게 애굽 탈출을 명령하실 때였다.

"내가 애굽 사람으로 이 백성에게 은혜를 입히게 할지라 너희가 갈
때에는 빈 손으로 가지 아니하리니 여인마다 그 이웃 사람과 및 자기
집에 우거하는 자에게 은 패물과 금 패물과 의복을 구하여 너희 자녀
를 꾸미라 너희가 애굽 사람의 물품을 취하리라"(출 3 : 21, 22) .

나는 이 대목을 읽으며 의아하지 않을 수 없었다. 이스라엘 사람들
이 애굽을 나서면 광야로 들어가게 되어 있기 때문이었다. 그 광야에
는 먹을 것을 살 수 있는 식당도 없었고 생활용품을 파는 시장도 없

었다. 하나님께서는 도대체 어디다 쓰라고 금, 은, 패물을 준비하라 하신 것일까?

그 해답을 나는 출애굽기 25장에서 얻을 수 있었다. 하나님께서는 이스라엘 백성들과 함께 행군하시기 위하여 모세에게 그가 거하실 성막을 지으라고 명하시는데 백성들로부터 금과 은의 예물을 받아 그 성막의 모든 장식과 성구를 만들도록 하셨던 것이다. 성막의 모든 중요한 부분은 거의 모두가 금으로 만들게 되어 있었다. 그렇다면 금이란 과연 무엇인가?

예수께서 직접 '각각 그 재능대로'달란트를 주었다고 하셨듯이 (마 25 : 15) 금은 '재능'을 의미한다. 그리고 그 재능은 모두 같을 수가 없는 것이다. 우주의 대 교향곡을 지휘하시는 하나님께서는 큰 나팔도 필요하며 작은 나팔도 필요하다. 한가지 음만 가지고는 오케스트라가 성립되지 않는다. 그러므로 지휘자이신 하나님 편에서는 크고 작은 모든 재능이 똑같이 소중한 것이며 모든 사람은 그 받은 재능으로 주어진 역할에 최선을 다하면 만점인 것이다. 그래서 큰 북도 작은 북도 모두 주인의 잔치에 참여한다. 그들의 재능은 하나님이 계신 성전의 장식이며 하나님의 영광인 것이다. 맡은 역할에 불평하여 재능을 땅에 묻어 두었던 자가 주인의 즐거움에 참예하지 못하는 것은 당연하며, 자기를 위하여 생명없는 것에 금, 즉 재능을 쏟아 부으면 우상이 되는 것이니, 오늘날 자기 인기를 위해사는 연예인들을 아이돌 (Idol : 우상)이라 부르는 것은 참으로 적절한 표현인 것 같다.

그러면 '은'이란 무엇인가? 은은 성경에서 주로 '거래'에 사용되었다. 아브라함이 에브론의 밭을 살 때도 은 4백 세겔을 지불했고 (창 23 : 16) 야곱의 아들들이 아우 요셉을 팔 때에도 은 20을 받았었다. 은은 곧 재물이요 '능력'의 상징이었다. 이 능력은 누구에게나 똑같이 주어진 것이며 열의와 노력에 따라 얼마든지 큰 성과를 거둘 수 있는 것이다. 다만 우리가 알아두어야 할 것은 그 성과에 대한 평가가 얼마나 버느냐보다 얼마나 베푸느냐에 의하여 매겨진다는 점이다.

이 능력을 수건에 싸두는 사람은 예수 그리스도의 권세를 부인하는 것이며 주께서 오실 때에 '죽음'을 당하게 될 것이다. 또 이 능력으로 자기의 부(富)만을 쌓는 사람은 바늘귀로 들어가려는 약대보다도 천국에 들어가기가 더 어려울 것이다(막 10 : 25).

출애굽기 25장에는 성막에 쓰이는 은의 역할을 찾아보기 어렵다. 은은 다만 성막의 널판을 받치는 96개의 받침과 성막뜰에 세우는 20개 기둥의 가름대로 사용될 뿐인 것이다. 즉 우리에게 주어진 능력은 성전을 떠받치는 '숨은 봉사'에 사용되어야 하는 것이다. 그래서 삭개오는 선언하였다. "주여 보시옵소서 내 소유의 절반은 가난한 자들에게 주겠사오며 만일 뉘 것을 토색한 일이 있으면 사배나 갚겠나이다"(눅 19 : 8).

우리가 남긴 '달란트'와 '므나'의 수확을 보시려고 주님께서 오실 날이 가까와 오고 있다. 우리는 주님 앞에 그것을 자랑스럽게 내놓을 준비가 되어 있는가?

"주여, 보시옵소서!"

# 골고다의
# 수수께끼

예수, 그분은 자신을 못박은 자들의
용서에 대해서도 아버지께 부탁하셨고
자신의 영혼까지도 아버지께 부탁하셨다.
그런데 어째서 어머니에 대해서만은
아버지께 부탁하지 않고
요한에게 부탁했던 것일까?

# 골고다의 수수께끼

## ① 여자여, 보소서

누가 뭐라 해도 예수 그리스도의 클라이막스는 역시 골고다의 처형장이다. 거기엔 로마 군대로 상징되는 정치 권력이 있었고, 대제사장과 서기관들로 대표되는 종교 세력이 입회했으며, 강도라는 이름으로 예수와 함께 처형된 독립 투사들이 있는가 하면 예수의 고난을 구경하며 희롱하는 무지한 민중도 있었고 아리마대 요셉이나 니고데모처럼 묵묵히 그 현장을 지켜볼 수밖에 없었던 나약한 지성인들 그리고 이제는 오직 우는 일밖에는 할 수 없는 무력한 여인들이 거기 있었다. 아담이 선악과를 먹은 이후로 하나님께서 준비하셨던 인류사상 최대 사건의 무대는 그토록 빈틈이 없었던 것이다.

그러므로 예수께서 십자가 위에 달려 계시던 6시간 동안 혹독한 고통 속에서 남겨놓은 소위 가상칠언 (架上七言)은 그 한마디 한마디가 우리의 심금을 울린다. 자신을 처형한 자들을 위해 용서를 비는 사랑의 기도 (눅 23 : 34), 함께 매달린 강도를 위로하는 약속의 말씀 (눅 23 : 43), 육신의 어머니에 대한 지극한 사랑 (요 19 : 27), 어찌하여 나를 버리셨는가 하고 울부짖는 비통한 절규 (막 15 : 34), 처절한 신음과 함께 새어나온 목마름의 호소 (요 19 : 28), 끝까지 그 영혼을 아버지께 부탁드린 순종과 신뢰 (눅 23 : 46), 운명하시기 직전에 다 이루었음을 선언하신 그 완결성 (요 19 : 30) ···그것은 참으로 인간의 모든 애환과 갈등을 농축해 놓은 최대의 드라마였고 인류의 간절한 꿈과 소망을 핏빛으로 아로새겨 놓은 영원한 금자탑이었다.

그러나 그 주옥같은 일곱 마디의 말씀중에서 나는 어째서 그가 어머니 마리아를 부탁하게 되었는가에 대하여 생각하게 되었다. 예수 그 분은 자신을 못박은 자들의 용서에 대해서도 아버지께 부탁하셨고 자신의 영혼까지도 아버지께 부탁하셨다. 그런데 어째서 어머니에 대해서만은 아버지께 부탁하지 않고 요한에게 부탁했던 것일까? 그러고 보면 장엄한 인류 최대의 드라마가 클라이막스를 이루고 있는 대목에서 어머니에 관한 사사로운 부탁은 다소 어울리지 않는다는 느낌도 드는 것이었다. 역사상 어느 위인이나 성자가 그 최후를 맞으면서 자기 어머니를 누구에게 부탁한 적이 있었던가?

"예수의 십자가 곁에는 그 모친과 이모와 글로바의 아내 마리아와 막달라 마리아가 섰는지라 예수께서 그 모친과 사랑하시는 제자가 곁에 섰는 것을 보시고 그 모친께 말씀하시되

'여자여 보소서 아들이니이다'

하시고 또 그 제자에게 이르시되

'보라 네 어머니라'

하신대 그 때부터 그 제자가 자기 집에 모시니라" (요 19 : 25~27) .

이 일을 곰곰히 생각해 보고 있던 나는 또 한가지의 의문에 부딪치게 되었다. 골고다의 무대에 대한 하나님의 시나리오에는 예수의 제자들이 포함되어 있지 않았다. 그들은 겟세마네 동산에서 예수가 체포되고 있을 때 모두 다 도망쳤고 베드로마저도 가야바의 집에서 예수를 모른다고 세번씩이나 부인한 후 울면서 그 곳을 떠났던 것이다. 그런데 어떻게 해서 골고다의 현장에 갑자기 요한이 나타났던 것일까?

나는 다시 요한복음 19장을 곰곰히 들여보다가 또 하나의 문제점을 발견하였다. 빌라도 총독이 예수를 끌고 가라고 내어주는 16절과

예수가 십자가를 지고 골고다에 도착하는 17절 사이에 구레네 시몬의 이야기가 없는 것이었다.

어째서 요한은 예수의 십자가를 대신 짊어졌던 구레네 시몬의 이야기를 기록하지 않았던 것일까?

나는 이미 예수와 베드로가 만났던 갈릴리 호숫가에서 요한의 태도가 수상했던 것을 간파하고 그의 행적을 조사한 바가 있었다 ('무엇을 구하느냐?' 참조) . 그 결과 나는 가장 나이가 어리고 온유한 성품의 사도인 줄 알았던 요한이 사실은 성격이 격렬한 사람이었고 (막 3 : 17) 거칠고 시기심이 강했으며 (눅 9 : 24 ; 막 9 : 38) 출세욕이 강한 야심가요 (막 10 : 35) 현실주의자였다는 것 (요 1 : 37) 을 알게 되었던 것이다.

몹시도 현실적이며 기회주의적이었던 요한의 성격은 예수께서 잡히시던 그 밤의 행적에서 더욱 잘 나타나고 있다. 그날 밤 요한은 베드로와 함께 사태의 진전을 탐색하려고 가야바의 집까지 따라갔다.

"시몬 베드로와 또 다른 제자 하나가 예수를 따르니 이 제자는 대제사장과 아는 사람이라 예수와 함께 대제사장의 집 뜰에 들어가고 베드로는 문 밖에 섰는지라, 대제사장과 아는 그 다른 제자가 나가서 문 지키는 여자에게 말하여 베드로를 데리고 들어왔더니 문 지키는 여종이 베드로에게 말하되 너도 이 사람의 제자 중 하나가 아니냐" (요 18 : 15~17) .

여기 나오는 '다른 제자'는 물론 요한복음에서 늘 익명으로 등장하는 요한 자신이다. 그는 이미 가야바뿐만이 아니라 그 집 여종들까지도 잘 알고 있을 정도로 가야바의 집에 뻔질나게 드나들었던 것이다. 요한은 무엇 때문에 가야바의 집에 자주 드나들었던 것일까? 먼저도 밝혔듯이 요한은 현실주의자요, 출세지향적인 사람이었다. 다시 말하면 그는 예수가 정치적인 집권을 하면 그의 내각에서 한 자리를 잡으려고 그를 따라다닌 사람이었다. 그러나 요한이 보기에 예수의 언행은 점점 정권과는 거리가 멀어져가고 있었다. 그는 결국 예루살렘 종교 지도자 쪽과 예수 쪽에 양다리를 걸치기로 했던 것이다.

## ② 내가 올 때까지

가야바의 집까지 예수를 따라갔던 요한은 그 후 어찌 되었을까? 이미 베드로는 예수를 세번 부인하고 나서 울면서 그곳을 떠났다. 그러나 요한은 끈질기게 현장을 지키면서 사태의 추이를 살피고 있었다. 왜냐하면 예수가 결정적인 순간에 메시야의 출현을 선포하고 새 정부의 수립을 발표하면 요한은 당연히 도망간 다른 제자들과 경쟁하지 않고 요직에 발탁될 것이기 때문이었다. 요한복음을 보면 안나스, 가야바에서부터 빌라도에 이르는 예수의 심문과 재판 광경이 다른 복음서들보다 매우 상세하게 기록되어 있는 것을 알 수 있는데 이것은 요한이 그 모든 과정을 끝까지 지켜보았기 때문인 것으로 생각된다.

그러면 도대체 요한은 언제까지 그 현장을 지켜보고 있었던 것일까? 그것은 아마도 빌라도가 예수의 구명을 단념하고 민중의 요청대로 바라바를 석방함과 동시에 예수의 처형을 선고할 때까지였을 것이다. 왜냐하면 요한의 복음서에는 예수가 십자가를 지고 골고다를 향하여 올라가는 그 슬픔의 행진과 구레네 시몬의 이야기가 빠져 있기 때문이다.

빌라도가 예수의 처형을 선고하자 군병들은 예수를 채찍질하였고 그에게 가시 면류관을 씌운 다음 침을 뱉으며 조롱하기 시작했다. 요한이 보기에 예수는 더이상 메시야가 아니었다. 예수를 따라다녔던 요한의 야망도 이제는 끝장난 것이었다. 현실주의자인 요한은 미련 없이 그 자리를 떠났다.

십자가를 지고가는 예수와는 반대 방향으로 걸어가고 있던 요한의 영리한 머리 속에 갑자기 한가지 생각이 떠올랐다.

'예수는 골고다 언덕에서 마지막 순간에 메시야 강림을 선포할지도 모른다. 그렇게 되면 내 모든 수고는 허사가 되지 않는가?'

요한은 다시 발걸음을 돌이켜서 골고다를 향해 달리기 시작했다. 그러나 요한이 헐떡거리며 골고다의 처형장에 도착했을 때 예수는 이미 십자가에 달려서 신음하고 있었던 것이다.

예수는 이미 십자가 위에서 요한을 내려다보고 있었다. 그리고 그는 요한이 예수를 이해하고 구원받기 위해서는 상당한 시간이 필요한 것을 알고 있었다. 그러나 요한은 본래 성격이 격렬해서 오래 살기 어려운 사람이었다. 예수는 요한을 보호하고 구원하기 위해서 한 가지 조치를 해 놓았다. 예수는 요한에게 자기 어머니 마리아를 부탁했던 것이다.

요한은 혹시나 예수가 골고다 언덕에서 새 정권의 수립을 선언하지 않을까하는 기대를 가지고 그 곳으로 달려갔다가 엉뚱하게 그의 모친 마리아만 떠맡게된 셈이었다. 아무리 약삭빠른 요한이라도 그 선생의 마지막 부탁을 받아들이지 않을 수 없었다. 그는 여인들과 함께 예수의 시신을 아리마대 요셉의 무덤에 장사한 후 마리아를 모시고 예루살렘 성내로 돌아왔다.

예수의 제자들에 대한 추가 체포령이 있을지도 모르기 때문에 불안 속에 보낸 안식일 다음날 새벽, 베드로와 요한은 예수의 무덤에 다녀온 막달라 마리아로부터 그의 시체가 사라졌다는 소식을 들었다. 그 소식을 듣자마자 베드로와 요한은 용수철처럼 벌떡 일어나서 뛰기 시작했다. 요한이 더 빨라서 앞서서 달렸다. 베드로보다 더 젊기도 했지만 이미 골고다에 갔었던 그는 예수의 무덤이 어디 있는지 알고 있기 때문이었다.

그러나 베드로보다 앞서서 무덤에 도착한 요한은 빈 무덤 앞에서 온 몸이 굳어져 버렸다. 그는 감히 무덤 안으로 뛰어들어갈 수가 없었다(요 20 : 4,5). 예수가 부활했다면 그는 이미 십자가에 달려서 신음하던 예수가 아니요, 전지 전능한 하나님의 아들로서 살아났을 것이고 그렇다면 그는 지금까지 선생의 눈을 속여 가며 양다리 걸치기를 해온 요한의 비밀을 모조리 간파하고 있을 것이기 때문이었다. 그

래서 부활한 예수와 요한과의 관계는 지난 날 '품에 의지하여 누웠던
'(요 13 : 23) 다정한 관계에서 쌉쌀한 관계로 바뀌고 있다. 부활 후
디베랴 바닷가에 다시 나타난 예수는 베드로에게 '내 양을 먹이라'고
부탁하면서 그가 당할 수난을 예고해 준다. 그러나 요한에게는 아무
말씀도 없으시므로 민망해진 베드로가 대신 묻는다.

"주여 이 사람은 어찌 되겠삽나이까 ? "

그러나 예수의 대답은 극히 쌀쌀한 것이었다.

"내가 올 때까지 그를 머물게 하고자할지라도 네게 무슨 상관이냐"
(요 21 : 20~22) .

이 때부터 요한의 죽을 수도 없는 고독은 시작되었다. 그는 스데반
의 순교 때에도 마리아를 모시고 피신해야 했고, 그의 형제 야고보마
저 순교하고 베드로가 체포 당하는 난리통에도 마리아와 함께 숨어
다녀야 했다. 요한은 다시 예루살렘의 박해를 피해서 마리아를 안디
옥으로 모셨고, 그 안디옥이 또 위험해지자 이번에는 에베소로 옮겨
갔다. 베드로와 바울이 로마에서 순교당하고 다른 제자들도 하나 하
나 순교의 소식이 들려오기 시작했다. 결국은 예수의 직계 제자들이
모두다 순교하고 요한만 살아남았다. 그리고 마침내 마리아가 에베
소에서 세상을 떠났을 때…요한은 이미 중늙은이가 되어 있었던 것
이다.

마리아 때문에 순교도 못하고 결혼할 나이도 놓쳐 버린 요한은 비
로소 자기의 야심만만했던 인생을 엉망진창으로 만들어놓은 예수란
사람은 도대체 누구였던가를 곰곰히 생각하기 시작했다. 그 아득한
젊은 시절에 만났던 예수의 추억을 되씹으면서 그는 비로소 예수의
사랑을 깨닫고 울기 시작했다. 예수가 만났던 간음한 여인, 간통하
다 현장에서 붙잡힌 그여인은 바로 요한 자신이었던 것이다. 예수는
그에게 말씀하고 있었다.

"나도 너를 정죄하지 아니하노니 가서 다시는 죄를 범치 말라"(요
8 : 11) .

마침내 요한은 예수를 발견하였다. 그가 발견한 예수는 바로 '태초로부터 계셨던 하나님의 말씀'(요 1 : 1)이었고 그는 마침내 백발의 노구로 예수의 추억을 기록하기 시작하였다. 요한복음은 바로 요한의 참회록이었던 것이다. 그는 이 불멸의 복음서에서 자신을 '예수의 사랑하시는 제자'라고 썼다.

이렇게 요한의 구원을 계획하신 예수의 웅대한 구상은 나를 사로잡기에 충분한 것이었다. 결국 필자는 요한을 주인공으로 하여 장편소설 「제국(帝國)과 천국(天國)」을 쓰게 되었던 것이다.

# 하나님의
# 시간들

"태초에 하나님이 천지를 창조하시니라"
(창 1 : 1). 감동적인 단정(斷定)으로
시작되는 창세기에서는 성령이
운행하시면서 천지창조의
대역사가 진행된다. 그러나
창조의 교향악은 2장 4절부터
창조의 순서들을 뒤집어 엎기 시작하는
것이다. 2장의 창조는
사람으로부터 시작된다.

# 하나님의 시간들

성경을 펼치면서 우리가 만나는 또 하나의 미스테리는 창세기 1장과 2장 사이에 나타나는 모순의 문제이다.

"태초에 하나님이 천지를 창조하시니라"(창 1 : 1).

그 감동적인 단정 (斷定)으로 시작되는 창세기에서는 혼돈과 흑암 가운데로 하나님의 신 (神), 즉 성령이 운행하시면서 천지창조의 대역사가 숨가쁘게 진행되기 시작한다.

"…저녁이 되며 아침이 되니 이는 첫째 날이니라."

"…저녁이 되며 아침이 되니 이는 둘째 날이니라"

"…저녁이 되며 아침이 되니 이는 셋째 날이니라"

그렇게 박력 있는 템포로 진행되는 창조의 드라마에서 첫째 날에는 빛이 나타났고 둘째 날에는 하늘 위의 물과 하늘아래의 물이 나뉘어졌으며 셋째 날에는 드러난 땅에 풀과 채소와 열매 맺는 나무가 생겨났다. 넷째 날에는 하늘의 해와 달과 별들이 나타났고 다섯째 날에는 물고기와 새들이 창조되었으며 여섯째 날에는 육축과 땅에 기는 것과 짐승들이 만들어졌고 드디어 모든 생물들을 다스릴 사람이 창조되었던 것이다.

그리하여 하나님의 지으시던 일은 일곱째 날에 이를 때 마쳤으므로 하나님은 일곱째 날에 안식 (安息)하시었다. 그러나 거기까지 단숨에 진행되던 창조의 교향악은 갑자기 2장 4절에서부터 음조 (音調)를 바꾸면서 1장의 내용들을 뒤집어 엎기 시작하는 것이다. 무엇보다도 먼저 바뀌고 있는 것은 창조의 순서이다. 2장의 창조는 사람으로부터 시작된다.

"여호와 하나님이 천지를 창조하신 때에 천지의 창조된 대략이 이러하니라 여호와 하나님이 땅에 비를 내리지 아니하셨고 경작할 사람도 없었으므로 들에는 초목이 아직 없었고 밭에는 채소가 나지 아니하였으며 안개만 땅에서 올라와 온지면을 적셨더라 여호와 하나님이 흙으로 사람을 지으시고 생기를 그 코에 불어넣으시니 사람이 생령 (生靈)이 된지라"(창 2 : 4~7).

사람이 창조된 후에 비로소 하나님은 그 사람을 위하여 나무를 나게 하시고 짐승들을 만드시어 사람으로 하여금 그 이름을 짓게 하시었다.

"…여호와 하나님이 동방의 에덴에 동산을 창설하시고 그 지으신 사람을 거기 두시고 여호와 하나님이 그 땅에서 보기에 아름답고 먹기에 좋은 나무가 나게하시니 동산 가운데에는 생명나무와 선악을 알게 하는 나무도 있더라"(창 2 : 8, 9).

"여호와 하나님이 흙으로 각종 들짐승과 공중의 각종 새를 지으시고 아담이 어떻게 이름을 짓나 보시려고 그것들을 그에게로 이끌어 이르시니 아담이 각 생물을 일컫는 바가 곧 그 이름이라 아담이 모든 육축과 공중의 새와 들의 모든 짐승에게 이름을 주니라"(창 2 : 19, 20).

하나님께서는 아담을 위하여 모든 식물과 동물을 지으신 다음에 비로소 아담을 '돕는 배필'을 만드신다.

"여호와 하나님이 아담에게서 취한 그 갈빗대로 여자를 만드시고 그를 아담에게로 이끌어 오시니…"(창 2 : 22).

이렇게 창세기 2장이 1장을 뒤집어 놓고 있는 이유에 대해서 성경

은 아무런 설명도 하고 있지 않다. 어쩌면 성경을 처음 읽는 사람은
아예 여기서 주저앉아 버릴는지도 모른다.

창세기는 출애굽기, 레위기, 민수기, 신명기와 함께 모세의 편집
으로 알려져 있다. 그러므로 많은 성경학자들이 이 모세 5경의 편집
과정을 추적하였고 이미 1753년에 파리대학의 의과 교수였던 쟝 아
스뜨뤽은 새로운 학설을 발표하였다.

"모세가 5경을 쓸 때에는 여러가지 자료를 그대로 인용하였다. 그
리하여 창세기의 어떤 부분에는 신을 엘로힘이라하고 어떤 부분에는
여호와라 하였으니 이는 두 가지 다른 자료에서 온 것이다. 또 모세
5경에는 그 외에도 9~10종류의 서로 다른 자료가 섞여 있다."

지금은 아주 고전적인 개념이 되어버린 이 학설이 당시에는 얼마
나 큰 충격을 불러일으켰을지 짐작이 갈 만하다. 이 학설은 더 나아
가서 문서 편집론으로 발전하였고 학자들은 신을 엘로힘이라고 표현
했던 북방계의 E문서 (Elohistic Document)와 여호와로 표시했던
남방계의 J문서 (Jehovistic Document) 외에도 신명기의 중심이된
법전인 D문서 (Deuteronomic Code), 역사와 율법을 합한 제사적 입
장의 P문서 (Priestly Code)가 있었다고 말한다. 그래서 모세 5경은
P문서를 기본 자료로 하여 J와 E를 주로 삽입해가며 편집되었다는
것이었다.

그런 관점에서 볼 때 창세기1장1절~2장 3절은 E문서에서 인용, 삽
입된 것 같고 2장 4~ 25절은 J문서에서 온 것으로 추정된다. 그
러나 서로 다른 이 대목이 다른 문서에서 온 것을 인정한다 하더라도
의문을 풀어 주지는 못한다.

"너희는 여호와의 책을 자세히 읽어보라 이것들이 하나도 빠진 것
이 없고 하나도 그 짝이 없는 것이 없으리니 이는 여호와의 입이 이
를 명하셨고 그의 신 (神 : 성령)이 이것들을 모으셨음이라" (사 34 :
16).

뿐만 아니라 디모데후서 3장 16절은 모든 성경이 하나님의 감동으

로 된 것임을 분명히 선언하고 있는데 단지 자료가 다르다는 것만으로 이 문제의 해답이 되지는 않는 것이다. 이런 경우 나의 추적은 언제나 성경의 무오설 (無誤說)에 대한 믿음에서 출발한다. 그것이 어느 자료에서 나왔든 성령은 그것의 잘못 됨을 묵인하거나 방관하지 않을 것이기 때문이다.

## ② 시간의 안과 밖

창세기 1장과 2장의 문제를 해결하기 위하여 그것을 되풀이하여 읽다가 나는 더욱 큰 문제에 부딪치고 말았다. 창세기 1장에서 땅이 드러나고 각종 채소와 나무들이 나타난 것은 셋째 날이었는데 해와 달이 나타난 것은 분명히 넷째 날로 되어 있었던 것이다. 지구가 태양보다 먼저 생겼다는 것은 아직 증명할 수 없으니 덮어 놓더라도 태양이 없이 어떻게 채소가 자라며 나무가 탄소동화작용을 할 수 있는가?

결국 하나님의 시간이란 우리가 살고 있는 시간을 초월하고 있는 것은 아닐까? 그러다가 나는 갑자기 욥기의 한 구절을 생각해내고 부지런히 성경을 뒤지기 시작했다.

"내가 알기에는 나의 구속자 (救贖者)가 살아계시니 후일에 그가 땅에 서실 것이라 나의 이 가죽 이것이 썩은 후에 내가 육체 밖에서 하나님을 보리라" (욥 19 : 25, 26).

그렇다. 하나님은 시간의 테두리 안에 계신 분이 아니므로 시간의 구속을 받지않으시며 우리는 육체 (시간)밖에서 그를 보아야 하는 것이다. 그러므로 후일에 그가 사람의 몸으로서 땅에 (시간 안에) 오셨을 때 그는 말씀하시기를

"내가 너희에게 실상을 말하노니 내가 떠나가는 것이 너희에게 유익이라 내가 떠나가지 아니하면 보혜사가 너희에게로 오시지 아니할 것이요 가면 내가 그를 너희에게로 보내리니…" (요 16 : 7)하셨던 것이다. 성자 (聖子)께서 시간 안에 들어와 계시므로 성령이 시간의 안과 밖을 넘나들며 활동할 수가 없었던 것이다.

아인슈타인 이후 금세기 최고의 이론물리학자라고 일컬어지는 스티븐 호킹은 최근 그의 저서「시간의 역사」에서 우주는 분명히 그 시작이 있었으며 또 그 종말이 있어야 한다는 것을 밝혔고

"우주가 시작되기 전에는 시간이 존재하지 않았다…시간은 우주의 사작과 함께 생겼으며 시간은 절대적인 것이 아니라 관측자의 위치와 운동에 따라서 상대적으로 달라지는 것이다"
라고 고백했던 것이다. 그의 이론대로라면 창조주 하나님은 우리가 속해 있는 시간의 광추면 (光錐面) 밖에 계시는 것이다.

"여호와의 말씀에 내 생각은 너희 생각과 다르며 내 길은 너희 길과 달라서 하늘이 땅보다 높음같이 내 길은 너희 길보다 높으며 내 생각은 너희 생각보다 높으니라" (사 55 : 8, 9).

그래서 하나님은 알파와 오메가이시며 처음과 나중이요 이제도 계시고 전에도 계셨고 장차 오실 분이었던 것이다. 그는 만물의 과거와 현재와 미래를 동시에 총괄하시는 분이었다. 그러므로 창세기 1장과 2장에 나오는 창조의 순서는 그러한 창조주의 시각으로 보아야 하는 것이었다.

즉 창세기 1장에서 하나님은 사람에게 필요한 모든 무대를 준비하신 후에 사람을 등장시키셨다. 그 전반부에는 사람을 위하여 빛과 물과 땅을 준비하셨으며 그것은 곧 사람의 생명을 위한 준비였으므로 사람의 먹을 것인 채소와 나무가 포함된 것이었다. 창조의 후반부에는 사람을 둘러싸고 그를 즐겁게 해주고 벗해줄 해, 달, 별 그리고 물고기와 새와 짐승들을 선물하셨다 (홍수 이전에는 채소와 열매만이 사람의 식물이었다).

즉 창세기 1장에서는 하나님의 시간을 사람에 대한 배려와 사랑의 위치에서 관측하였고, 2장은 다시 만물을 다스릴 우주의 주인공으로 창조된 사람에 대한 하나님의 관심과 기대의 위치에서 그 시간을 측정했던 것이다.

이토록 우주 안에서의 시간을 뛰어 넘었던 모세의 믿음에서 나는

비로소 소경이 눈을 뜨듯이 비밀의 바다를 헤엄칠 수 있었다. 나는 하나님의 부르심을 받고 예수 그리스도의 은혜로 말미암아 고난 속에서 태어나는 하나님의 아들들(롬 8 : 18)이 어째서 하나님의 창조에 참여할 수 있었으며(욥 38 : 7) 하나님의 회의에 참석할 수 있었는지(욥 1 : 6) 그 비밀을 깨달을 수 있었고, 우리가 어떻게 천국에서 예수님과 사도들과 또 우리의 사랑하는 사람들을 만날 수 있는 것인지에 대해서도 알게 되었던 것이다.

하나님은 시간의 안과 밖을 주관하시며 과거와 현재와 미래를 그 시선 안에 두시고 운행하시는 전능자이시다. 그는 처음과 나중이시며 전에도 계셨고 지금도 계시며 장차 오실 분이시다. 그래서 우리도 바울처럼 고난 가운데서 하나님의 아들들로 인정되는 영광을 소망으로 삼고 전진하는 것이다.

"능히 모든 성도와 함께 지식에 넘치는 그리스도의 사랑을 알아 그 넓이와 길이와 높이와 깊이가 어떠함을 깨달아 하나님의 모든 충만하신 것으로 너희에게 충만하게 하시기를 구하노라"(엡 3 : 18~19).

# 유혹의 배후세력

하나님께서는 에덴동산에 뱀과 같은 것을 왜 만들어 두셨을까? 예수께서 구원을 이루신 이후에도 사람은 끊임없이 죄의 유혹을 받고 있는데 아직도 뱀이 사람을 유혹하고 있는 것일까? 그 모든 비밀을 간직한채 뱀은 말이 없다.

# 유혹의 배후세력

☐ 낙원을 엿보는 자

삭막한 광야와 같은 세상 길에서 헤매다가 예수 그리스도를 만나면서부터 우리의 삶은 천지가 개벽하듯 뒤집히게 된다. 회개의 눈물로부터 감사의 찬양이 솟아나오고 거듭남의 감격 속에서 우리의 인생은 기쁨의 빛으로 가득차게 된다. 그러나 어쩌랴, 십자가의 은혜로 구원받은 우리에게도 죄의 유혹은 계속되고 분노와 증오가 하루에도 몇번씩 우리를 사로잡으며 실패와 낙담이 우리를 수없이 곤두박질치게 한다.

"내 속 사람으로는 하나님의 법을 즐거워하되 내 지체 속에서 한 다른 법이 내 마음의 법과 싸워 내 지체 속에 있는 죄의 법 아래로 나를 사로잡아 오는 것을 보는도다 오호라 나는 곤고한 사람이로다 이 사망의 몸에서 누가 나를 건져내랴"(롬 7 : 22~24) .

오죽하면 사도 바울도 그렇게 탄식했겠는가. 예수께서도 직접 제자들에게 가르치신 기도문에서

"우리를 시험 (temptation:유혹)에 들게 하지 마옵시고 다만 악에서 구하옵소서"(마 6 : 13)

라고 기도하는 대목을 넣어두셨던 것이다. 처음에 사람을 유혹한 것은 뱀이었다고 하는데 도대체 뱀은 무엇 때문에 하와를 유혹하였을

까? 그리고 왜 하나님께서는 에덴 동산에 뱀과 같은 것을 만들어 두
셨을까? 예수께서 구원을 이루신 이후에도 사람은 끊임없이 죄의 유
혹을 받고 있는데 아직도 뱀이 사람을 유혹하고 있는 것일까?

그 모든 비밀을 간직한 채 뱀은 말이 없다. 정말 뱀이 사람을 유혹
했으며 지금도 유혹하고 있는지는 알 수 없으나 뱀은 정말 생각하기
도 싫을 정도로 너무 징그럽다. 보신을 위해서 뱀탕 집에 가는 사람
도 있기는 있는 모양이지만 나 자신은 뱀의 그림만 나와도 책을 덮어
버릴 정도로 뱀을 싫어한다. 하나님이 그 지으신 모든 것을 보시니 보
시기에 심히 좋았다고 (창 1 : 31) 했는데 나는 도저히 뱀을 보기에 좋
다고 인정할 수가 없었다. 그런 생각을 하면서 나는 다시 창세기에 나
오는 뱀의 유혹 장면을 생각해 보았다. 남자인 나도 그토록 뱀을 싫
어하는데 뱀은 어떻게 여자인 하와에게 접근하고 유혹하였을까? 나
는 창세기 3장을 다시 한번 읽어 보다가 깜짝 놀랐다.

"여호와 하나님이 지으신 들짐승 중에 뱀이 가장 간교하더라" (창
3 : 1). 뱀은 꾸불거리며 기어다니는 징그러운 존재가 아니라 '들짐승
'이었던 것이다. 그러고 보면 뱀은 사람을 유혹한 이후에 그에 대한
벌로 '들의 모든 짐승보다 더욱 저주를 받아' 배로 기어다니고 종신토
록 흙을 먹게 (창 3 : 14) 되었으니 그 이전에는 기어다니지 않았음이
틀림없었다.

게다가 '간교'하다는 말을 찾아보니 이는 히브리어의 '아룸'이라는
말인데 '영리하다'는 뜻이었다. 즉 뱀은 본래 영리한 들짐승이었는데
저주를 받아 그토록 징그러운 모습으로 변했던 것이다. 바벨론의 유
적에 나오는 이쉬타르 성문에는 여러가지 짐승들의 그림이 그려져 있
는데 그 중에는 몸에 비늘이 덮이고 목과 꼬리가 길며 네 다리가 있
는 짐승이 있다. 신학자들은 창세기 3장의 뱀이 본래 그런 모습이었
을 것이라고 추측한다는 것이었다. 그리고 그 때에는 하와가 뱀과 대
화했듯 사람과 짐승이 대화를 할 수도 있었다. 그 대화가 선악과 사
건 이후로는 막혀져 버렸고 뱀은 침묵하고 있는 것이다. 그렇다면 그

영리한 뱀이 어째서 하와를 유혹했던 것일까. 왜 하나님께서는 뱀을 그런 모양으로 변하게 했으며 사람은 왜 그것을 싫어하게된 것일까.

나는 다시 뱀의 역사를 추적하기 시작했다. 창세기 3장의 뱀은 히브리어로 '나하쉬'인데 모든 뱀과 다른 파충류들을 지칭하는 일반적인 낱말이었고, 민수기 21장에 나오는 뱀은 독사를 의미하는 것이었다. 그 중에서 좀 특이한 것은 출애굽기 7장에 나오는 '탄닌'으로, 뱀이라는 뜻 외에 용(龍)의 의미도 가지고 있었다. 이 탄닌은 또 바다 괴물, 악어 등으로 번역되기도 해서 이사야 27장 1절의 꼬불꼬불한 뱀 리워야단을 연상하게 했다. 이 리워야단은 우가릿 문서에도 나오는 바다 괴물 '로탄'에서 나온 것으로 욥기에 나오는 이 리워야단은 모두 악어로 번역되었던 것이다. 가나안 신화에 등장하는 이 로탄은 무질서와 혼돈의 괴물이었다.

결국 나는 에덴에서 여자를 유혹한 뱀의 배후는 이 용이 아닌가 생각하게 되었다. 왜냐하면 신약에서는 이 용을 사탄으로 지칭하고 있었기 때문이었다.

"큰 용이 내어쫓기니 옛 뱀, 곧 마귀라고도 하고 사단이라고도 하는 온 천하를 꾀는 자라 땅으로 내어쫓기니 그의 사자들도 저와 함께 내어쫓기니라"(계 12 : 9).

즉 영리한 뱀은 용의 교사(敎唆)로 여자를 유혹하였으며 그 때문에 저주를 받아 징그러운 모습으로 변하였다. 뱀의 배후는 용이었고 용은 곧 바다 괴물이며 날개와 발톱이 있는 거대한 파충류의 괴물이었으며 이는 곧 사탄을 의미하는 것이었다.

여기까지 정리하면 우선 용이란 바로 2억4천5백만년 전에서 6천6백만년 전 사이의 중생대에 나타났던 공룡을 쉽게 연상시킨다. 어째서 성경은 이 공룡을 무질서와 혼돈의 상징으로 삼고 있는 것일까? 이 공룡은 어떻게 해서 이 지구상에 나타나게 되었던 것일까? 공룡과 사탄의 관계는 또 무엇인가?

## ② 사탄의 정체

뱀의 배후에는 용이 있었고 용은 무질서와 혼돈의 상징이었으며 또한 사탄의 세력을 대표하고 있었다. 그래서 공룡에 대하여 관심을 갖고 있던 나는 84년 10월 일본의 동경에 출장을 갔다가 전철에서 이상한 포스터를 보았다. 그 포스터에는 흉칙한 공룡의 그림과 함께 '세계 최대의 공룡전'이라 적혀 있었고 창립 175주년을 맞는 베를린 대학의 호의로 동 대학이 보존하고 있는 21점의 국보급 공룡유골 등 350점의 파충류 화석 표본을 전시한다는 광고였다.

나는 급히 전철을 바꿔타고 전시회가 열리고 있는 신쥬꾸의 이벤트 광장에 설치된 전시장으로 달려갔다. 전시장에는 수많은 파충류, 물고기류, 연체동물, 식물류의 화석과 조립된 공룡의 유골들이 전시되고 있었다.

얼떨떨한 가운데 전시된 화석과 유골들을 둘러보며 설명문을 들여다보던 나는 문득 이상한 점을 발견했다. 대개 지구상의 동물들은 시간이 갈수록 그 수가 늘어나기 때문에 환경에 적응이 안되면 멸종되던가 적응하기 위하여 몸집이 작아진다고 지금까지 생각되어 왔다.

그런데 공룡들은 반대로 시간이 흐를 수록 그 몸집이 커지고 있었다. 예를 들어 중생대 초기에 나타난 노토사우루스는 몸 길이가 1.35미터, 시모사우루스는 2미터 정도인 데 비해 중기의 프라테오사우루스는 5.9미터로 커졌고 1909년 베를린 대학 탐험대가 발굴한 세계 최대의 공룡 브라키오사우루스에 이르러서는 몸 길이 22.65미터, 높이 11.87미터까지 이르렀다가 마침내 지구상에서 사라지고 말았던 것이다. 나는 도대체 이 공룡이 창세기 1장의 어디쯤에서 나타난 것인가를 찾아보다가 창조의 다섯째 날에서 그것을 찾았다.

"하나님이 큰 물고기와 물에서 번성하여 움직이는 모든 생물을 그 종류대로 날개 있는 모든 새를 그 종류대로 창조하시니 하나님의 보시기에 좋았더라 하나님이 그들에게 복을 주어 가라사대 생육하고 번성하여 여러 바다물에 충만하라 새들도 땅에 번성하라 하시니라 저녁이 되며 아침이 되니 이는 다섯째 날이니라"(창 1 : 21, 22).

여기서 '큰 물고기'는 바로 '탄닌'즉 용이었다. 하나님께서는 창조의 다섯째 날에 공룡을 창조하신 것이었다. 뿐만 아니라 그들에게 복을 주어 생육하고 번성하라고 하셨다. 모두들 하나님의 말씀대로 생육하고 번성하여 모든 바다물에 충만하게 되었으나 공룡만은 점점 그 몸집이 커지다가 마침내 제 몸집을 더 이상 지탱하지 못하여 자멸하고 말았던 것이다.

어찌하여 공룡은 하나님의 말씀과 반대로 가다가 자멸하였는가? 거기에 바로 혼돈과 무질서의 세력이 작용하였던 것이며 그것은 이미 창세기 1장 2절부터 있었던 혼돈하고 공허한 흑암의 세력이었다. 이 세력이 바로 사탄의 세력이었던 것이며 공룡에게 작용하여 그들을 자멸하게 했고 에덴을 엿보던 그림자였다. 그래서 하나님은 아담에게 '에덴을 지키라'고(창 2 : 15)명령하셨던 것이다. 그리고 그가 뱀을 교사하여 여자를 유혹하게 했던 것이며 하나님은 뱀을 저 자멸한 파충류를 닮되 배로 기는 흉한 모습으로 만들어 버리셨던 것이다.

제임스 칼라스는 그의 저서「사탄의 생태」(The Real Satan)에서 사탄은 어떤 개체적 이름이 아니라 역할의 직명이며 문자적으로 상대자(adversary)의 뜻이라고 했다. 즉 욥기의 사탄은 욥의 의를 증명하기 위한 상대자로서 존재한다는 것이다. 그러므로 창세기 1장 2절에 나오는 사탄의 세력도 질서의 창조를 위한 상대적 반역의 세력이 된 것이다. 즉 하나님께 반역한 사탄의 세력은 오히려 새 질서의 창조를 촉구하는 역할을 하게 되었던 것이다.

「현대물리학이 발견한 창조주」라는 저서에서 폴 데이비스는 대폭발과 함께 우주의 역사가 시작되었는데 그것은 혼돈과 무질서 속에서 시작되어 새로운 질서의 생성을 지향하지만 열역학 제2법칙의 모순 때문에 질서의 생성은 더 많은 무질서를 생산해 낸다고 했다. 이러한 질서와 무질서의 관계에 대해서 그는 또 하나의 법칙을 제시했는데 즉 생명이 있는 것은 더욱 질서 있는 상태로 이행해 가고 생명이 없는 것은 더욱 무질서의 상태로 되어간다는 것이었다. 그렇다면 제 몸만을 키우며 하나님의 뜻을 거역했던 공룡들은 생명이 있어도 이미 그것을 사탄에게 팔아서 생명없는 상태가 되어 있었던 것이다.

그 다음해인 85년 4월, 나는 다시 일본 쯔꾸바에서 열린 국제과학기술박람회에서 더 이상한 것을 보았다. 첨단과학 전시회답게 전세계 기업들은 다투어 컴퓨터, 로보트, 생명공학들을 전시하고 있었는데 내가 놀랐던 것은 도시바 관에서 본 다관절 로보트와 테마관에서 시범을 보이던 걸어가는 로보트였다. 꼭 뱀 같은 모양의 다관절 로보트와 걸어가는 로보트를 합성하면 영락없는 공룡의 모습이 될 것이기 때문이었다. 거기다가 생명공학을 합성하면 그 로보트 공룡은 자동번식이 될 것이었다. 벌써부터 로보트의 무기화가 계획되고 있다고 한다. 그런 공룡을 무기화한다면 아마도 강대국들이 처음에는 그 크기를 자율규제할 것이다. 그러다가는 마침내 핵무기처럼 서로 큰 것 만들기 경쟁을 할 것이고 그 괴물은 다시 자멸의 길로 인류를 몰아넣을 것이며 저 사탄의 흑암 세력은 지구를 혼돈과 무질서로 덮을 것이다. 갑자기 전 세계에 공룡의 인형이 유행하고 공룡 만화가 늘어나는 것은 결코 우연이 아니다. 더구나 지금 인류 사회의 모든 체계는 공룡처럼 대형화되어 가고 주민관리체제를 비롯한 국가 전산망이 구성되는가 하면 경제적으로는 이미 국가의 단계를 넘어선 지역별 블록화가 형성되고 있으며 전 세계에는 지금 공룡의 특성인 이기, 교만, 탐욕, 증오, 음란 등 무질서와 혼돈의 세력이 확장되고 있다.

우리는 지금 이런 지구에 살고 있다. 그러나 그 무질서 가운데서도 믿음으로 구원받아 생명을 지킨 자는 하나님의 질서 속에 들어간다. 흑암의 세력이 가득하다는 것은 곧 '새 하늘과 새 땅'이 임박했다는 징조이다. 이사야서는 사탄의 멸망을 분명히 예고하고 있다.

"그 날에 여호와께서 그 견고하고 크고 강한 칼로 날랜 뱀 리워야단을 벌하시며 바다에 있는 용을 죽이시리라"(사 27 : 1).

# 땅의 기초를 놓을 때

창세기 1장 6절에 보면 하나님께서
물 가운데 궁창을 만드시고 궁창 위의
물과 궁창 아래의 물로 나뉘게 하셨다고
되어 있는데 이 궁창은 곧 하늘이었다.
그렇다면 하늘 위에 있는 물은 무엇이며
하늘 아래 있는 물은 무엇이었을까?

# 땅의 기초를 놓을 때

## ① 추적 3백 14일

온 땅을 휩쓸어 버렸던 대홍수야말로 지금도 우리를 떨리게 하는 무서운 사건이었다. 하루 정도만 계속해서 폭우가 쏟아져도 물난리와 산사태가 나는 우리의 경험으로 미루어 볼 때 40일 간이나 퍼부은 폭우의 위력이 어떠했겠는지는 짐작이 가고도 남는 일이다. 더구나 땅을 휩쓸어버린 홍수에 가세한 것은 위에서 쏟아진 물만이 아니었다. 성경에는 폭우와 함께 큰 '깊음의 샘들'이 터졌다고 기록되어 있는 것이다.

"…7일 후에 홍수가 땅에 덮이니 노아 6백세 되던 해 2월 곧 그달 17일이라 그 달에 큰 깊음의 샘들이 터지며 하늘의 창 (窓) 들이 열려 40주야를 비가 땅에 쏟아졌더라" (창 7 : 10~12).

창세기 1장 6절에 보면 하나님께서 물 가운데 궁창을 만드시고 궁창 위의 물과 궁창 아래의 물로 나뉘게 하셨다고 되어 있는데 이 궁창은 곧 하늘이었다. 그렇다면 하늘 위에 있는 물은 무엇이며 하늘아래 있는 물은 무엇이었을까?

물리학자들의 이론에 따르면 우주는 '뜨거운 대폭발'로 시작되었으며 우주가 팽창함에 따라 우주 안의 물질은 모두 냉각되기 시작하였다고 한다. 팽창과 냉각에 따라 우주에는 헬륨과 수소 등의 원소가 생성되고 우주의 어떤 구역에서는 팽창이 감속되면서 수축과 함께 회전이 시작되었다. 이같은 변화 속에서 더 무거운 원소들이 생성되고 그것이 지구와 같은 행성을 만들었다는 것이다 (Stephen Hawking : 「시간의 역사」).

"…여호와 하나님이 땅에 비를 내리지 아니하셨고 경작할 사람도 없었으므로 들에는 초목이 아직 없었고 밭에는 채소가 나지 아니하였으며 안개만 땅에서 올라와 온 지면을 적셨더라"(창 2 : 5, 6).

지구가 냉각되어감에 따라 암석에서 분출되는 기체로부터 대기층이 생기게 되었다. 이 초기의 대기층은 주로 황화수소와 같은 유독한 기체들이었으나 원시식물 및 무척추동물 등이 생겨나면서 점차 수증기층으로 변화되었다.

"그는 북편 하늘을 허공에 펴시며 땅을 공간에 다시며 물을 빽빽한 구름에 싸시나 그 밑의 구름이 찢어지지 아니하느니라"(욥 26 : 7, 8).

성경의 기록을 보면 이 지구를 덮고 있던 두터운 수증기층은 노아의 때까지 계속되었던 것으로 되어 있다. 왜냐하면 홍수가 지나고나서야 비로소 무지개가 나타났기 때문이다(창 9 : 13). 그렇다면 홍수 때에 하늘의 창이 열린 듯 쏟아진 것은 바로 하늘 위의 물, 즉 수증기층이 냉각되어 쏟아진 것이며 터져나온 깊음의 샘들은 지구가 냉각될 때 땅 속에서 응축되어 고여 있던 엄청난 양의 지하수들이었다고 할 수 있다. 어쨌든 40일 동안 쏟아지고 터져나온 이 물들은 땅을 덮었고 노아의 방주는 물 위에 떴다. 아무리 거대한 방주라 하더라도 지구를 덮어버린 물에 비하면 그것은 한 조각 나뭇잎과도 같이 보잘 것 없는 것이었다. 그러나 여호와 하나님은 그 방주 속에 마치 보물이라도 감추듯 자기가 지으신 소중한 생명의 씨앗들을 숨겨 놓으신 것이다. 그 성냥갑처럼 떠 있는 방주 속에서 노아와 그 가족들의 놀람과 두려움은 어떠하였을까. 사람은 스스로 영리한 체 하지만 흔히 '두려운 하나님'을 잊은 채로 살아간다. 이럴 때마다 노아의 방주는 방심하고 있는 우리를 깨우치고 경고하는데 더할 나위 없이 좋은 교재인 것이다.

"홍수가 땅에 40일을 있었는지라 물이 많아져 방주가 땅에서 떠올랐고 물이 더 많아져 땅에 창일하매 방주가 물 위에 떠다녔으며 물이 땅에 더욱 창일하매 천하에 높은 산이 다 덮였더니 (창 7 : 17~19) …물이 1백50일을 땅에 창일하였더라"(창 7 : 24).

그러나 나의 의문은 오히려 물이 빠지기 시작할 때 생기기 시작하였다. 모든 산들을 다 삼킬 만큼 물이 쏟아졌다면 그 물의 양은 대단했을 것이며 그것이 쏟아지고 터져나온 까닭을 이해한다 하더라도 그 물이 모두 어디로 갔느냐 하는 문제가 아직 남아 있는 것이었다.

"…물이 땅에서 물러가고 점점 물러가서 1백50일 후에 감하고 7월 곧 그달 17일에 방주가 아라랏 산에 머물렀으며 물이 점점 감하여 10월 곧 그 달 1일에 산들의 봉우리가 보였더라" (창 8 : 3~5).

결국 산들의 봉우리가 다시 나타난 것은 홍수가 시작된 지 150+74=224일만이었으며 물이 완전히 걷힌 것은 다음해 정월 1일이었으므로 (창 8 : 13) 314일째 되는 날이었다. 그러므로 모든 산을 뒤엎었던 물이 완전히 빠지는데 걸린 날 수는 314-150=164일 이었다.

그 물이 164일 만에 어떻게 빠질 수 있었을까? 과연 164일은 그 많은 물이 모두 증발하기에 충분한 날수인가? 그것은 불가능한 일이었다. 불과 164일 사이에 수천 미터 깊이의 물이 다 증발했다면 지금의 바닷물도 남아 있지를 못했을 것이기 때문이다. 그렇다면 그 모든 물은 다 어디로 갔는가? 하나님께서 지구의 밑바닥에 거대한 하수도를 준비하셨는가? 물론 지금도 지하수가 있기는 있다. 그러나 일단 터져 나온 물들을 도로 그것이 고여있던 구멍에 주워담는 것같은 일들이 정말 일어났을까?

아무래도 뭔가 기이한 사건이 일어났음에 틀림 없었다. 홍수가 시작되어서 물이 완전히 빠진 314일 동안에 무슨 일이 일어났던 것일까?

## 2 방주 밖에서 생긴 일

그 많은 물들이 164일 동안에 어디로 간 것일까? 이 문제에 매달 려서 고심하고 있던 나는 결국 추리 소설에 흔히 나오는대로 생각을 바꿔 보았다.

(혹시…물이 없어진 것이 아니라 그대로 있는 것은 아닐까? 그렇 다면 방주가 올라선 아라랏 산과 다른 산들은 어떻게 된 것인가…?)

거기까지 생각하자 나는 갑자기 학교에서 지리 시간에 들었던 이 야기들이 생각났다. 바다의 깊이는 산들의 높이보다도 더 깊기 때문 에 바다 위에 노출된 모든 육지를 다 깎아서 바다에 밀어넣더라도 바 다는 여전히 수천 미터 깊이의 바다로 남는다는 것이었다.

(그렇다면…물이 빠진 것이 아니라 산들과 육지가 물위로 솟아 올 라 온 것은 아닐까?)

나는 얼른 욥기 38장을 찾아보았다. 거기엔 옛날 사람들이 지구가 평평하다고 생각했던 시절에 적어 놓은 것 같은 투의 표현이 있어서 늘 내 마음에 안들던 구절이 있었던 것이다.

"내가 땅에 기초를 놓을 때에 네가 어디 있었느냐 네가 깨달아 알 았거든 말할지니라 누가 그 도량을 정하였었는지 누가 그 준승을 그 위에 띄었었는지 네가 아느냐 그 주초는 무엇 위에 세웠으며 그 모퉁 이 돌을 누가 놓았었느냐"(욥 38 : 4~6).

만일 정말로 산과 육지들이 솟아오른 것이라면 그 솟아오른 공간 에는 주초가 있어야 하는 것이었다. 정말 산들이 솟아올랐는가? 그 렇다면 산들을 높아진 수면 위로 솟아오르게 하기 위해서 바다 속의 골짜기들은 더 깊어졌는가?

욥기 38장 4절에 나오는 '땅의 기초'란 말 옆에는 'ㅕ'자가 붙어 있 었다. 관주를 찾아보라는 것이었다. 'ㅕ'의 관주는 시편 104편 5절이 었다.

"땅의 기초를 두사 영원히 요동치 않게 하셨나이다 옷으로 덮음 같이 땅을 바다로 덮으시매 물이 산들 위에 섰더니 주의 견책을 인하

여 도망하며 주의 우뢰소리를 인하여 빨리 가서 주의 정하신 처소에
이르렀고 '산은 오르고 골짜기에는 내려갔나이다' 주께서 물의 경계
를 정하여 넘치지 못하게 하시며 다시 돌아와 땅를 덮지 못하게 하셨
나이다"(시 104 : 5~9) .

바로 그것이었다. 노아와 그의 가족들이 방주 속에 있었던 그 314
일 동안, 하늘 위의 물들이 쏟아지고 깊음의 샘들이 터지는 그 시간
에 그리고 온 땅이 물에 잠겨 있던 그 때에 여호와 하나님은 부지런
히 일하고 계셨던 것이다. 그는 산들을 들어 올리시고 골짜기를 깊이
파시며 노아에게 넘겨 줄 삶의 터전을 마련하고 계셨던 것이다.

그 후로 나는 알프스와 히말라야 등지에서 조개류나 해초류 그리
고 물고기들의 화석이 발견되고 있다는 기록을 수 없이 볼 수 있었다.
더구나 나를 기쁘게 했던 것은 장편소설 「홍수이후」를 계획하면서 자
료를 찾다가 발견한 「대홍수」라는 연구 저서였다. 이 저서의 공동 집
필자인 죤 위트콤(John C. Whitcomb Jr. ) 박사와 헨리 모리스
(Henry M. Morris) 박사는 노아의 홍수에 등장하는 여러 가지의 의
문점 등을 모조리 파헤치고 그 타당성을 증명하였는데 특히 홍수 기
간 중에 발생하였던 지층의 융기와 침강에 관한 지사학적 (地史學的)
증명은 학계의 인정을 받은 압권이었다. 그들은 수많은 해저 협곡과
퇴적층들의 사례를 연구하여 홍수 이전의 해면이 현재보다 훨씬 아
래에 있었다는 것을 증명해내었고 지구상의 모든 고원지대와 산맥의
지층과 단면들 그리고 신지층이 구지층을 밀고 올라온 충상단층 (衝
上斷層) 을 증거로 제시하면서 지층의 융기설을 확립했던 것이다. 더
구나 그들이 제시한 고원지대의 수많은 해양생물 화석들은 그 움직
일 수 없는 증거로 인정되었다.

이렇게 하나님께서 일으켜 세우시고 주초를 놓으신 땅들이 요즘 여
기저기서 흔들리고 있다. 세상 끝이 가까우면 처처에 기근과 지진이
있으리라 (마 24 : 7)고 예수께서 말씀하신 대로 지금 전 세계는 곳곳
에서 발생하고 있는 대규모의 지진 때문에 공포에 떨고 있다. 특히 스

피타크 시를 집어삼키고 13만명의 사망자를 낸 아르메니아의 지진
은 그것이 아라랏 산 근처에서 발생했기 때문에 우리를 더욱 떨리
게 한다.

　미국 지질연구소의 지진 전문가 클리먼트 시어러는 이 지역이 아
프리카와 유럽을 떠받치고 있는 플레이트(板)가 맞닿고 있는 지점이
어서 플레이트가 서로 충돌한 때문인 것 같다고 말하였다. 그가 말하
는 판구조론에 의하면 지각은 마치 물 위에 뜬 얼음덩이와 같이 여러
개의 플레이트로 이루어져 지각을 떠받치고 있는 맨틀(지각과 지구
핵 사이의 중간층) 위에 떠 있으며 이들 플레이트가 서로 밀치고 밀
릴 때 그 충격이 지표에 전달되어서 지진으로 나타난다는 것이었다.

　우리는 지금 이런 땅 위에 살고 있다. 하나님께서 땅을 떠받치고 있
는 모퉁이 돌 하나만 뽑으시면 우리가 살고 있는 땅덩어리는 순식간
에 함몰할 수도 있는 것이다. 이것을 모르는 자는 지금도 평안하다,
안전하다(살전 5 : 3) 하면서 세상의 썩어질 일에 몰두하고 있다.

　"노아의 때에 된 것과 같이 인자의 때에도 그러하리라 노아가 방
주에 들어가던 날까지 사람들이 먹고 마시고 장가들고 시집가더니 홍
수가 나서 저희를 다 멸하였으며……"(눅 17 : 26, 27).

# 허락하신
# 것을
# 이루기까지

하나님은 야곱을 참혹하게 누르고
밟으시었다. 잠시 숨돌릴 틈도 없이
마구 후려치고 두들겨 패고
거꾸러뜨리신 것이다.
이쯤되면 과연 하나님의 택함을
받는다는 의미가 도대체 무엇인가를
생각해보지 않을 수 없었다.

# 허락하신 것을 이루기까지

## ① 야곱의 험악한 세월

성경에 보면 하나님의 주목을 받는다고 해서 편안하고 안락한 인생이 주어지는 것은 아닌 것 같다. 야곱과 같은 사람은 그 형인 에서를 제치고 장자권을 획득하였으나 그의 인생은 따지고 보면 끊임없는 고난의 연속이었던 것이다. 그는 형 에서를 피하기 위하여 살던 곳을 떠나 밧단 아람으로 도망쳐야 했으며 외삼촌 라반의 집에서 20년 간이나 종 살이를 해야 했다. 결국 그는 교묘한 계략을 써서 상당한 재산을 거머쥔 다음 가족들을 이끌고 외삼촌의 집을 벗어나기는 했지만 늘 형 에서에 대한 두려움 속에 살아야 했고 세겜에서는 딸 디나가 욕을 당하는가하면 아들들의 난동 때문에 다시 그곳을 떠나야 했던 것이다. 그는 또 에브랏으로 옮겨가던 도중에 사랑하던 아내 라헬을 잃었고 그녀가 낳은 아들 요셉을 편애하다가 그 요셉마저 실종되어 다시 슬픔 속에 빠져야 했다. 그리고 또 말년에는 기근 때문에 노구를 이끌고 애굽으로 이주하는 신세가 되었던 것이다.

그의 인생이 너무나 험난했기 때문에 애굽의 바로가 그의 나이를 묻자

"내 나그네 길의 세월이 일백삼십년이니이다 나의 연세가 얼마 못되니 우리 조상의 나그네 길의 세월에 미치지 못하나 험악한 세월을

보내었나이다"(창 47 : 9).

라고 대답했을 정도였다. 참으로 하나님은 야곱을 참혹하게 누르고 밟으시었다. 잠시 숨을 돌릴 틈도 없이 마구 후려치고 두들겨 패고 거꾸러뜨리신 것이다. 이쯤 되면 과연 하나님의 택함을 받는다는 의미가 도대체 무엇인가를 생각해보지 않을 수 없게 된다.

물론 이 야곱의 수난은 그를 '택함 받은 백성'의 위대한 조상으로 길러 내시기 위함이었다. 하나님께서는 이미 야곱이 태중에 있을 때부터

"…큰 자는 어린 자를 섬기리라"(창 25 : 23).

하여 크고자 하는 자는 섬기는 자가 되고, 으뜸이 되고자 하는 자는 종이 되어야 하리라(마 20 : 26, 27)는 것을 분명히 하셨으며 야곱을 으뜸으로 만드시기 위해서 그토록 혹독한 고생을 시키셨던 것이다. 결국 야곱은 그가 죽을 때에 이르러서야 라헬에 대한 자기의 집념을 꺾고 자기가 죽으면 라헬의 무덤이 아닌 그의 열조(列祖)와 레아가 잠들어 있는 막벨라 굴에 자신의 시신을 장사하라고 명한다(창 49 : 29). 그는 끝없는 고난 속에서 낮아지고 또 낮아져서 마침내 죽음직전에 이르러서야 인간적 사랑의 포로가 되었던 고집스러운 개인을 버리고 자신을 이스라엘 백성의 조상으로 선택하신 하나님의 뜻을 받아들이는 공인(公人)으로 변신하게 되는 것이다.

물론 야곱에게 끊임없이 고난이 닥치기는 했으나 그가 결코 궁핍했던 것은 아니었다. 그는 외삼촌 라반의 딸인 레아와 라헬 자매를 아내로 두었고 그녀들의 여종 실바와 빌하에게서도 아들을 낳아 네명의 아내와 열 두명의 아들을 두었으며 그가 애굽에 이주할 때에는 그 일족이 70명에 이르고 있었다. 그의 재산도 엄청난 것이어서 양떼와 노비와 약대와 나귀가 심히 많았으며(창 30 : 43) 그 재산이 너무나 많은 것에 팔려서 세겜성의 족장과 백성들이 야곱의 집안과 교류하기 위해 모두 할례를 받았을 정도였다(창 34 : 23).

그러나 그토록 큰 재산을 모으기가 결코 수월했던 것은 아니었다.

그는 사람을 공짜로 혹사하는데 명수인 외삼촌 라반에게 걸려들어서 꼬박 20년간을 죽어라고 일해야 했던 것이다.

일꾼을 얻기 위해서라면 무슨 일이라도 서슴치 않았을 라반은 저 절로 굴러들어온 야곱에게 대뜸 자기 집에서 일할 것을 제의하며 얼 마의 보수를 원하느냐고 물었다. 아마도 라반이 가지고 있던 복안은 아주 인색한 보수였을 거이다. 그러나 야곱의 요구는 엉뚱하게도 그 의 작은 딸 라헬이었다. 당시의 딸은 재산으로 취급되었기 때문에 야 곱은 그 대가로 7년 봉사를 약속했던 것이다. 그러나 라반의 계산은 빠르게 돌아갔다. 용모와 지능이 아우보다 약간 미흡하여 제값 받기 가 어려운 큰 딸 레아를 얹어서 7년을 14년으로 늘려잡은 것이다. 엄 청난 장사속이고 '불공정거래'였다. 형을 속여 넘긴 야곱이 자기보다 더 수가 높은 장사꾼에게 당하는 순간이었다. 라헬을 얻기 전의 7년 이야 그런대로 참을만 했을지 모르나 얻은 후의 7년은 그야말로 죽을 맛이었을 것이다. 그런데도 라반은 약속한 14년이 끝난 후 또 새로운 제의를 한다. 새로 보수를 정하고 계속 일을 해달라는 것이었다. 그 러나 14년의 고생 속에서 단련된 야곱도 이제는 만만치 않았다. 이제 는 야곱이 반격할 차례였던 것이다.

"내가 오기 전에는 외삼촌의 소유가 적더니 번성하여 떼를 이루었 나이다 나의 공력(功力)을 따라 여호와께서 외삼촌에게 복을 주셨나 이다 그러나 나는 어느 때에나 내 집을 세우리이까"(창 30 : 30).

여기에 바로 야곱의 믿음이 나타난다. 자신이 비록 열심히 일했어 도 잘 되게 하신 분은 여호와라는 믿음이었다. 그는 자기 형 에서를 피하여 브엘세바를 떠나 광야에서 노숙할 때 만났던 하나님의 약속 을 기억하고 있었다.

"…내가 네게 허락한 것을 다 이루기까지 너를 떠나지 아니하리라"(창 28 : 15).

흔히 어떤 사람은 성공이 자기의 노력탓인 줄로만 생각하는가 하 면 어떤 사람은 자기는 도무지 애쓰지 않고 하나님께만 의뢰하기만

한다. 그러나 야곱은 '나의 공력'과 '여호와의 주심'을 동시에 말했다.
이러한 믿음은 물론 노사 (勞使)간 모두에게 필요한 것이다. 그러나
라반은 말로만 그것을 수긍하면서 야곱의 수고에 대해서는 아무런 보
상도 해 주려 하지 않았기 때문에 유능한 일꾼 하나를 놓치게 된 것
이다. 야곱은 라반에게 기이한 제안을 내놓는다.

그는 양떼 중에서 검은 것, 얼룩무늬의 것, 점있는 것들을 다 가려
내어 외삼촌 라반이 가져가고 자기에게는 흰 양들만 맡겨달라고 말
했다. 그런 후에 그의 양떼들 가운데서 혹시 검은 것이나 얼룩 무늬
의 것이나 점 있는 것이 생기면 그것들을 자기의 몫으로 달라고 야곱
은 제안했던 것이다. 라반이 보기에 그것은 참으로 바보같은 제안이
었다. 그는 얼른 야곱의 제안을 수락하고 양떼 중에서 흰 것만 남겨
놓고는 다른 것들을 모두 야곱의 양떼와 사흘 길이 떨어지도록 격리
시켜 버렸다.

그러나 야곱의 이상한 짓은 그때부터 시작된다. 그는 버드나무, 살
구나무, 신풍나무의 푸른 가지를 잘라 그 껍질을 벗겨서 얼룩무늬를
만들고 그것을 개천의 물구유에 세워서 양떼가 그 앞에서 물을 먹게
하였다. 그 결과 흰 양들은 많은 수의 검고 점 있고 얼룩무늬가 있는
새끼들을 낳게 되었다. 야곱의 재산은 눈덩이처럼 불어나기 시작하
여 그가 6년을 더 일했을 때에는 마침내 거부 (巨富)가 되어 있었다
(창 31 : 1).

도대체 이게 무슨 요술 같은 이야기인가? 물 속에 얼룩무늬의 막
대기를 꽂아 놓는다고해서 흰 양들이 얼룩무늬의 새끼를 낳을 수 있
는 것일까? 아무리 옛날 이야기라 하더라도 좀 심했다 싶어서 나는
성경을 내려놓고 잠시 생각에 잠겨 있었다. 양의 털 빛깔은 말할 것
도 없이 그 유전자에 의하여 정해지는 것이다. 그런데 흰 양이 어떻
게 검은 양이나 얼룩 무늬의 새끼를 낳을 수 있는 것일까? 물론 흰
양과 검은 양이 교배를 한다면 잡종이 태어날 수 있을런지 모른다. 그
러나 검거나 얼룩무늬의 양들은 이미 모두 가려내어서 라반이 가져

가 버렸던 것이다.

## 2 내 집을 세우기 위하여

나는 결국 유전에 관한 책들을 뒤져가며 잡종 교배에 관한 자료들을 뒤적거리기 시작했다. 잡종 교배의 실험을 거듭한 끝에 유명한 완두콩 실험으로 유전의 법칙을 도출해 낸 멘델 (Johann G.Mendel)이 오스트리아의 수도사였다는 것도 흥미 있는 발견이었다. 멘델은 창세기 30장의 문제를 해결하기 위하여 그런 교배의 실험을 계속했던 것은 아닐까?

멘델이 완두콩에서 선택한 대립형질중의 하나는 씨의 모양이 둥근 것과 주름진 것이었다. 이 두 가지의 씨를 교배시킨 결과 제1세대에서는 둥근 것만 나타났다. 완두콩에서는 둥근 것이 우성 (優性)이었던 것이다. 그러나 다시 제1세대끼리 교배를 시키자 둥근 것 3개, 주름진것 1개가 나타났다. 뿐만 아니라 2가지의 대립형질로 유전 실험을 했을 때에는 또 다른 결과가 나타났다. 즉 그는 둥글고 노란 씨와 주름지고 초록색인 씨를 교배시켜 보았는데 1세대에는 둥글고 노란 씨가 나타났다. 둥글고 노란 것이 우성이었던 것이다. 그러나 2세대에서 나타난 것은 16개 중에 둥글고 노란 것이 9개, 둥글고 초록색인 것이 3개, 주름지고 노란 것이 3개, 주름지고 초록색인 것이 1개로 나타났다. 즉 16개중 7개의 잡종이 나타났던 것이다.

물론 이 잡종의 비율은 다음 세대로 갈수록 더 커지게 될 것이다.

양의 경우에는 대체로 흰 털이 우성이다. 그러므로 라반이 검은 것, 얼룩진 것, 점 있는 것을 가려내어 다 가져갔을 때 야곱에게는 흰 양만 남았으나 그들 중의 대부분은 털이 희더라도 검은털의 열성인자를 지닌 제1세대들이었고 그들에게서 다시 검은 것, 얼룩진 것, 점 있는 것들이 태어나기 시작했던 것이다.

도대체 야곱은 어떻게 하여 1865년에 발표된 멘델의 유전 법칙을 그보다 거의 4천년 전에 알게 되었던 것일까? 그것은 바로 야곱의 경험에서 얻어진 계산이었다고 볼 수밖에 없는 것이다. 즉, 야곱은 라반의 양떼를 치면서도 보수에 대한 불만 때문에 아무렇게나 일한 것은 아니었다. 보수에 대한 불만과는 별도로 그는 자기가 맡은 일을 성실하게 수행하였을 뿐만 아니라 자기 일의 성과를 철저하게 반성하고 분석하였던 것이다. 그래서 그는 제1세대의 흰 양들이 잡종의 양을 생산할 수 있다는 사실을 알 수 있었다.

이것이 바로 하나님께서 주목하셨던 야곱의 기질이었다. 이 철저한 기질이야 말로 유대 백성들을 끈질기고 강한 민족으로 길러낸 원동력이었고 4백30년동안의 노예생활에서도 살아남게 했으며 40년간의 광야 생활을 견디게 했고 70년간의 바벨론 포로생활과 헬라, 로마의 지배 속에서도 끈질긴 메시야의 소망을 포기하지 않게 했던 것이다.

그렇다면 어째서 야곱은 나무가지의 껍질을 벗겨서 물구유에 꽂아 놓는 것 같은 짓을 했던 것일까?

야곱은 이미 14년간의 양치기 경험으로 제1세대의 흰 양에게서 잡종들이 태어날 것을 알고 있었다. 그러나 아직도 야곱에게는 한가지 켕기는 일이 있었다. 그것은 바로 레아와 라헬의 수태를 주관하시는 하나님의 권한에 대한 외경(畏敬)이었다. 야곱은 어리숙한 레아보다도 아름다운 라헬을 더 사랑하였다. 하나님의 관심은 사랑받는 자보다 사랑 못받은 자에게, 행복한 자보다 소외된 자에게 쏠리게 마련이다. 하나님께서는 야곱이 좀더 레아에게 관심을 가져주기를 바라셨다. 그러나 하나님은 사람의 자유를 존중하시기 때문에 야곱에게 이래라 저래라 하지는 못하셨다. 오직 하나님께서 레아에게 할 수 있었던 것은 그의 권한에 속해 있는 수태의 복이었다. 그래서 레아가 아들을 여섯이나 낳는 동안 라헬의 태는 열어 주시지를 않은 것이었다.

이것을 야곱은 알고 있었다. 그래서 그는 얼룩무늬의 나무가지를 물구유에 꽂아 놓고 만물의 생명을 쥐고 계신 하나님께 구체적인 기도를 드린 것이다.

그래서 야곱은 나중에 레아와 라헬에게 이렇게 말한다.

"하나님이 이같이 그대들의 아버지의 짐승을 빼앗아 내게 주셨느니라"(창 31 : 9).

자기가 해야 할 일과 하나님의 권한에 속하는 일을 분명히 알았던 야곱, 자신의 노력과 끈질긴 기도를 잊지 않았던 야곱은 마침내 자신의 집을 세우고 이스라엘의 조상이 되었다. 이제 오랜 모멸 속에서 몸을 일으켜 '홀로서기'를 연습하는 한국도 야곱의 열심과 기도를 잊지 말아야 할 것이다.

# 네가
# 훔친 것들

지난날의 모든 고통과 재난은
죄의 값이라 하더라도 이제 세상의
모든 과거를 청산하고 홍해를
건너왔는데 입원사태까지 벌어지는 것을
도대체 어떻게 설명해야 할 것인가?
예수를 믿으면 축복받는다는데…?

# 네가 훔친 것들

## ① 홍해를 건너서

성경에 많은 믿음의 영웅들이 등장하지만 특히 신약에서 우리를 감동시키는 것은 역사를 하나님의 계획 속에서 파악하는 바울의 거시적인 안목이다.

특히 히브리인들이 애굽으로부터 탈출한 사건을 인생의 구원문제와 연결시켜서 해석한 그 놀라운 통찰은 이스라엘의 역사를 그대로 인생의 문제에 대입시킴으로써 예수 그리스도를 모든 인류의 구세주로 소개하는데 결정적인 역할을 했던 것이다. 그에게 있어 애굽은 바로 하나님과 떨어져서 살고 있는 이 세상이었고 거기서 종살이를 하고 있던 히브리인은 죄로 가득찬 세상에서 인질로 잡혀 살아가는 불쌍한 인생이었다. 그러므로 히브리인들이 애굽에서 탈출해 나오는 사건은 즉 사탄의 세력을 벗어나 하나님의 나라로 진입함을 의미하는 것이며 그들이 홍해를 건너는 기적은 바로 회개와 세례를 상징하게 되는 것이다.

바울은 하나님의 자녀가 되고 나서도 분쟁과 혼란으로 말썽을 빚고 있는 고린도 교회의 성도들에게 이미 건너온 홍해 저쪽으로 돌아가려 하지말고 끊임없이 전진하여 승리의 면류관을 받자고 권면하면서 이렇게 썼다.

"형제들아 너희가 알지 못하기를 내가 원치 아니하노니 우리 조상들이 다 구름아래 있고 바다 가운데로 지나며 모세에게 속하여 다 구름과 바다에서 세례를 받고…" (고전 10 : 1, 2).

그것은 참으로 기적이 아닐 수 없었다. 그 무서운 유월절의 밤에 양의 살을 먹은 백성들이 홍해를 건넜듯이 예수 그리스도를 영접한 사람은 죄로 물든 세상을 벗어나 회개의 바다 속을 지나게 된다. 그것은 결코 사람의 의지나 능력으로 되는 일이 아니다. 우리를 구원하시기 원하시는 하나님의 선행적 사랑과 섭리가 아니고는 그런 일이 일어날 수 없는 것이다.

필자 역시 갑작스럽게 닥쳐온 한 사건으로 인하여 당황한 나머지 다메섹으로 가는 길에서 거꾸러졌던 바울처럼 참혹하게 무너져 내렸고 회개의 바다를 통과했다. 사내답지 못하게도 몹시 울면서 어렸을 때부터의 잘못을 낱낱이 하나님께 아뢰고 용서를 구했다. 술도 끊었고 담배도 끊었다. 거미줄처럼 나에게 엉겨붙어 있던 모든 정욕의 사슬도 깨끗이 다 끊어버렸다. 신기하게도 내 마음은 날아갈 듯이 가벼웠고 아버지의 집에 돌아온 탕자처럼 편안했다. 사람들이 모두 나를 보고 다시 태어난 것 같다며 놀라와 했다. 나 자신이 생각해 보아도 그것은 기적이었다. 전설처럼만 여겨지던 홍해의 기적이 비로소 움직일 수 없는 사실이 되어 내게 다가왔던 것이다. 나는 목마른 사슴처럼 성경공부에 매달렸고 그것은 또 다시 기쁨과 확신이 되어 높다랗게 쌓여갔다. 겨자 씨로 시작된 믿음이 산처럼 자라나던 때였고 그것은 참으로 감격과 감사의 나날들이었던 것이다.

그러나 그런 영적인 성장과는 반대로 현실에서의 내 인생은 낭떠러지로 굴러떨어지고 있는 것 같은 느낌이었다. 우선 술과 담배를 끊는 바람에 친구들 사이에서 인기가 급락한 것이나, 전도와 신우회 활동에 열을 올리다가 직장에서의 신임을 잃은 것은 내 탓이라 하더라도 건강에 문제가 생긴 것만은 아무래도 이해할 수가 없었다.

소화가 잘 안되는가 하면 변비와 설사가 계속되고 체중이 급격히

줄더니 불과 몇달 사이에 10여 킬로그램이 줄었다. 얼굴은 핼쑥해지고 양복은 모두 헐렁해서 입을 수가 없었다. 위암으로 수술을 받고 자신의 몸도 추스리기 어려웠던 아내가 오히려 나에게

"당신, 너무 갑자기 술과 담배를 모두 끊어서 무리한 것 아니우?" 하며 염려를 해 줄 정도였다. 그런데 건강의 수난을 겪는 것은 나뿐만이 아니었다. 아이들이 번갈아 심한 병으로 입원을 하는가하면 심지어는 부모님들까지도 입원을 해야하는 사태가 벌어졌다. 나는 당황할 수밖에 없었다.

지난 날의 모든 고통과 재난은 죄의 값이라 하더라도 이제 세상의 모든 과거를 청산하고 홍해를 건너 왔는데 또 다시 이런 일이 벌어지는 것을 도대체 어떻게 설명해야 할 것인가? 예수를 믿으면 축복을 받아서 사업이 잘되고 건강해지고 만사형통한다 하는데 어떻게 그것이 내 경우에는 거꾸로 되어 가는가?

물론 나는 종살이에만 익숙해 있던 히브리 백성들을 연단하기 위하여 하나님께서 그들을 40년간 광야로 내몰아 훈련시키신 것을 알고 있었다. 그러나 히브리 백성들이 겪었던 모든 수난에는 그 이유가 있었다.

그들이 시내 광야에서 골육상잔의 비극을 겪었던 것은 우상을 만들어 섬겼기 때문이요(출 32:27) 애돔 땅에서 철수하다가 불뱀의 화를 입은 것은 그들이 하나님과 모세를 원망하였기 때문이며(민 21:6) 싯딤에서 염병의 재난을 당한 것은 모압 여인들과의 음행 때문이었던 것이다(민 25:9).

그런데 계속해서 나를 따라오는 이 모든 일들은 도대체 무엇 때문인가? 내가 또 무엇을 잘못했길래 이런 일들이 연달아서 일어나고 있는 것일까? 그런 것들 때문에 당황하면서도 나는 저 죄악의 사슬로부터 나를 구해준 예수 그리스도의 사랑을 의심할 수는 없었다. 나는 그 분의 사랑을 전적으로 신뢰하면서, 내 모든 수난의 원인이 그분에게 있는 것이 아니라 나에게 있는 것으로 믿고 기도하면서 계속

해서 성경을 읽어나갔다.

## ② 남김없이 갚으라

마침내 이 모든 것에 관한 해답을 받는 날이 왔다. 간절한 마음으로 성경을 읽어가다가 마침내 레위기 6장에서 덜미를 잡혔던 것이다.

"누구든지 여호와께 신실치 못하여 범죄하되 곧 남의 물건을 맡거나 전당잡거나 강도질 하거나 늑봉 (勒捧)하고도 사실을 부인하거나 남의 잃은 물건을 얻고도 사실을 부인하여 거짓 맹세하는 등 사람이 이 모든 일 중에 하나라도 행하여 범죄하면 이는 죄를 범하였고 죄가 있는 자니 그 빼앗은 것이나 늑봉한 것이나 맡은 것이나 얻은 유실물이나 무릇 그 거짓 맹세한 물건을 돌려 보내되 곧 그 본물 (本物)에 5분의 1을 더하여 돌려 보낼 것이니 그 죄가 드러나는 날에 그 임자에게 줄 것이요 그는 또 그 속건제 (贖愆祭)를 여호와께 가져 올지니 곧 너의 지정한 가치대로 떼 중 흠 없는 수양을 속건 제물을 위하여 제사장에게로 끌어 올 것이요 제사장은 여호와 앞에서 그를 위하여 속죄한즉 그는 무슨 허물이든지 사함을 얻으리라" (레 6 : 2~7).

물론 여기서 속건제물로 드려지는 '흠없는 수양'은 예수 그리스도를 의미하는 것이었다. 예수 그리스도를 믿으면 그 보혈의 공로로 '무슨 허물이든지'사함을 얻는다고 하였으며 나도 그것을 믿고 있었다.

그런데 레위기는 죄 사함을 얻는데 필수적인 또 하나의 과정을 가르쳐주고 있었다. 그것은 바로 빼앗아오거나 훔쳐온 물건을 그 임자에게 갚아야 한다는 것이었다. 나는 황연히 나의 문제가 무엇이었던가를 깨달으며 등에 식은 땀을 흘렸다. 회개하고 용서함을 받는다고 해서 빚진 돈을 떼어 먹어도 좋다는 뜻은 아니었던 것이다.

그렇다면 나는 내가 잘못을 저질러서 나 때문에 피해를 입었던 모든 사람을 찾아 다니며 잘못을 고백하고 용서를 받아야 하는 것이었다. 그러나 그것은 현실적으로 어려운 일이었다. 더구나 그 장본인이 가까운 곳에 살고 있지도 않다면 일은 더욱 불가능하게 되어가는 것이었다. 그러나 예수님까지도 그런 무리한 일을 요구하고 계셨다.

"진실로 네게 이르노니 네가 호리라도 남김이 없이 다 갚기 전에는 결단코 거기서 나오지 못하리라"(마 5 : 26).

나는 그만 속죄의 길이 막혀버리고 만것 같아서 낙심하며 고민에 빠져버렸다. 하나님께서는 어찌하여 여기까지 와서 나를 가두시는 가? 더 이상의 통로는 없는 것인가? 나는 다시 고린도전서 10장 13절을 외어보았다.

"사람이 감당할 시험밖에는 너희에게 당한 것이 없나니 오직 하나 님은 미쁘사 너희가 감당치 못할 시험 당함을 허락지 아니하시고 시험 당할 즈음에 또한 피할 길을 내사 너희로 능히 감당하게 하시느니라"

그러자 내게는 한가지 희미한 소망이 생기기 시작했다. 마치 복음서가 모두 그 내용이 비슷하며서도 조금씩 달라서 서로 보완하고 있는 것과 같이 모세 5경에 속하는 출애굽기, 레위기, 민수기, 신명기도 여러가지 제사의 방법을 기록한 대목은 서로 비슷한 곳이 많았다. 혹시 같은 대목이 어디엔가 있다면 레위기에는 기록되어 있지 않은 ⋯ 말하자면 '솟아날 구멍'이 있을지도 모르는 일이었다.

그래서 나는 다시 관주(貫珠)를 부지런히 뒤지기 시작했다. 그리고 마침내 그것을 민수기 5장에서 찾아냈다.

"그 지은 죄를 자복하고 그 죄 값을 온전히 갚되 오분지 일을 더하여 그가 죄를 얻었던 그 본주에게 돌려줄 것이요⋯"(민 5 : 7)

거기까지는 레위기의 내용과 같았다. 그러나 그 다음 절에는 또 한 길이 열려 있었다.

"만일 죄 값을 받을만한 친족이 없거든 그 죄 값을 여호와께 드려 제사장에게로 돌릴 것이니 이는 그를 위하여 속죄할 속죄의 수양 외(外)에 돌릴 것이니라"

즉 죄의 값을 본인에게 갚을 수 없을 경우에는 그 친족에게 갚을 것이요, 그것을 받을 만한 친족도 없을 때에는 하나님께 갚으라는 뜻이었다. 나는 기쁨에 떨며 감사의 기도를 드렸다. 나는 이미 하나님께 갚는 방법을 알고 있었기 때문이었다. 그것은 마태복음 25장에 있었다.

"…주여 우리가 어느 때에 주의 주리신 것을 보고 공궤하였으며 목마르신 것을 보고 마시게 하였나이까 어느 때에 나그네 되신 것을 보고 영접하였으며 벗으신 것을 보고 옷 입혔나이까 어느 때에 병드신 것이나 옥에 갇히신 것을 보고 가서 뵈었나이까 하리니 임금이 대답하여 가라사대 내가 진실로 너희에게 이르노니 너희가 여기 내 형제 중에 지극히 작은 자 하나에게 한 것이 곧 내게 한 것이니라"(마 25 : 37~40).

나는 즉시 이것을 실천에 옮기기 시작했다. 당시 나는 인천에 있는 공장으로 발령을 받아 거기서 근무하고 있었는데 그 인천공장에는 회사에서 운영하는 부속병원이 있었고 거기에는 늘 안전사고나 신병 등으로 입원한 사람들이 있었다. 나는 매주 금요일이 되면 입원환자의 수를 체크한 다음 환자의 수만큼 성경과 과일 등을 준비하여 병원을 찾았다. 그리고 환자들에게 성경을 나눠주고 성경말씀을 들려주며 그들을 위해서 기도해 주었다.

그 일을 계속하면서 나는 고난당하는 자들과 아픔을 나누는 것이 얼마나 귀중한 것인가를 깨닫게 되었고 내가 그동안 소외되어 있는 이웃들에게 얼마나 무심한 존재였던가를 발견하게 되었다.

어쨌든 나는 그 일을 계속하는 가운데 어느새 건강을 회복하였고 가족들도 모두 건강해졌다. 뿐만 아니라 좀 늦기는 했지만 직장에서의 인정도 다시 받게 되고 승진도 했다. 그러나 무엇보다도 중요한 것은 이러한 시련을 통하여 진정한 그리스도의 사랑과 기쁨이 무엇인가를 바로 깨닫게 되었다는 점이다. 만일 내가 그런 시련 가운데서 무작정 건강과 승진만을 위하여 기도했다면 나는 아마도 저 시내 광야에서 금송아지를 만들었던 히브리 사람들처럼 기복(祈福)적인 신앙에서 헤어나지 못하고 있었을 것이기 때문이다.

# 미혹의 시대

우상에게 경배하고 이마에 표를 받아
소라껍질이 된 자들은 하나님의 진노의
포도주 잔을 받으리라고 하였다.
우리는 어떻게 그 무서운 적그리스도의
명령을 모면할 수 있을 것인가?

# 미혹의 시대

## ① 빼앗긴 마음들

성경을 읽으면서 우리가 발견하는 최대의 신비는 팔레스타인 지역에 존재했던 이스라엘이라는 한 나라의 역사가 수많은 계시적 의미를 지니고 있다는 사실이다. 이스라엘의 역사를 거시적으로 볼 때 그 속에는 인간의 구원을 위하여 펼쳐가는 하나님의 원대한 전략과 장엄한 드라마가 들어 있으며, 그들의 역사는 단순히 한 나라만의 역사가 아니라 전 인류사의 모형(模型)으로써 이 세상의 역사가 어떻게 전개되다가 어떤 종말을 맞을 것이며 그 가운데서 하나님의 자녀들이 어떻게 들림받을 것인가를 분명하게 예언해주고 있는 것이다.

이스라엘의 역사를 계시적인 측면에서 볼 때 크게 세개의 드라마가 접속되어 있다고 볼 수 있다. 즉 종살이 하던 히브리 백성들이 애굽에서 탈출하여 40년간 광야생활을 거쳐 가나안 땅에 들어갈 때까지와, 가나안에 들어가서 왕국을 세운 이스라엘이 왕들의 범죄와 백성들의 타락으로 멸망당하기까지, 그리고 포로생활에서 돌아왔으나 다시 강대국들의 통치에 시달리던 유대나라가 구세주로 오신 예수를 반역자로 몰아 처형한 후 티투스의 반란진압군에 의하여 완전히 멸망당할 때까지로 나눌 수 있는 것이다.

여기서 이스라엘 역사를 세계사에 대입해보면 그 첫번째 기간은 예수 그리스도께서 세상에 오시어서 신음하는 그의 백성들을 불러내고 그들을 인도하여 '천국전쟁'을 선포하시는데까지로 볼 수 있을 것이며, 두번째 기간은 기독교가 로마를 정복하기는 했으나 전 세계 왕들의 탐욕과 종교지도자들의 타락으로 인류의 역사가 종말을 향하여 치달았던 지금까지의 모형이라 할 수 있고, 세번째 기간은 적그리스도와 거짓 선지자들이 '예수신앙'을 말살함으로써 인류사의 종말이 오기까지를 예고하는 것이라고 유추할 수 있다.

이렇게 이스라엘의 역사 속에 숨겨져 있는 세계사의 모형들을 보면서 우리는 그 속에 흐르고 있는 또 하나의 기이한 특징을 발견하게 되는데 그것이 바로 그들의 역사 속에서 줄기차게 이어지고 있는 '우상(偶像)과의 투쟁'인 것이다.

히브리인이었던 아브라함은 그 아버지 데라와 함께 우상의 땅 갈대아 우르에서 빠져나와 여호와 신앙이 남아 있던 하란에 정착하려 했으나 그곳에서도 여호와 신앙은 드라빔 신앙으로 변질되어 있었다. 그래서 아브라함은 그 아버지 데라가 죽자 다시 하란을 떠났으며 '보이지 않는 하나님' 여호와의 이름을 부르기 시작했다(창 12 : 8).

이 '보이지 않는 하나님'은 히브리 백성들을 애굽에서 이끌어내었고 광야에서 그들을 인도했다. 그들이 광야에서 보이지 않는 하나님을 신뢰하지 못하고 금송아지를 만들었을 때, 불같이 노한 모세는 백성들로 하여금 서로를 칼로 쳐서 참회하게 하였으니 이때에 죽은 자가 3천명이 넘었다(출 32 : 25~29).

모세의 후계자 여호수아가 히브리 백성들을 이끌고 가나안 땅에 들어갈 때 하나님은 여호수아에게 우상을 섬기는 가나안 백성들을 완전히 진멸하라고 명령하셨다. 그러나 가나안 정복을 거의 완벽하게 끝낸 히브리 백성들은 마음이 해이해져서 이들을 완전히 전멸하지 않고 남겨두었으며 이것이 나중에 화근이 되었다(삿 2 : 3).

사사시대의 이스라엘 백성들은 우상을 섬기는 가나안 사람들에게 끊임없이 시달렸고 왕정시대에는 오히려 왕들의 타락으로 말미암아 그들의 땅에 우상의 산당들이 생기기 시작하였다. 이로부터 두개의 왕국으로 갈라진 이스라엘과 유다에는 끊임없는 선지자들의 경고가 이어졌고 그들은 마침내 멸망의 비운을 맞게 되었다. 그들은 우상의 나라 바벨론 땅에 끌려가서 수모를 당했으며 풀려서 돌아온 후에도 역시 우상을 섬기는 나라인 헬라와 로마의 지배를 받으며 수모를 겪어야 했다.

그러나 한 가지 이상한 것은 이 세상의 종말에 대해서 기록한 요한의 계시록에도 세계사의 막바지에까지 그 우상의 문제가 등장하고 있다는 점이었다.

"저가 권세를 받아 그 짐승의 우상에게 생기를 주어 그 짐승의 우상으로 말하게 하고 또 짐승의 우상에게 경배하지 아니하는 자는 몇이든지 다 죽이게 하더라 저가 모든 자 곧 작은 자나 큰 자나 부자나 빈궁한 자나 자유한 자나 종들로 그 오른 손에나 이마에 표를 받게 하고 누구든지 이 표를 가진 자 외에는 매매를 못하게 하니 이 표는 곧 짐승의 이름이나 그 이름의 수라" (계13 : 15~17).

여기서 '짐승'이란 곧 말세에 세상권세를 잡을 적그리스도를 말하는 것이다. 이 시대의 사람들은 짐승이 모든 사람의 이마에 숫자로 된 표를 받게 한다는 대목을 읽고 쉽사리 '주민등록번호'와 '크레디트 카드'를 연상할 수 있다.

실제로 이 '짐승의 표' 연구의 전문가인 메어리 S. 렐프 여사는 우리가 소지하고 있는 여러 종류의 크레디트 카드가 결국 개인의 고유번호와 합쳐져서 하나의 '만능카드'로 통일될 것이며 그 카드는 분실의 위험이 있으므로 이마에 새겨넣는 방법이 사용될 것이라고 예측했다. 레이저 광선은 가공의 대상을 선택하는 기능이 있으므로 피부의 겉이 아닌 속에다가 번호를 넣을 수 있으며 그것은 지문처럼 평생동안 보존되리라는 것이다.

그러나 그렇게 되면 이마에 번호를 받은 사람은 그의 일거 일동이 모두가 컴퓨터에 입력될 것이기 때문에 세계 전산망을 장악한 적그리스도에게 끊임없이 감시당할 것이며 결국은 그 짐승에게 자신의 영혼을 팔아버리는 것과 마찬가지가 된다는 것이었다.

"…만일 누구든지 짐승과 그의 우상에게 경배하고 이마에나 손에 표를 받으면 그도 하나님의 진노의 포도주를 마시리니…"(계14 : 9, 10).

그래서 레위기 19장 28절에도 '몸에 무늬를 놓지 말라'고 경고했는지 모르지만 나라마다 국가전산망이 설치되고 종말의 징조가 현저하게 나타나고 있는 때이니 만치 렐프 여사의 염려가 점차 현실화 되어가는 상황에 두려움을 느끼지 않을 수 없다. 이미 첩보요원들에게 이레이저에 의한 비밀번호를 부여하고 있는 나라도 있다고 하니 더욱 실감은 커지고 있는 것이다.

(…그러나 짐승의 표는 그렇다치고 짐승의 우상은 또 무엇인가? 옛날이라면 또 모르지만 첨단 과학이 급속도로 발전하고 있는 이 시대에도 우상에게 절 할 사람들이 있을 것인가?)

그러나 우리는 실제로 이 시대에도 만들어 놓은 우상에 절하는 사람들을 보고 있다. 우리가 살고 있는 땅의 북쪽에서는 '수령님'의 동상에 절을 해야만 살 수 있고, 절에서는 불상에 절을 하며, 기독교의 모체가 되는 가톨릭 교회에서도 마리아와 성자들의 상에 절을 하고 있는 것이다.

그런데 장차 모든 사람들에게 절하도록 한다는 짐승의 우상은 어떤 것일까? 적그리스도는 어떻게 그 우상으로 하여금 말하게 한다는 것일까?

### ② 거짓 스승의 음모

나는 성경에서 이 우상에 관한 대목들을 읽어가다가 하박국서에서 깜짝 놀랄만한 곳을 발견하였다. 어찌하여 '악인(惡人)'의 횡포를 방관하시느냐는 하박국 선지자의 항의를 받고 하나님께서는 정한 때가 되면 '악인'에게 종말이 임하리라고 예고하시는데, 그 '악인'이란 새

긴 우상을 보고 '말하라, 일어나라'하는 자였던 것이다.

"새긴 우상은 그 새겨 만든 자에게 무엇이 유익하겠느냐 부어 만든 우상은 거짓 스승이라 만든 자가 이 말하지 못하는 우상을 의지하니 무엇이 유익하겠느냐. 나무더러 깨라 하며 말하지 못하는 돌더러 일어나라 하는 자에게 화 있을진저 그것이 교훈을 베풀겠느냐 보라 이는 금과 은으로 입힌 것인즉 그속에는 생기가 도무지 없느니라"(합 2 : 18, 19).

'돌에 새겨서'금(金)과 은(銀)으로 입힌 것… 그것은 바로 반도체 (半導體)를 그대로 설명해 놓은 것이었다 !

전기의 양도체와 절연체 사이에 해당하는 물질인 반도체의 활용은 전자기기를 획기적으로 발전시키는 계기가 되었다. 불순물이 들어가면 절연체에서 전도체로 바뀌는 반도체의 성질을 이용하여 반도체의 칩에 전기회로를 새겨넣는 기술이 발달하였고 이렇게 만들어진 트랜지스터가 진공관을 대치하면서 전자기기의 소형화가 급속히 이루어진 것이다.

트랜지스터를 포함한 회로가 더 축소, 집적되어 집적회로(IC)가 되고 다시 고밀도 집적회로(LSI), 초고밀도 집적회로(VLSI)로 진화하면서 컴퓨터, 로보트, TV수상기, 통신기기 산업이 획기적인 발전을 거듭하고 있는 것이다. 그런데 이들 산업의 핵심이 되고 있는 반도체의 대표적인 물질이 실리콘이며 이 실리콘은 바로 '돌'의 주성분이다. 또 이 실리콘 칩을 금속의 리드프레임에 접착시키려면 실리콘과 융점이 같은 금속으로 도금(鍍金)을 해야하는데 그것이 바로 금과 은인 것이다. 대체로 우주선 등 고신뢰성 제품에는 산화가 안되는 금을 사용하고 가전제품등 일반용품에는 은을 사용한다.

반도체란 바로 '돌'에 새겨서 '금과 은으로 입힌 것'이었다. 사람들은 그것으로 컴퓨터, 로보트들을 만들어서 '깨라, 말하라, 일어나라'고 말한다. 실제로 말하는 컴퓨터가 보급되고 있으며 이미 모든 산업현장에서 로보트가 활동하고 있는 시대에 우리는 살고 있다.

그러나 이러한 자동화 기술의 발달은 과연 인간의 생활을 안락하고 풍요롭게 하는 데 기여하고 있는 것일까? 산업현장에서는 사람이 로보트에 밀려나고 있으며 컴퓨터의 기억은 인간의 사고력과 판단력을 빼앗아가고 있다. TV는 사람들의 상상력을 말살시키고 워크맨의 헤드폰은 인간의 귀를 막아버리며 전자 게임은 사람의 눈과 손을 화면(畵面)과 키에 묶어버린다.

반도체를 이용한 전자기기야말로 사탄이 발견한 최고의 무기이다. 사람이 하나님과 교통하려면 그 손을 들어 기도하며 (딤전 2 : 8) 그의 세미한 음성을 들으며 (왕상 19 : 12) 눈으로 보고 마음으로 깨달아야 하는데 (마 13 : 15) 사람들은 돌에 새기고 금과 은으로 입힌 반도체 때문에 손 마른 자되고, 소경되고, 귀머거리되고, 벙어리되고 앉은뱅이가 되어 있는 것이다.

그래서 예수께서는 포로된 자에게 자유를, 눈 먼 자에게 다시 보게 함을 전파하시려고 (눅 4 : 18) 오시었다. 그는 눈이 있어도 보지 못하며 귀가 있어도 듣지 못하는 백성들 때문에 분노하시었고 (렘 5 : 21) 너희가 소경되었더면 죄가 없으려니와 본다고 하니 너희 죄가 그저 있느니라 (요 9 : 41)고 하셨다.

이 마지막 결전의 시대에 사탄은 그의 무서운 고성능 무기를 준비하였다.

용서가 있을 수 없는 컴퓨터의 기억력으로 많은 사람들의 사랑이 식어가고 (마 24 : 12) 남자들은 컴퓨터와 외설 비디오에, 여자들을 TV 연속극에, 그리고 아이들은 전자 게임의 화면에 그 눈을 빼앗기고 있다. 이 세상의 어느곳에서도 하나님의 음성이 비집고 들어올 틈이 없게 된 것이다.

하박국 선지자는 이 새긴 우상들이 '거짓 스승'들이니 그것에 의지하지 말라고 경고했다. 반도체의 미혹에 눈과 코를 박고 사는 사람은 예수 그리스도께서 다시 오시는 날에 빈 소라껍질처럼 그 포장지만 남아서 그를 보신 예수께서는 너를 조금도 기억하지 못한다고 말씀하실 것이다.

우상 속에는 생명이 없다고 하였다. 우리는 오직 길이요, 진리요, 생명이신 예수 그리스도의 포도나무에 눈과 귀를 모으며 두 손으로 튼튼히 잡아서 생명의 결실을 맺어야 할 것이다. 우상에게 경배하고 이마에 표를 받아 소라껍질이된 자들은 하나님의 진노의 포도주 잔을 받으리라고 하였다. 우리는 어떻게 그 무서운 적그리스도의 명령을 모면할 수 있을 것인가?

그러나 우리는 알고 있다. 세계의 종말을 모형적으로 보여준, 저 무서운 예루살렘 멸망의 날에 그리스도인들은 하나도 성안에 남아 있지 않았다. 하나님께서 그들을 미리 모두 밖으로 빼돌리셨던 것이다.

# 포도원의
# 시간표

'하나님, 어찌하여 이 백성들에게는
이제야 복음을 전해 주십니까?
마지막 때가 다 되었다고 하는데
이 늦은 시간에 누구 약올리시려고
이제야 오셨습니까?'
하나님은 왜 처음부터
한국을 외면하셨는가?

# 포도원의 시간표

☐ **공평하신 하나님께서**

바울이 처음 다메섹으로 가는 길에서 예수의 음성을 듣고 변화된 이후로 무턱대고 다메섹의 각 회당을 찾아다니며 예수가 하나님의 아들이라는 것을 증언했던 것처럼 예수를 만나는 체험을 한 사람들은 누구나 그렇게 전도에 열을 올리게 마련이다.

나도 처음에는 그랬다. 예수의 이야기가 그냥 책 속에 쓰여져 있는 이야기가 아니요 그것이 바로 나와 예수 사이의 이야기이며 나 자신의 죽음과 부활에 관한 이야기라는 것을 알고난 후로는 너무나 그 발견이 놀랍고도 신기해서 만나는 사람마다 붙들고 예수 이야기를 꺼냈다.

상대방이 싫어하거나 귀찮아 하더라도 개의치 않았다. 이따금씩 내 이야기에 반박하는 사람이라도 만나면 더욱 그에게 매달리며 예수가 바로 하나님의 아들이라는 것을 설명해 보려고 애썼다. 그러다가 더러 나를 핍박하거나 조롱하는 사람이 있더라도 나는 조금도 낙심하지 않았다. 예수께서 이미 "나를 인하여 너희를 욕하고 핍박하고 거짓으로 너희를 거스려 모든 악한 말을 할 때에는 너희에게 복이 있나니 기뻐하고 즐거워하라 하늘에서 너희의 상이 큼이라"(마 5 : 11, 12) 하는 위로의 말씀을 준비해 놓으셨기 때문이었다.

그럼에도 불구하고 내게는 이따금씩 기가 꺾이고 풀이 죽는 경우가 있기도 했는데 그것은 어쩌다가 이미 '다른 곳'으로 넘어가버린 사람들을 대하게 되었을 때였다.

"우리는 조상 때부터 불교 집안입니다."

"우리 어머님께서 절에 나가시기 때문에 우리도 절엘 가야 합니다. 그것이 곧 효도가 아니겠습니까?"

"제 아내는 오랫동안 임신을 못하다가 절에 가서 불공을 드리고 아들을 낳았습니다. 꼭 예수를 믿어야 되는 것은 아니지 않습니까?"

가는 데마다 이런 일에 부딪치다 보니 나는 그때마다 맥이 풀려서 주저앉곤 했던 것이다. 그러다 문뜩 한가지 이상한 생각이 들었다.

'어떤 나라들은 하나님께서 2천년 전부터 예수를 믿게 해 주시고… 어째서 한국에는 이렇게 늦게야 오셨는가…?'

이미 2천년 전부터 유대 땅에는 복음이 선포되었다. 그 나라야 하나님께서 특별히 택하신 백성이니 그렇다 치더라도, 예수의 제자들에 의해서 사마리아가 복음을 받았고 다메섹과 안디옥에 복음이 들어갔으며 마침내는 갈라디아 지방과 마게도냐 지방까지도 바울의 전도를 받았다. 어디 그 뿐인가. 아프리카에까지도 에티오피아의 내시에 의해서 복음이 전파되었고 마침내는 로마가 복음화되어 전 유럽이 예수를 믿게 되었던 것이다.

그러나 아무리 생각해 보아도 하나님은 한국에 너무나 늦게 오시었다. 그것도 정식 선교사의 포교를 받은 것이 아니라 북경에 갔던 사신들이 가지고 들어온 천주실의(天主實義)로 공부하던 학자들이 사제를 보내달라고 탄원하여 주문모(周文謨) 신부가 입국한 것이 1795년이요, 일본에 갔다가 세례를 받고 돌아온 이수정(李樹廷)이 선교사 파송을 호소하여 언더우드와 아펜셀러 선교사가 들어온 것이 1885년이니 이는 실로 수로보니게 여인이 주인의 상에서 떨어지는 떡부스러기를 개처럼 얻어먹던 것과 같은 꼴이 되었던 것이다.

더구나 지금은 많은 사람들이 이 시대를 말세지말(末世之末)이라 부르고 있다. 이미 말세는 예수의 때부터 시작되었으나 이제 하나님의 유예기간이 거의 끝나가고 성경의 모든 예언들이 대부분 다 성취된 이 긴박한 막바지에서 한국은 복음을 받았다. 그러나 우리에겐 시간이 너무나 없는 것이다. 언제 재림의 나팔 소리가 들려올는지 모르는데 절에 다니고 있는 사람들은 다 어떻게 할 것이며 북한 땅에서 하나님을 모른 채 3만5천개의 김일성 동상에 아침 저녁으로 절하고 있는 우리 동포들은 어떻게 할 것인가? 실로 답답한 일이 아닐 수 없는 것이었다.

이렇게 안타까운 생각에 잠기다가 급기야는 그것이 하나님께 대한 불평으로 전환되었다.

'하나님, 어찌하여 이 백성들에게는 이제야 복음을 전해 주십니까? 마지막 때가 다 되었다고 하는데 이 늦은 시간에 누구 약올리시려고 이제야 오셨습니까?'

성경에 보면 하나님은 늘 공평하신 분이라고 나오는데 나는 도무지 이런 불공평에 대해서 이해할 수가 없었다.

"우리 하나님 여호와께서는 불의함도 없으시고 편벽 (扁僻) 됨도 없으시고 뇌물을 받으심도 없으시니라" (대하 19 : 7).

"열방은 기쁘고 즐겁게 노래할지니 주 (主) 는 민족들을 공평히 판단하시며 땅위에 열방들을 치리하실 것임이니이다" (시 67 : 4).

"나는 공평으로 줄을 삼고 의로 추를 삼으니…" (사 28 : 17).

그렇듯 공평하신 하나님께서 또 그 순서를 어떤 기준에 따라서 매기신 것인지 나는 따져보지 않을 수 없었다.

사도행전 16장에 보면 바울이 제2차 전도여행에 나섰을 때에 아시아의 여러 성을 다니며 복음을 전하려고 애쓰나 성령이 아시아에서 말씀을 전하지 못하게 하시므로 드로아에서 배를 타고 마게도냐 쪽으로 방향을 돌리는 대목이 나온다. 이렇게 해서 결국 예수의 복음은 동진 (東進) 을 하지 못하고 서쪽으로 방향을 돌려서 유럽이 먼저 복음을 받게 되었던 것이다.

어째서 성령께서는 복음이 동쪽으로 향하는 것을 막으셨을까 ? 바울이 서쪽으로 발길을 돌렸기 때문에 기독교는 본래 셈계에 속하는 동양인의 종교이면서도 서양 종교 취급을 당하게 되었고 이 나라의 국수주의자들에게는 기독교인을 밸빠진 외래종교 신봉자로 몰아붙이는 구실을 만들어 주었던 것이다.

하나님은 왜 처음부터 한국을 외면하셨는가 ? 하나님은 왜 공평하지 않으신가 ?

나는 이 불만스러운 문제에 관하여 새벽기도의 시간에 하나님께 따져보려고 마음먹었다. 마침 그 날은 시간보다 일찍 교회에 도착했기 때문에 나는 자리에 꿇어앉자마자 예정대로 하나님께 내 불만을 털어놓으며 맹렬히 질문을 쏟아내기 시작하였다.

## ② 11시에 온 사람들

그렇게 한참동안 질문을 퍼붓고 있는데 찬송가가 시작되고 목사님의 성경강해가 시작되었다. 마태복음 20장이었다. 나는 목사님을 따라 성경을 교독해 내려가다가 깜짝 놀랐다.

"천국은 마치 품꾼을 얻어 포도원에 들여 보내려고 이른 아침에 나간 집주인과 같으니 저가 하루 한 데나리온씩 품군들과 약속하여 포도원에 들여보내고, 또 제 삼시에 나가보니 장터에 놀고 섰는 사람들이 또 있는지라 내가 너희에게 상당하게 주리라 하니 저희가 가고 제 육시와 제 구시에 또 나가 그와 같이 하고 제 십일시에도 나가 보니 섰는 사람들이 또 있는지라 가로되 너희는 어찌하여 종일토록 놀고 여기 섰느뇨 가로되 우리를 품꾼으로 쓰는 이가 없음이니이다 가로되 너희도 포도원에 들어가라 하니라"(마 20 : 1~7).

우리가 지금 사용하고 있는 시간 계산 방법은 밤중을 기점으로 하는 로마식이지만 유대식 시간 계산은 해 뜰 때, 즉 새벽을 기준으로 하기 때문에 해 뜰 때 부터 해가 질 때까지를 12시간으로 나눈 것이라고 생각하면 된다. 그러므로 마태복음 20장의 제 삼시는 우리 시간으로 오전 9시이며 제 육시는 12시, 제 구시는 오후 3시가 되는 것이다.

그런데 나의 관심은 바로 그 십일시에 온 품꾼들에게 있었다. 유대식 시간의 십일시라면 바로 오후 5시…즉 해 지기 한 시간 전을 의미하는 것이었다. 포도원 주인에게 마지막으로 부름을 받은 이 품꾼들은 바로 해지기 한 시간 전에 포도원에 들어왔던 것이다.

'…십일시에 온 사람들, 이 사람들은 누구인가? 한국 사람들이야말로 이들처럼 해지기 한 시간 전에 부름받은 일꾼들이 아닐까?"

거기까지 생각하자 나는 바짝 긴장하면서 다음 구절을 읽어내려가기 시작했다. 십일시에 온 일꾼들이 어떻게 되었는지 궁금했던 것이다.

"…저물매 포도원 주인이 청지기에게 이르되 품꾼들을 불러 나중 온 자로부터 시작하여 먼저 온 자까지 삯을 주라 하니 제 십일시에 온 자들이 와서 한 데나리온씩을 받거늘, 먼저 온 자들이 와서 더 받을 줄 알았더니 저희도 한 데나리온씩 받은지라 받은 후 집 주인을 원망하여 가로되 나중온 이 사람들은 한 시간만 일하였거늘 저희를 종일 수고와 더위를 견딘 우리와 같게 하였나이다. 주인이 그 중의 한 사람에게 대답하여 가로되 친구여 내가 네게 잘못한 것이 없노라 네가 나와 한 데나리온의 약속을 하지 아니하였느냐 네 것이나 가지고 가라 나중 온 이 사람에게 너와 같이 주는 것이 내 뜻이니라 내 것을 가지고 내 뜻대로 할 것이 아니냐 내가 선하므로 네가 악하게 보느냐" (마 20 : 8~15).

하나님께 마구 그 불공평하심을 따지며 대들던 나는 그만 유구무언이 되어 버리고 말았다. 주인은 십일시에 온 사람들을 포도원에 들여보내 일하게 하고 그들에게 먼저 품삯을 지불했을 뿐만 아니라 한 시간밖에 일하지 않은 그들에게 먼저 온 사람들과 똑같이 한 데나리온씩을 주었던 것이다. 이렇게 되면 십일시에 온 패들 가운데 끼어 있는 나는 불평을 하기는 커녕 오히려 미안해서 고개를 움추린 채 잠자

코 있어야 할 형편이었다. 나는 조금 전에 하나님께 대들던 일이 너무나도 부끄러워서 고개를 들 수가 없었다.

그러면서도 서서히 우리는 마지막 때에 부름받은 일꾼들이라는 자부심이 고개를 들기 시작했다. 우리 한국 사람들은 해 지기 한 시간 전에 부름받은 일꾼들이었던 것이다. 세상을 향한 하나님의 원대하신 마스터 플랜이 그 장엄한 대단원 (大團圓) 을 향하여 클라이막스에 들어선 11시에 등장한 일꾼들, 그들은 바로 하나님의 위대하신 드라마에서 그 마지막 무대를 장식할 중요한 배역을 맡은 자들이었다.

신약 성경에는 두 가지의 시간이 나오고 있다. 그 하나는 흐르고 있는 시간을 나타내는 '크로노스'이고 또 하나는 정해진 때를 가리키는 '카이로스'이다. 나그네로 있을 때를 두려움으로 지내라는 베드로전서 1장 17절의 '때'는 크로노스이고, 고린도전서 4장 5절에서 "…그러므로 때가 이르기 전 곧 주께서 오시기까지…"의 '때'는 카이로스인 것이다. 그런데 마태복음 20장에서의 제 십일시, 즉 '헨데카텐호란'은 물론 크로노스의 의미로 쓰여졌으나 동시에 카이로스의 의미를 강하게 담고 있다. 왜냐하면 이 포도원의 시간표로 보아 해가 지면 모든 일이 다 끝나게 되어 있으며 오직 품삯을 계산하는 일, 즉 결산 (決算)의 일만 남게 되어 있기 때문이다.

어쨌든 하나님께서는 그 모든 계획의 끝을 마감하는 중요한 역할을 한국백성에게 맡기셨다. 이 백성들을 마지막에 들어서 쓰시려고 하나님께서는 바울의 발걸음을 서쪽으로 돌려놓으셨던 것이다. 겨우 한 시간을 남겨놓고 언더우드와 아펜셀러로부터 바톤을 넘겨받은 한국 사람들, 이제 한 시간 일하고 일찍 온 사람들과 같은 품삯을 받게 되는 미안함을 만회하기 위하여 더 부지런히, 더 극성스럽게 뛰는 수밖에 없는 것이다. 마태복음의 포도원 이야기는 이렇게 끝난다.

"이와같이 나중 된 자로서 먼저 되고 먼저 된 자로서 나중 되리라" (마 20 : 16) .

# 성전이
# 무너질 때

예수께서는 무엇 때문에 성전의
무너짐을 예감했으며 무엇이
그토록 노여우셔서 성전을 흔적도 없이
부숴버리셨던 것일까? 나는
이 무서운 이야기의 실마리를
찾아내야만 한다고 생각했다.

# 성전이 무너질 때

### ① 이 성전을 헐라

예수께서 예루살렘 성전에 들어가셨을 때 대제사장들과 장로들로부터 제출된 네가지의 교리적인 테스트 즉 권세, 납세, 부활, 계명에 관한 질문에 답변하신 후 갑자기 성전이 무너지리라는 것을 예고하시는 장면이 나온다. "예수께서 성전에서 나와서 가실 때에 제자들이 성전 건물들을 가리켜 보이려고 나아오니 대답하여 가라사대 너희가 이 모든 것을 보지 못하느냐? 내가 진실로 너희에게 이르노니 돌 하나도 돌 위에 남지 않고 다 무너뜨리우리라" (마 24 : 1, 2) .

예루살렘 성전은 유대 사람들이 생명처럼 여기고 있는 거룩한 장소였다. 그것은 그들의 역사 가운데 살아 있는 최고의 영웅 다윗이 계획하고 그의 아들 솔로몬이 건축한 신앙의 구심점이었고 계속되는 외세의 통치 아래서도 오직 하나 남아 있는 민족적 자존심이었던 것이다.

뿐만 아니라 예수께서도 절기때마다 예루살렘에 올라가시었다. 그는 이미 열두살 때에 성전에 가서 랍비들과 이야기를 나누며 그곳을 '내 아버지 집'이라고 표현하였고 (눅 2 : 49) 나중에 다시 장성하여 예루살렘에 올라 갔을 때에는 성전 안에서 소와 양과 비둘기 파는 사람들을 내어 쫓으시고 돈 바꾸는 사람들의 상을 엎으시며 '내아버지의 집'으로 장사하는 집을 만들지 말라고 격분한 일까지 있었던 것이다 (요 2 : 13~17).

그런 예수께서 그 소중한 예루살렘 성전이 무너지리라고 말씀하셨다. 이는 바로 '너희가 이 성전을 헐라 내가 사흘 동안에 일으키리라'(요 2 : 19)고 하신 말씀과도 연결되는 것으로 이것이 나중에 그가 체포되신 후 '성전모독죄'로 고발되는 것이다(마 26 : 61).

어째서 예수께서는 그분 자신까지도 그토록 소중히 여기셨던 성전이 무너지리라고 말씀하셨던 것일까? 예수께서는 그 거룩한 성전 안에서 무슨 징조를 보셨던 것일까?

어쨌든 예수의 말씀대로 예루살렘 성전은 무너졌다. AD 70년, 반란군을 진압하기 위해 예루살렘에 입성한 로마군대는 모든 예루살렘 백성들을 학살하거나 노예로 끌어 갔으며 예루살렘 성전을 흔적도 없이 파괴해 버렸다. 로마군대의 병사들은 성전의 돌들 속에 금이 들어 있다는 소문을 들었기 때문에 그 금을 찾아내기 위해서 그것을 '돌 위에 돌 하나도 남기지 않고' 모조리 부숴버린 것이었다.

이 예루살렘 성전의 전설적인 거대한 규모와 그 건축에 투입되었던 엄청난 양의 금 이야기, 그리고 그것이 흔적도 없이 사라져버린 사실들은 오늘날에도 세계 7대 불가사의 중의 하나로 꼽혀지고 있다.

도대체 예수께서는 무엇 때문에 성전의 무너짐을 예감하셨던 것이며 하나님께서는 무엇이 그토록 노여우셔서 자기의 집을 흔적도 없이 부숴버리셨던 것일까? 나는 이 무서운 이야기의 실마리를 찾아내야만 한다고 생각했다. 하나님께서 자기의 집을 부숴버리실 정도로 그를 노엽게 하는 일이 다시는 일어나지 말아야 하겠기 때문이었다.

나는 다시 그 마태복음 25장을 들여다보기 시작했다.

"예수께서 성전에서 나와서 가실 때에 제자들이 성전 건물을 가리켜 보이려고 나아오니…"

나는 잠시 고개를 갸웃거렸다. 제자들이 성전 건물을 '가리켜 보이

려고'나아왔다는 것이었다. (제자들은 무엇을 '가리켜 보이려고'했을
까…?)

나는 다시 마가복음의 같은 부분을 찾아보았다.

"예수께서 성전에서 나가실 때에 제자중 하나가 가로되 선생님이
여 보소서 이 돌들이 어떠하며 이 건물들이 어떠하니까 예수께서
이르시되 네가 이 큰 건물들을 보느냐 돌 하나도 돌 위에 남지 않고
다 무너뜨려지리라"(막 13 : 1, 2).

아마도 갈릴리의 촌뜨기들이었던 제자들은 거대한 성전의 건물들
을 가리키며 그 굉장한 규모에 감탄하고 있었을 것이었다. 이왕 시작
한 김에 다시 누가복음도 찾아보았다.

"어떤 사람들이 성전을 가리켜 그 미석(美石)과 헌물(獻物)로 꾸
민 것을 말하매 예수께서 가라사대 너희 보는 이것들이 날이 이르면
돌 하나도 돌 위에 남지 않고 다 무너뜨리우리라"(눅 21 : 5~6).

여기까지 보면 제자들이 예수께 '가리켜 보이려고'했던 것은 성전
건물들의 웅장함과 그 호화스러운 장식에 관한 것이었던 모양이었
다. 그렇다면 예수께서는 성전 건물의 호화스러움에 대하여 걱정하
셨던 것일까? 물론 오늘날에도 사람들이 그런 이야기들을 많이 한
다. 성전의 장식들이 너무 호화롭다는 것이다. 그러나 과연 호화롭
다는 것 하나만으로 하나님께서 자기의 집을 무너뜨리셨던 것일까?
그렇다면 어째서 그 호화로운 성전이 건축되던 솔로몬 왕 때에 그만
두라고 하실 것이지 1천년 후에 다시 그것을 거론하셨겠는가? 오히
려 하나님께서는 성전을 완공하여 봉헌하는 솔로몬에게

"이곳에서 하는 기도에 내가 눈을 들고 귀를 기울이리니 이는 내
가 이미 이 전을 택하고 거룩하게 하여 내 이름으로 여겨 영영히 있
게 하였음이라 내 눈과 내 마음이 항상 여기 있으리라"(대하 7 : 15,
16)하고 약속하셨던 것이다. 그런데도 이 성전에서 예수께서는 어두
운 종말의 그림자를 보았다. 마태복음에도 마가복음에도 그리고 누
가복음에도 성전이 무너지리라는 예고에 이어서 저 무서운 종말론의

설교가 이어지는 것이다.

나는 우선 늘 하던 방법대로 이러한 사건이 있기 전의 상황들을 살펴보았다. 마태복음에서는 예수께서 교리 문답의 테스트를 받으신 다음 서기관들과 바리새인들을 향하여 저 유명한 일곱번의 '화(禍)있을진저…'로 이어지는 무서운 경고를 퍼부으신다. 그런데 그 일곱개의 경고 중에서 다섯개가 모두 '금(金)과 예물'·'십일조'·'잔과 대접'·'회칠한 무덤'·'무덤과 비석'등 헌물(獻物)과 외식(外飾)에 관한 것이었다. 말하자면 성전에 내는 헌물과 그것으로 장식한 성전을 비유로 한 경고였던 것이다.

나는 다시 마가복음을 찾아보았다. 거기엔 바리새인에게 대한 경고가 있을 자리에 두 렙돈을 연보궤에 넣는 과부의 이야기가 나오고 있었다.

## ② 두 렙돈의 비밀

"예수께서 연보 궤를 대하여 앉으사 무리의 연보 궤에 돈 넣는 것을 보실새…" (막 12 : 41).

예수께서는 분명히 의도적으로 연보궤 앞에 앉아서 사람들이 거기에 돈 넣는 것을 관찰하신 것이었다.

"…여러 부자는 많이 넣는데 한 가난한 과부는 와서 두 렙돈 곧 한 고드란트를 넣는지라 예수께서 제자들을 불러다가 이르시되 내가 진실로 너희에게 이르노니 이 가난한 과부는 연보 궤에 넣는 모든 사람보다 많이 넣었도다 저희는 다 그 풍족한 중에서 넣었거니와 이 과부는 그 구차한 중에서 자기 모든 소유 곧 생활비 전부를 넣었느니라" (막 12 : 41~44).

이 대목은 흔히 교회에서 헌금할 때 성도들을 감동시키기 위하여 곧잘 인용되는 장면이었다. 그런데 예수께서는 바로 이 장면 이후에 성전이 무너지리란 것을 예고하신 것이었다. 예수께서는 이 과부를 칭찬하신 후에 어째서 성전이 무너지는 무서운 모습을 예감하셨던 것일까?

나는 우선 이 과부가 연보 궤에 넣었던 두 렙돈이라는 돈이 얼마나 되는 금액인가를 알아보았다. 성경 77페이지의 난외 주에는 렙돈 : 헬라 동전의 명칭, 고드란트 : 로마 동전의 명칭이라고 나와 있다. 이 렙돈과 고드란트라는 동전은 동전의 최소단위로서 빵 한개도 사 먹을 수 없는 오늘날의 1원짜리 같은 것이었다. 그런데도 예수께서는 이를 그의 모든 소유라고 하셨던 것이다. 이 과부는 빵 한개도 사먹을 수 없는 그 동전을 차라리 성전의 연보 궤에다 넣어버린 것이었다. (예수께서는 과연 이 과부의 연보를 칭찬하셨던 것일까?)

나는 그 대목을 들여다보다가 문뜩 한 곳에서 눈을 멈추었다.

"여러 부자는 많이 넣는데 한 과부는 와서 두 렙돈…" 나는 무심히 그 대목을 들여다보고 있다가 소스라치게 놀랐다. '여러 부자'는 많이 넣는데 '한 과부'는…이것은 무엇을 의미하는 것인가?

'여러 부자'와 '한 가난한 과부'. 이것은 곧 재물의 분배가 공정하지 못한 사회를 의미하는 것이었다. 세상에 중산층은 많을 수 있을지 모르나 부자가 많은 것은 불가능한 일이다. 그런데도 '여러 부자'와 '한 가난한 과부'가 있었다. 더구나 이들은 모두 성전에 들어온 하나님의 백성들이었다. 결국, 예루살렘 성전에 올라온 백성들 가운데는 많은 부자가 있었는데도 불구하고 빵 한개도 살 수 없는 한 과부에 대해서는 아무도 관심을 갖고 있지 않았던 것이다!

유대인들이 외우고 지키는 그들의 율법서에는 과부와 고아들을 돌보라는 하나님의 권유가 수없이 나오고 있다. 그런데도 불구하고 그들 많은 부자들은 한 과부를 그렇게 가엾은 상태로 방치하고 있었던 것이다. 더구나 당시는 헬라와 로마의 동전이 통용되는 시대였다. 헬라의 착취와 로마의 수탈로 인하여 아무도 부자가 될 수 없는 시대였던 것이다. 그런데도 성전에 올라오는 백성 가운데 부자가 많았다는 것은 무엇을 의미하는가? 권력과 불의에 굴복하고 그들에게 붙어서 치부한 사람이 많았다는 것을 나타내고 있지 않은가? 그리고 이 시대에 대제사장들과 장로들은 무엇을 하고 있었는가? 그 부자들이 연보궤에 넣은 돈으로 성전을 호화롭게 장식하며 가난한 과부와 고아들에게 돌아갈 몫을 떼어먹고 있었던 것이다.

성경에 보면 성전에 바치는 십일조는 제사장의 일을 맡은 레위 지파를 먹여살리는 외에 또 한가지의 목적을 가지고 있었다.

"제 삼년 곧 십일조를 드리는 해에 네 모든 소산의 십일조 다 내기를 마친 후에 그것을 레위인과 객(客)과 고아와 과부에게 주어서 네 성문 안에서 먹어 배부르게 하라"(신 26 : 12).

그런데도 성전의 연보 궤에 돈을 많이 넣는 부자는 많은데 한 과부는 여전히 가난한 상태로 있었던 것이다. 이는 분명히 대제사장과 장로들이 그 과부에게 십일조를 분배하지 않았다는 증거였다. 그래서 이 장면 바로 앞에는 이런 말씀이 기록되어 있는 것이었다.

"긴 옷을 입고 다니는 것과 시장에서 문안 받는 것과 회당의 상좌와 잔치의 상석을 원하는 서기관들을 삼가라 저희는 과부의 가산을 삼키며 외식으로 길게 기도하는 자니 그 받는 판결이 더욱 중하리라"(막 12 : 38~40).

여기까지 추적하고 나서 내 이마에는 식은 땀이 흐르고 있었다. 2천년 전 예수께서 보셨던 그 불길한 그림자가 나에게도 보이는 것 같았기 때문이었다.

과연 우리의 시대에서는 십일조의 분배가 이루어지고 있는가? 대형 교회들이 호화로운 장식과 최고의 시설을 자랑하고 있을 때에 고아의 울음 소리와 과부의 한숨소리가 우리에게 불길한 소리로 들려오고 있지는 않은가?

대제사장들과 장로들이 긴 옷을 입고 말씀을 가르치며 시장에서 문안 받고 잔치의 상석에 앉아 있을 때에 성전이 무너지고 있는 소리가 들려오고 있는 것은 아닌가? 과연 우리는 지금 안전한 자리에 있는가? 우리가 지금 말세에 재물을 쌓고(약 5 : 3) 있는 것은 아닌가?

# 겟세마네에서
# 생긴 일

베드로에게 사탄아 물러가라고
꾸짖으실 정도로 확신에 차 계시던 예수께서
어디서부터 고민을 시작하셨으며 어떤 문제가
생겼던 것일까? 미리부터 받으려고
준비하셨던 그 죽음의 잔을 기꺼이 받지못할만한
어떤 일이라도 생겼단 말인가?

# 겟세마네에서 생긴 일

☐ 지나가게 하옵소서

예수를 구세주로 믿는 사람들의 가슴 속에는 골고다 언덕 위에 서 있는 외로운 십자가의 영상이 깊게 새겨져 있다. 그것은 땅이 흔들리고 태양도 빛을 잃었던 인류 최대의 사건이었고 수많은 사람들과 민족들의 운명을 뒤집어 놓은 역사의 전환점이었으며 또한 그것은 인류기억 속에 우뚝 솟아 있는 최고의 명화이기도 했던 것이다.

골고다의 십자가 사건이 저 아담의 범죄 이후로 예정되었던 구원계획의 성취였다고 한다면 겟세마네 동산에서 부르짖던 예수의 처절한 기도는 바로 그 엄청난 드라마의 클라이맥스라고 할 수 있는 것이다.

"이에 예수께서 제자들과 함께 겟세마네라 하는 곳에 이르러 제자들에게 이르시되 내가 저기 가서 기도할 동안에 너희는 여기 앉아 있으라 하시고 베드로와 세베대의 두 아들을 데리고 가실새 고민하고 슬퍼하사 이에 말씀하시되 내 마음이 심히 고민하여 죽게 되었으니 너희는 여기 머물러 나와 함께 깨어 있으라 하시고, 조금 나아가사 얼굴을 땅에 대시고 엎드려 기도하여 가라사대 내 아버지여 만일 할만 하시거든 이 잔을 내게서 지나가게 하옵소서 그러나 나의 원대로 마옵시고 아버지의 원대로 하옵소서"(마 26 : 36~39).

4천년에 걸친 하나님의 원대한 계획이 완성되어 가는 긴장된 순간, 지금도 짐작할 수 있는 그 숨막히는 분위기가 우리를 떨리게 하고도 남는다. 이렇게 팽팽한 긴장 속에서 드려지는 예수의 간절한 기도는 누가복음이 더욱 그 분위기를 실감나게 묘사하고 있다.

ㆍ "아버지여 만일 아버지의 뜻이어든 이 잔을 내게서 옮기옵소서 그러나 내 원대로 마옵시고 아버지의 원대로 되기를 원하나이다 하시니 사자가 하늘로부터 예수께 나타나 힘을 돕더라 예수께서 힘쓰고 애써 더욱 간절히 기도하시니 땀이 땅에 떨어지는 피방울 같이 되더라"(눅 22 : 42~44).

이 긴박감 넘치는 겟세마네의 기도 장면 속에 나는 어려서부터 가지고 있는 의문이 있었다. 그것은 (왜 예수께서는 다른 위인들이나 영웅들처럼 의연하게 죽음의 잔을 받지 않으시고, 할만하시거든 이 잔을 내게서 지나가게 해달라고 기도하셨던 것일까?)하는 것이었다. 더구나 이 사건이 갑자기 닥쳐온 것도 아니고 예수께서는 평소부터 이 일을 예감하였을 뿐만 아니라 오히려 그것을 순종으로 받아들이기로 결심하고 계셨기 때문에 몇번 씩이나 자신의 죽음과 부활을 제자들에게 예고하셨던 것이다.

예수께서는 저 유명한 벳새다의 기적 이후 백성들이 그를 왕으로 옹립하려고 소동을 일으켰기 때문에 시돈지방으로 피신했다가 다시 갈릴리로 돌아오시면서 이미 자신에게 닥쳐올 수난을 예감하고 계셨다. 그는 가이사랴 빌립보 지경에서부터 제자들에게 자신에게 닥쳐올 일들을 예고하기 시작하였다.

"이때부터 예수 그리스도께서 자기가 예루살렘에 올라가 장로들과 대제사장들과 서기관들에게 많은 고난을 받고 죽임을 당하고 제 삼일에 살아나야 할 것을 제자들에게 비로소 가르치시니 베드로가 예수를 붙들고 간하여 가로되 주여 그리 마옵소서 이 일이 결코 주에게 미치지 아니하리이다 예수께서 돌이키시며 베드로에게 이르시되 사탄아 내 뒤로 물러가라 너는 나를 넘어지게 하는 자로다 네가 하나님의 일을 생각지 하니하고 도리어 사람의 일을 생각하는 도다"(마 16 : 21~23).

이렇게 예수께서는 이미 십자가의 고난을 각오하고 계셨다. 오히려 이를 간하는 베드로에게 사탄아 물러가라고 꾸짖으셨던 예수께서 왜 갑자기 그 태도를 변하여 그잔을 지나가게 해달라고 기도하셨던 것일까? 더구나 예수께서는 그 제자들에게까지도 "아무든지 나를 따라 오려거든 자기를 부인하고 자기 십자가를 지고 나를 좇을 것이니라"(마 16 : 24)고 말씀하시지 않았던가? 그렇게까지 말씀하셨던 예수께서 왜 갑자기 그런 기도를 드렸을까? 막상 때가 가까워오니 심경의 변화가 생기셨던 것일까?

또한 이상한 것은 예수께서 이미 가이사랴 빌립보에서 말씀하실 때 '제 삼일에 살아나야 할 것'을 알고 계셨다는 점이었다. 그렇다면 예수께서 그토록 고민하시며 간절히 기도하신 이유는 도대체 무엇이었는지 알 수가 없는 것이었다.

베드로에게 사탄아 물러가라고 꾸짖으실 정도로 확신에 차 계시던 예수께서 어디서부터 고민을 시작하셨으며 어떤 문제가 생겼던 것일까? 미리부터 받으려고 준비하셨던 그 죽음의 잔을 기꺼이 받지 못할만한 어떤 일이라도 생겼단 말인가?

나는 이런 일에 부딪칠 때마다 늘 하던 방법대로 예수께서 기도드리기 위해서 겟세마네로 가시기 이전의 사건들과 상황들을 곰곰이 들여다보기 시작했다.

## ② 포도나무와 무화과

예수께서 겟세마네 동산에 도착하시기 전의 행적을 살펴보려면 우선 베다니 사람인 나사로와 갈릴리 출신이었던 열 두명의 제자 사이에 있었던 불화를 기억하지 않으면 안된다('나사로의 미스테리' 참조).

열 두 제자들이 나사로의 집으로 가기 싫어했기 때문에 예수께서는 유월절 만찬장소로 마가의 집 다락방을 고르셨다. 마가는 아직 어려서 제자들에게 정치적 경쟁자가 될 수 없었고 그 어머니 역시 과부였으므로 시기심 많은 제자들이 안심하고 따라올 수 있는 장소였던 것이다. 그런데도 예수께서는 그들을 곧장 그 장소로 데려가지 않으시고 복잡한 수속을 밟으셨다.

"유월절 양을 잡을 무교절일이 이른지라 예수께서 베드로와 요한을 보내시며 가라사대 가서 우리를 위하여 유월절을 예비하여 우리로 먹게 하라 여짜오되 어디서 예비하기를 원하시나이까 이르시되 보라 너희가 성내로 들어가면 물 한 동이를 갖고 가는 사람을 만나리니 그의 들어가는 집으로 따라 들어가서 그 집 주인에게 이르되 선생님이 네게 하는 말씀이 내가 내 제자들과 함께 유월절을 먹을 객실이 어디 있느뇨 하시더라 하라 그리하면 저가 자리를 베푼 큰 다락방을 보이리니 거기서 예비하라 하신대 저희가 나가 그 하시던 말씀대로 유월절을 예비하니라"(눅 22 : 7~13).

예수께서는 또 제자들 사이에서 장소에 대한 시비가 있을까 하여 미리 베드로와 요한에게 장소를 답사하여 그 집에 정치적 경쟁자가 없음을 확인하도록 하신 것이었다.

그렇게 해서 예수께서는 만찬 자리에 앉으셨고, 떡과 포도주를 제자들에게 나누어주시며 당신의 몸과 피를 주노라고 말씀하신 것이다.

이렇게 비장한 작별의 만찬이 끝난 후, 요한복음 13장에 보면 예수께서는 다시 자리에서 일어나 겉옷을 벗고 수건을 허리에 두르신 다음 제자들의 발을 씻어주시는 감동적인 본을 보이시며 그들에게 서로 사랑하라고 부탁하신다. 그리고 나서는 다시 요한복음 15장에 나오는 포도나무의 말씀이 시작된다.

"나는 포도나무요 너희는 가지니…"로 시작되는 이 감동적인 설교에서 당신과 제자들이 서로 떨어질 수 없는 관계에 있음을 강조하신 다음,

"너희가 세상에 속하였으면 세상이 자기의 것을 사랑할 터이나 너희는 세상에 속한 자가 아니요 도리어 세상에서 나의 택함을 입은 자인고로 세상이 너희를 미워하느니라"(요 15 : 19).

"사람들이 너희를 출회할 뿐아니라 때가 이르면 무릇 너희를 죽이는 자가 생각하기를 이것이 하나님을 섬기는 예라하리라"(요 16 : 2) 하는 말씀으로서 제자들도 당신과  똑같이 수난 당할 것을 예고하셨던 것이다.

여기가지 살펴보았을 때 나는 우선 예수의 기도 속에서 그분의 고민 중 하나를 이해할 수 있게 되었다. 흔히 세상의 위인들은 이런 경우 스스로 영웅적인 죽음을 택함으로써 후세에 훌륭한 이름을 남기려고 한다. 그러나 우리의 예수, 그분은 달랐다. 그는 자신을 포도나무에 비유하면서 자기를 따르는 '모든 무리'들과 함께 수난 당하고 그들과 함께 천국을 건설하기로 하셨던 것이다.

천국은 결코 한 사람의 영웅적인 죽음으로 건설되는 것이 아니며 모든 하나님의 자녀들이 함께 건설하는 것이다. 만일 예수께서 비록 그분이 하나님의 독생자라 하더라도 당신 혼자서 결단하고 당신 혼자서 영웅적인 죽음을 당했다면 결국 그는 천국의 독재자라는 비난을 면할 수 없었을 것이다. 그러나 우리들의 예수는 '함께'하실 것을 원하셨다. 그래서 그분은 혼자서만 의연하게 죽음의 잔을 받으실 수 없었던 것이다.

그러나 비록 그를 따르는 모든 무리들을 수난의 길로 이끌어야 하는 예수의 아픔이 있었다 하더라도 그것은 바로 생명의 길이며 승리의 길이며 영광의 길이었다. 그런데 어째서 그분은 할만하시건든 이 잔을 내게서 지나가게 해달라고 기도하셨던 것일까? 거기엔 또 하나의 비밀이 숨겨져 있을 것 같아서 자꾸만 겟세마네의 대목들을 뒤적거리다가 나는 마가복음에서 색다른 구절을 발견하고 깜짝 놀랐다.

"베드로와 야고보와 요한을 데리고 가실새 심히 놀라시며 슬퍼하

사 말씀하시되 내 마음이 심히 고민하여 죽게 되었으니…" (막 14 :
33, 34) .

마가복음은 마가가 베드로의 구술을 따라서 기록한 것이니 뒤에 남
아 있던 마태의 기억보다는 기도하실 자리 근처까지 따라갔던 베드
로의 기억이 더 정확했을 것이다. 그런데 베드로는 자신의 기억에 따
라 예수께서 심히 '놀라시며 슬퍼하셨다'고 구술한 것이다. 왜 갑자
기 예수께서는 놀라시며 슬퍼하셨던 것일까? 나는 당시의 상황을 곰
곰이 생각해보다가 갑자기 벌떡 일어섰다. (그렇다 ! 예수께서는 나
사로를 생각하셨던 것이다 ! )

제자들 때문에 예수께서는 마지막 만찬을 나사로와 함께 하지 못
하셨다. 그는 이 마지막 밤에 갑자기 그가 '사랑하시던' 나사로 (요
11 : 5) 를 생각하신 것이었다. 갑자기 나사로를 생각하시면서 예수께
서는 다시 무엇을 생각하셨을까? 나사로는 유대인이었다. 포도나무
이신 예수를 따르는 무리들은 그와 같은 피를 흘리며 영광스런 수난
의 길을 걸을 것이나 바로 예수의 동포들인 유대인은 장차 어떻게 될
것인가?

아마도 예수께서는 저 미가의 예언을 생각해냈을지도 모른다. 미
가서의 4장은 마지막 날에 대하여 이렇게 기록하고 있는 것이다.

"각 사람이 자기 포도나무 아래와 자기 무화과나무 아래 앉을 것이
라…" (미 4 : 4)

포도나무 아래 앉은 사람들이 예수의 길을 따라 영광스러운 수난
의 길을 감당한 그리스도인들이라면 무화과 아래에 앉은 사람들은 장
자의 직분을 다하지 못하고 예수를 죽임으로써, 세상 끝날까지 징계
의 수난을 겪어야 했던 유대인이었던 것이다.

물론 유대인들 중의 극히 일부는 세상 끝날에 회개하고 예수를 믿
어 구원받을 것이나 예수께서는 이미 그 무화과 나무아래 앉을 사람
의 수가 너무나 적은데 대하여 심히 '놀라시고 슬퍼하셨던'것이다.

그 참담한 극소수의 구원에 비하면 그들이 당해야 하는 수난은 너

무나 참혹한 것이었다. 아무리 '하늘에 계신 아버지의 뜻대로 하는 자가 내 형제요, 자매요, 모친'이라고 말씀하셨지만 예수께서 만일 유대 사람들이 받아야할 그 참혹한 수난을 외면하고 의연하게 구세주의 길을 걸었다면 그의 신성 (神性)은 찬양받을지 모르나 그의 인성 (人性)은 우리를 감동시킬 수 없었을 것이다.

이 무서운 상황 속에서 예수께서는 자신의 아픔을 '지나가게 하옵소서'로 호소한 것이었다.

"할만하시거든 이 잔을 내게서 지나가게 하옵소서. 그러나 나의 원대로 마옵시고 아버지의 원대로 하옵소서"

얼굴을 땅에 대시고 땀방울이 피가 되도록 호소하신 이 겟세마네의 간절한 기도야말로 하나님과 사람을 함께 울려준 구원사의 처절한 클라이맥스였던 것이다.

# 침묵의 오후 3시

"왜 예수께서는 십자가에 달리셨을 때 어찌하여 나를 버리셨느냐고 하나님께 소리 지르셨을까요? 그는 무엇을 기대했었기에 비로소 버림받았다는 것을 깨달았던 것일까요?"

# 침묵의 오후 3 시

## ① 흑암 속의 절규

몇달 전에 동경에서 '신앙계'를 구독하고 있다는 한 형제로부터 편지를 받은 적이 있었다. 연재되고 있는 '성경과의 만남'을 읽으면서 많은 부분에 대해서 공감했다고 전제한 그 독자는 편지의 말미에 마태복음 27장 46절에 관한 나의 견해를 묻고 있었다.

"왜 예수께서는 십자가에 달리셨을 때 어찌하여 나를 버리셨느냐고 하나님께 소리 지르셨을까요? 그는 무엇을 기대했었기에 비로소 버림받았다는 것을 깨달았던 것일까요?"

그 독자는 참으로 어려운 질문을 내게 준 셈이었다. 왜냐하면 이 부분은 성경 가운데서 가장 어려우면서도 핵심적인 부분의 하나였고 그렇기 때문에 이미 많은 신학자들이 이에 대해서 고심하고 연구해 왔기 때문이었다.

"… 제 육시로부터 온 땅에 어두움이 임하여 제 구시까지 계속하더니 제 구시 즈음에 예수께서 크게 소리질러 가라사대 엘리 엘리 라마 사박다니 하시니 이는 곧 나의 하나님, 나의 하나님, 어찌하여 나를 버리셨나이까 하는 뜻이라"(마 27 : 45, 46).

물론 여기서 유대 시간의 제 구시는 지금의 오후 3시를 가리키는 것이다. 온갖 모욕을 다 받으며 조롱당하던 나사렛 예수가 십자가에 달려 있을 때 갑자기 정오부터 온 땅에 어두움이 임하여 오후 3시까지 계속되었다. 그 때에 갑자기 예수께서는 캄캄해진 하늘을 향하여 비통한 음성으로 부르짖었다.

"나의 하나님, 나의 하나님, 어찌하여 나를 버리셨나이까?"

예수의 이 부르짖음을 마가와 마태는 '엘리 엘리 라마 사박다니'라는 아람어로 기록하고 이를 다시 헬라어로 번역했는데 이는 아마도 예수께서 평소에 아람어를 많이 사용하셨기 때문일 것이다. 이 대목은 비록 그것이 히브리어의 '엘로이 엘로이 라마 사박다니'와 발음이 조금 다르다 하더라도 시편 22편 1절과 관계가 있는 것은 틀림 없는 것 같다. 시편 22편은 모든 사람에게 버림받고 조롱당하는 아픔을 하나님께 호소한 다윗의 시인데 이는 다윗이 하나님의 감동을 받아 그리스도의 고난을 예고한 것으로 해석되고 있는 것이다.

"내 하나님이여, 내 하나님이여, 어찌 나를 버리셨나이까 어찌 나를 멀리하여 돕지 아니하옵시며 내 신음하는 소리를 듣지 아니하시나이까"(시 22 : 1).

"나를 보는 자는 다 비웃으며 입술을 삐죽이고 머리를 흔들며 말하되 저가 여호와께 의탁하니 구원하실걸, 저를 기뻐하시니 건지실 걸 하나이다"(시 22 : 7, 8).

이 무서운 고독 속의 부르짖음에 대하여 신학자 데일 (R.W.Dale)은 하나님께서 죄를 보실 수 없으므로(합 1 : 13) 우리들의 죄를 죄 없으신 인자 위에 두심으로 그 얼굴을 감추셨다고 했다. 오픈 성경의 주석에는 하나님께조차 버림받은 정신적 교통을 절규하신 것이며 예수님은 인류를 대신하여 죄를 짊어지셨고(고후 5 : 21) 저주를 받으셨기 때문에 (갈 3 : 13) 그와 같은 고통을 당하신 것이라고 되어 있다. 또 류형기의 단권주석에 보면 시편 22편의 말씀은 전체로 보아 절망의 부르짖음만이 아니므로 예수께서 고난 중에도 그 시를 기억하신 것은 그도 시인과 마찬가지로 절망감은 잠시뿐이라고 느끼셨으리라는 견해를 적고 있다.

그러나 무엇보다도 흥미 있는 것은 작가인 엔도 슈사쿠 (遠藤周作) 의 추리였다. 그의 소설 '예수의 생애'에서 작가의 추리는 가상칠언 (架上七言) 중의 두 마디, 즉 '엘리 엘리 라마 사박다니'와 '내 영혼을 아버지 손에 부탁하나이다' (눅 23 : 46) 사이에서 시작된다. 작가는 이 두 마디를 모두 시편에서 발견하였는데 앞의 것은 시편 22편 1절이요, 뒤의 것은 바로 시편 31절 5절에서 였다. 시편 22편에서 31편에 이르는 시편들은 모두 유대인들이 흔히 외우고 있는 기도문들이었다. 여기에서 엔도 슈사쿠의 작가적 추리는 비상하기 시작하는 것이다.

십자가에 처형을 당하는 사람은 그 고통이 너무나 심해서 마구 저주의 말을 쏟아놓는 것이 보통이었다. 그런데 예수의 제자들은 예수가 체포당할 때부터 모두 다 그를 버리고 도망쳤던 것이다. 그들은 숨어서 예수의 소식을 듣고 있었다. 그들이 이 때 가장 두려워 한 것은 십자가에 달린 예수의 노여움과 저주였다. 그러나 예수는 오히려 "아버지여 저희를 사하여 주옵소서, 자기의 하는 것을 알지 못함이니이다" (눅 23 : 34) 라는 용서의 기도를 드렸던 것이다. 그리고 예수는 여섯 시간 동안이나 십자가 위에서 심한 고통을 당하면서 혼탁한 의식 속에서도 시편 22편 이후의 기도문을 외우며 그를 버린 모든 사람을 사랑하려고 필사적인 노력을 계속했다. 그리하여 그의 기도가 마침내 시편 31편 5절에 이르렀을 때 그는 침묵하고 계신 하나님을 전폭적으로 신뢰하며 숨을 거두었다는 것이었다.

그의 문학적 추리는 과연 작가답게 감동적이어서 나도 역시 이 대목을 읽으며 몇번이고 눈물을 글썽거려야 했다. 정말 사도 요한이 고백했던 것처럼 예수의 일을 모두 다 기록한다면 이 세상이라도 그 기록된 책을 두기에 부족하다는 것을 다시 한번 실감할 수 있었던 것이다.

그러나 마태복음 27장 46절에 관한 이상의 견해들을 소개함으로 해서 내게 주어진 질문에 대한 충분한 답변이 될 수는 없었다. 그 형제의 질문은 다른 사람들이 아닌 바로 '나의' 견해를 묻고 있었기 때문이다.

### ② 골고다의 만남

그 후로 나는 몇 달 동안이나 이 문제를 놓고 깊이 생각했다. 새벽기도를 드릴 때마다 나는 골고다의 언덕을 찾아가서 그분께 질문했다.

"주여, 당신은 알고 계셨을 것입니다. 이사야가 예언했던대로 당신은 우리의 허물을 인하여 찔림을 당하고 우리의 죄악을 인하여 징계 받으실 것을 알고 계셨을 것입니다. 그런데 당신은… 무엇을 기대하고 계셨길래 어찌하여 나를 버리셨는가고 반문하셨던 것입니까?"

그러나 십자가 위의 그분은 아무 것도 가르쳐 주시지 않았다. 아무 말씀도 없이 침묵하고 계시었다. 나는 그러한 내용이 있음직한 책들을 이것 저것 뒤져가며 나를 일깨워 줄 만한 해석들을 찾아 보았다. 물론 많은 신앙의 선배들과 학자들이 모두 자기의 생각들을 적어놓았고 감동적인 깨달음들도 많았지만 나는 만족할 수가 없었다. 그것들은 모두 그들이 깨달은 것이거나 하나님께서 그들에게 주신 메시지이지, 나를 위하여 나에게 주신 가르침은 아니기 때문이었다.

나는 책에서 해결할 것을 단념하고 다시 성경으로 돌아왔다. 마태복음 27장 46절의 전후에는 하나님과 사람으로부터 버림받은 예수의 절망적인 상황만 계속되고 있었기 때문에 나는 엔도 슈사쿠처럼 시편 22편을 다시 읽기 시작했다. 그러다가 문뜩 나는 24절에서 눈을 멈추었다.

"그는 곤고한 자의 곤고를 멸시하거나 싫어하지 아니하시며, 그 얼굴을 저에게서 숨기지 아니하고 부르짖을 때에 들으셨도다…"

이것은 예수께서도 잘 알고 계시는 구절이었다. 그리고 아마도 이 구절은 예수 그분에게도 소망과 용기를 준 구절이었을 것이다. 하나님은 비록 그에게 모든 사람들의 죄를 감당시키게 하시려고 그를 나무에 달리게 하셨으나 결코 그 얼굴을 숨기지 아니하실 것이기 때문이었다.

그러므로 류형기 박사나 작가 엔도 슈사쿠도 하나님에 대한 그의 신뢰에 대해서 언급할 수가 있었던 것이다.

(그러나 과연 하나님께서는 그 얼굴을 돌리지 않으시고 이 역사의 클라이맥스를 지켜보고 계셨던 것일까?)

성경에는 제 육시, 즉 정오로부터 온 땅에 어두움이 임하여 제 구시까지 계속되었다고 기록되어 있다. 온 땅에 어두움이 임하였다는 것은 곧 하나님께서 그 얼굴을 돌리셨다는 것, 즉 외면하셨다는 것을 의미하는 것이다. 어떤 이는 이 대목에 대한 설명을 그 아들의 고통을 차마 볼 수 없으신 하나님께서 그 얼굴을 돌리신 것이라고 말하기도 한다. 그랬을런지도 모른다.

그러나 분명히 신명기 21장 23절에는

"나무에 달린 자는 하나님께 저주를 받았음이니라"

고 되어 있는 것이다. 차마 볼 수 없어서 얼굴을 돌리는 것은 저주가 아니다. 그것은 단호하고도 냉혹한 외면(外面)인 것이다.

예수께서는 온 땅에 어두움이 임하는 것과 함께 이 무서운 외면을 절감하고 계셨다. 곤고한 자에게서 얼굴을 돌리시지 않으리라는 하나님의 약속이 예수 자신에게는 해당되지 않았던 것이다. 이것은 어찌된 일인가? 하나님이 그 약속을 지키지 않으실 때도 있는가? 그렇지 않았다. 하나님은 그 약속을 지키지 않은 적이 한번도 없었다. 그렇다면 하나님은 누구를 향하여 외면하셨던 것일까? 나는 그런 생각을 하다가 갑자기 소스라치게 놀랐다.

(그렇다. 하나님께서 외면하실 대상이 있으시다면 그것은 오직 당신 자신이었을 것이다!)

하나님은 사랑이시기 때문에 (요일 4 : 8) 결코 곤고한 자에게서 얼굴을 돌리실 수 없다. 그가 얼굴을 돌리셨다면 그것은 오직 자신에게였을 것이다. 그런데 하나님께서는 십자가 위에서 부르짖는 예수로부터 단호하게, 그리고 냉혹하게 얼굴을 돌리셨다. 그것은 바로 그의 아들인 예수 그분이 당신 자신이기 때문이었다!

나는 여기까지 생각을 몰아가면서 식은 땀을 흘리고 있었다. 그 처절한 고독, 그 흑암의 절망, 그것은 바로 하나님 자신이 감당하신 것이었다. 그 무서운 어둠 속에서 사람의 아들 예수는 하나님으로서의 자기를 증명하고 있었던 것이다. 예수가 이 흑암의 비밀 속으로 진입하기 전에 부르짖었던 엘리 엘리 라마 사박다니, 그것은 바로 예수 그리스도의 인성(人性)과 신성(神性)이 일치하는 역사적 사건이 일어난 놀라운 카이로스의 언덕이었던 것이다.

이 엄청난 발견으로도 아직 내 이야기는 끝나지 않는다. 1989년 6월 9일, 대우 중앙연수원의 생활관에서 잠들어 있던 나는 누가 흔들어 깨우는 것 같은 느낌을 받으며 눈을 떴다. 새벽 5시, 기도할 시간이었다. 나는 곧 기도하기 위하여 일어나 앉았으나 자꾸만 머리가 가려워서 견딜 수가 없었다. 나는 샤워실로 가서 샤워를 한 다음 다시 방으로 돌아와 기도를 하기 위하여 방바닥에 꿇어앉았는데 아스타일 바닥이 너무 딱딱한 것 같아서 침대 위로 올라가 꿇어앉았다. 그리고 눈을 감자마자 내 입에서 기도소리가 흘러나오면서 어느새 눈에서는 걷잡을 수 없이 눈물이 흐르기 시작했다.

"엘리 엘리 라마 사박다니"

당신이 딱딱하고 험한 십자가에 달려 계실 때 나는 부드러운 침상 위에 꿇어앉았나이다

당신이 캄캄한 성문 밖에 외로히 달려 계실 때 나는 낮은 지붕에 안온한 벽 안에서 기도하나이다

당신이 모든 것 벗기우고 부끄러움 당하실 때 나는 가릴 것 가리우고

당신 앞에 나왔나이다

당신이 온 몸을 다 찔리우시고 찢기시어 신음하실 때 나는 험한 세상 길이 힘겨워 당신 앞에 호소하나이다

당신이 물과 피를 다 쏟으시며 목 마르다 하실때 나는 세상의 고초에 지쳐서 당신 앞에 눈물 짓나이다

당신이 하나님과 사람들로부터 모두 버림받으실 때 나는 오직 당신의 아픔에 의지하여 위로를 바라나이다

이제야 나는 압니다 엘리 엘리 라마 사박다니 당신의 절망이 없었으면 부활도 없었다는 것을

이제야 나는 압니다 그 무서운 어두움 속으로부터 당시의 피맺힌 음성이 이르러 나를 살리셨음을.

# 다락방
# 사건의 진상

어째서 성령의 폭발은 방언으로부터
시작되었던 것일까? 나는 방언을 못받고
있었기 때문에 방언의 은사를 주십사고
오랫동안 기도하였지만 응답을 받지 못하였다.
도대체 방언(方言)이란 무엇인가? 왜
다락방의 사건 때 방언이
먼저 나타났던 것인가?

# 다락방 사건의 진상

### ① 오순절의 대 폭발

물리학자들의 관측에 의하면 우주는 팽창하고 있다고 말한다. 그래서 지금도 은하계에 있는 별들 사이의 거리는 계속해서 멀어지고 있다는 것이다. 이러한 팽창의 현상으로부터 물리학자들은 우주의 처음이 대폭발(Big Bang)로 시작되었다는 이론을 도출해 내었다. 그들이 약 180억년 전에 있었던 것으로 추정하는 이 대폭발과 함께 시간과 공간이 나타나고 우주에는 질서가 나타나기 시작했다는 것이었다.

우주에 질서가 나타나면서 다른 한편에는 엔트로피(無秩序)가 증가하고 마침내 팽창이 정지되는 열평형 상태가 되면 우주는 열사망(熱死亡 ; Black Hole)에 이르게 된다고 한다. 결국 물리학이 논증하고 있는 '우주의 일생'은 그 대폭발에서 시작하여 거기서 탄생한 질서를 무질서의 증가 속에서 양육하다가 그 무질서 때문에 사망한다는 것이다. 그러나 당초에 대폭발을 계획했던 그 의지(意志)는 어디서 온 것이며 그 의지에 의하여 양육된 '질서'는 어디로 가는 것인지 물리학자들은 아직도 밝혀내지 못하고 있다.

"천지는 없어지려니와 주(主)는 영존하시겠고, 그것들은 다 옷같이 낡으리니 의복같이 바꾸시면 바꾸려니와 주는 여상(如常)하시고 주의 년대는 무궁하리이다"(시 102 : 26, 27) .

  홍수 이후에 아브라함을 길러내시고 애굽에서 히브리 백성들을 이끌어내시듯 하나님은 우주 (天地) 가운데서 그의 필요한 것들을 길러내시고 그 '양육'이 끝나면 천지는 모세를 담았던 바구니처럼 버려지게 될 것이다.

  하나님께서는 창세기 1장에서 일어난 우주의 대폭발 이후 또 하나의 대폭발을 준비하고 계셨다. 그것은 바로 바구니가 아닌, 그가 원하시는 것의 양육을 위한 대폭발이었던 것이다. 하나님께서는 이 역사적 대폭발의 장소로 예루살렘에 있는 한 과부의 집 다락방을 택하시고, 폭발의 불씨가 되기 위하여 이 땅에 오신 예수 그리스도가 부활의 첫 열매가 되신지 49일째 되는 날을 그 D데이로 잡으셨다.

  "오순절 날이 이미 이르매 저희가 다같이 한 곳에 모였더니 홀연히 하늘로부터 급하고 강한 바람같은 소리가 있어 저희 앉은 온 집에 가득하며 불의 혀같이 갈라지는 것이 저희에게 보여 각 사람 위에 임하여 있더니 저희가 다 성령의 충만함을 받고 성령이 말하게 하심을 따라 다른 방언 (方言)으로 말하기를 시작하니라"(행 2 : 1~4) .

  이 사건은 이미 다락방의 D데이가 임하기 8백년 전부터 선지자 요엘에 의해서 예고되었던 것이었다.

  "그 후에 내가 내 신을 만민에게 부어주리니 너희 자녀들이 장래 일을 말할 것이며 너희 늙은이는 꿈을 꾸며 너희 젊은이는 이상을 볼 것이며"(욜 2 : 28) .

  성령은 시간과 공간의 안팎을 드나들며 무소부재 (無所不在)로 활동하시나 주 (主)께서 시간과 공간의 광추면 (光錘面) 안에 성령으로 잉태되어 육신으로 들어와 계시므로 그 동안은 성령도 갇혀 있었다. 그러나 그 주께서 '한알의 밀알'이 되어 첫 열매를 이루시고 승천하자 마침내 성령의 대폭발은 일어난 것이었다.

  이 대폭발의 기세는 엄청난 것이었다. 베드로의 설교를 듣고 3천명이 세례를 받았고 (행 2 : 41) 미문 (美門)의 앉은뱅이가 일어서는 것을 보고 5천명이 예수를 믿었다(행 4 : 4). 이 뿐만이 아니었다. 베드로는 가이사랴 지방에 주둔하고 있던 이달리아 대(隊)의 장교 고넬료에게 세례를 줌으로써 로마선교의 기틀을 닦았고 집사 빌립은 에디오피아 여왕의 내시에게 세례를 베풀어서 아프리카에 복음을 심기 시작했으며 예수의 추종자들을 잡으러 다메섹으로 가다가 예수의 음성을 듣고 거꾸러진 바울은 소아시아 지방과 헬라에 이르기까지 뛰어다니며 교회를 개척하였다. 마침내 예수의 복음은 AD 313년 로마를 정복하였고 로마가 닦아놓은 도로를 따라 전 세계로 퍼져나갔다. 실로 무서운 대폭발이었던 것이다.

그러나 하나님께서 이 대폭발 가운데 그의 새 질서, 즉 '원하시는 자녀'를 길러내시는 동안 마치 금을 정련할 때 나오는 쨋더미처럼 무질서는 증가되고 마침내 바구니(天地)가 버려질 날은 다가오는 것이다. 거역하는 자들의 탐욕과 범죄, 하늘의 공해와 땅의 오염으로 지구가 쓰레기통 속에 들어가는 날이 다가오고 있는 것이다.

"또 내가 위로 하늘에서는 기사(奇事)와 아래로 땅에서는 징조를 베풀리니 곧 피와 불과 연기로다 주의 크고 영화로운 날이 이르기 전에 해가 변하여 어두워지고 달이 변하여 피가 되리라"(행 2 : 19, 20).

실로 예루살렘의 한 다락방을 지정하여 계획하신 하나님의 대역사는 놀라운 것이었다. 그 작은 다락방이야말로 인류의 역사가 다시 새롭게 시작되는 시발점이었던 것이다.

그러나 이 엄청난 다락방의 사건에 압도되면서도 내게는 하나의 의문이 생기고 있었다.

(…어째서 성령의 폭발은 방언으로부터 시작되었던 것일까?)

그것은 사실 내게 있어서 하나의 불만이기도 하였다. 내 아내도 나보다 먼저 방언을 받았고 심지어는 내가 교회에서 지도하고 있던 청년부의 회장, 부회장도 방언을 하는데 나는 아직도 방언을 못받고 있었기 때문이었다.

　물론 사도 바울은 고린도전서 12장에서 성령의 나눠주심을 따라 말씀의 은사, 믿음의 은사, 병 고치는 은사, 능력 행함과 예언과 영 분별과 방언, 통역의 은사를 받는다고 기록하였다. 그러나 나는 통성 기도 시간마다 방언으로 기도하는 사람들을 보면 부러웠고 때로는 답답하였다. 더구나 방언은 바로 저 역사적인 대폭발 사건 때 120문도에게 나타났던 최초의 은사가 아니었던가?

　그래서 나는 이 방언의 은사를 주십사고 오랫동안 기도하였지만 응답을 받지 못하였다. 도대체 방언 (方言)이란 무엇인가? 왜 다락방의 사건 때 방언이 먼저 나타났던 것인가?

## ② 방언을 찾아서

　나는 우선 성경에서 '방언'이라는 말이 어디에서 처음 나오는가를 찾아보았다. 그것은 곧 찾을 수 있었다. 홍수가 끝난 후 노아의 세 아들 셈, 함, 야벳과 그 자녀들은 각각 흩어져서 살게 되었는데 셈의 후손들은 주로 산지에서, 함의 후손들은 주로 들판에서 살았으며 야벳의 자손들은 바닷가로 밀려나가 살았다. 창세기 10장에는 그 후손들의 계보가 나오고 있는데 거기 방언이라는 말이 나오고 있다.

　"이들로부터 여러 나라 백성으로 나뉘어서 각기 방언과 종족과 나라대로 바닷가의 땅에 머물렀더라" (창 10 : 5).

　이 때의 방언은 '레쇼노탐' (원형은 라숀)으로 되어 있는데 영어로는 혀 (Tongue)로 번역되고 있었다.

　(방언이 혀로 번역된다?)

　나는 얼핏 생각나는 것이 있어서 창세기의 다음 장을 들여다보았다. 사람들이 자기들의 이름을 내세우기 위하여 하늘에까지 닿을 수 있는 탑을 쌓자고 하는 것을 보시고 하나님께서는 사람들의 언어를 혼잡케 하시어서 그 탑 쌓는 것을 못하게 하시었다. 이 때의 '언어'는 '샤파트' (원형은 샤파) 영어로는 그대로 언어 (Language)였다.

　(그렇다면…본래 인류가 사용하던 언어는 바벨탑의 반역 때문에

징계를 받아서 혀가 꼬부라진 것이다!)

그러고 보니 사도행전 2장 4절에 나타난 다락방의 방언도 헬라어로 '글로사이' 즉 혀(Toungue)였다.

(혀에서…다시 혀로…)

흔히들 방언을 받은 사람들은 혀가 꼬부라지는 것을 느껴다고 말하는 것을 나는 여러번 듣고 있었다.

(그렇다면…방언을 말한다는 것은 바로 창세기 11장에서 받았던 언어의 징계로부터 풀려난 것을 의미하는 것은 아닐까?)

그렇다. 바벨탑을 쌓고 있던 사람들의 언어를 혼잡케 하였던 것은 그들의 반역에 대한 징계(懲戒)였다. 사람의 범죄에 대한 징계는 저 선악과의 사건 이후로 계속해서 사람을 따라다니고 있었다. 그러나 나는 이 징계들 속에서 하나님의 줄기찬 집념을 발견하고 있었다. 즉 끊임없이 번져가는 죄악 속에서 그의 자녀들을 구출해내고 계획대로 양육해내려는 하나님의 징계 속에는 그의 사랑이 불타고 있었다. 해산의 고통으로 인류사의 종말을 연장시켰고 노동의 수고 속에서 인간의 건강을 지키도록 했으며 가시와 엉겅퀴를 장치하셔서 인생의 탐욕에 제동을 걸었던 것이다.

언어를 혼잡케 한 징계도 마찬가지였다. 모든 족속의 언어를 혼잡케 했을 때 그들이 갈라진 문화 속에서 하나님과 더욱 멀어질 위험이 있는데도 불구하고 그 조치를 결행하신 것은 인류의 급속한 자멸을 지연시키기 위한 긴급 조치였던 것이다.

이로 인하여 하나님도 아픔을 당하셨지만 인류가 겪은 슬픔도 대단한 것이었다. 인생이 겪는 슬픔 중에서도 가장 큰 것은 바로 '언어의 단절'일 것이다. 이것은 곧 인간관계의 단절, 사랑의 단절로 이어졌고 인간은 고독, 소외, 불안의 고통에 빠지게 되었다. 어른과 아이 사이에, 아버지와 아들 사이에, 남편과 아내 사이에 존재하는 단절의 막힌 담으로 인하여 세상은 눈물과 한숨의 골짜기로 변해버렸던 것이다.

그런데 예루살렘 다락방의 대폭발은 바로 그 단절의 담을 폭파하고 인간을 단절의 고통에서 해방시킨 것이었다. 그들의 방언으로 엘람, 유대, 아랍 등 셈의 자손들과 애굽, 구레네, 리비아 등 함의 후손들 그리고 마대, 밤빌리아, 로마 등 야벳의 후예들이 함께 들을 수 있는 기적을 체험했던 것이다.

그것은 바로 세 형제가 막힌 담을 허물고 다정했던 '방주의 추억'으로 돌아가는 감격이었다.

"…우리가 다 우리의 각 방언으로 하나님의 큰 일을 말함을 듣는도다"(행 2 : 11).

창세기 11장에서 형벌받았던 인생의 혀가 예수 그리스도의 십자가로 말미암아 사도행전 2장에서 풀려난 것이었다. 이것은 곧 하나님의 새 질서, 천국 공동체의 탄생을 알리는 여명이었다. 이것이 곧 예수의 부활로 비롯된 인간부활의 증언이었던 것이다.

"하나님이 사망의 고통에서 풀어 살리셨으니 이는 그가 사망에 매여 있을 수 없었음이라"(행 2 : 24).

그러므로 구원이란 바로 주 예수의 이름으로 세례를 받고 단절된 폐쇄와 자기의 막힌 담으로부터 뛰쳐나오는 것이다.

"…믿는 사람이 다 함께 있어 모든 물건을 서로 통용하고 또 재산과 소유를 팔아 각 사람의 필요를 따라 나눠주고 날마다 마음을 같이하여 성전에 모이기를 힘쓰고 집에서 떡을 떼며 기쁨과 순전한 마음으로 음식을 먹고 하나님을 찬미하며 또 온 백성에게 칭송을 받으니 주께서 구원받는 사람을 날마다 더하게 하시니라"(행 2 : 44~47).

그것이 바로 천국 공동체였다. 천국 공동체란 투쟁하고 쟁취하는 것이 아니라 바로 단절과 자기 주장으로부터 벗어난 그리스도의 사랑을 통해 바벨탑 이전의 '언어'를 되찾는 것이다.

다락방 사건의 추적으로 인하여 노아의 방주에 이르기까지 탐험한 나는 결국 그렇게도 끈질기게 바라던 방언의 은사를 받았다. 실로 그 소원을 두고 기도를 시작한지 5년만인 1986년 5월 3일 새벽이었다.

# 사랑이 없으면

고린도전서 13장은 많이 외우고
좋아하는 장이다. 그러나 13장에서
가졌던 의문 중의 하나는
'왜 사랑이 제일인가'하는 것이었다.
'아가페'인지 '에로스'인지도 모르고
좋아했는데 '믿음', '소망'이란 말과 함께
놓고 들여다보니 이상하다는
생각이 들었다.

# 사랑이 없으면

## ① 왜 사랑이 제일인가?

그리스도인들에게 성경 중에서 어느 장을 제일 좋아하느냐고 물으면 흔히 세상의 풍상을 다 겪은 어른들은 시편 23편을 말하고 아직 감성적인 나이의 젊은이들은 고린도전서 13장을 꼽는다. 특히 고린도전서 13장은 정두영 (鄭斗泳) 목사께서 곡을 붙인 노래가 많은 젊은이들 가운데서 애창되기 시작한 이후로 그리스도인이 아닌 사람들에게까지도 유명하게 되었다.

이 노래는 나와도 꽤 인연이 있는 셈인데 내가 소설 '땅끝에서 오다'로 제2회 기독교 문화상을 받았을 때 정 목사님도 음악부문에서 그 '사랑'으로 함께 그 상을 수상했기 때문이다. 그 기독교 문화상의 수상식 날 나는 정 목사님과 또 하나의 인연이 있다는 것을 알게 되었는데 그것은 식장에서 만난 피아니스트 한정강 (韓正江) 씨와의 해후 때문이었다. 그녀는 바로 내가 중학생이었던 때 경동감리교회에 함께 다니던 여학생이었다. 그 때나 지금이나 예배시간에 앞에나가 피아노 반주를 하는 여학생은 남학생들에게 동경의 대상이 되게 마련인데 그 당시 나도 그런 남학생들 중의 하나였던 것이다.

비록 중년이 되어서 다시 만났지만 나는 몹시 반가와서 어떻게 여기왔느냐고 물었더니 바로 정 목사님이 자신의 부군이라는 것이었다. 중학생 때에는 몹시 깡마른 소녀였었는데 부잣집 마나님처럼 풍만해진 것을 보니 시집을 잘갔기 때문인 것 같다고 농담을 하며 우리는 주님 안에서의 해후를 기뻐했던 것이다.

어쨌든 이 고린도전서 13장은 나 자신도 어렸을 때부터 많이 외우고 좋아하고 했던 부분이지만 세상으로 돌아다니다가 나중에 다시 주님께로 돌아온 이후로도 내게 많은 것을 새롭게 가르치고 깨우쳐 준 귀중한 안내서가 되었던 것이다.

내가 다시 주님께로 돌아와 성경을 읽기 시작했을 때 고린도전서 13장에서 가졌던 의문 중의 하나는 '왜 사랑이 제일인가'하는 것이었다. 어렸을 때에는 그저 '사랑'이라는 말의 어감이 좋아서 그것이 '아가페'인지 '에로스'인지도 모르고 무작정 좋아 했었는데 이제 겨우 그 사랑이란 어휘를 '믿음''소망'이란 말과 함께 놓고 생각할 수 있는 나이가 되어 다시 들여다보니 그 대목에서 좀 이상하다는 생각이 들었던 것이다.

"그런즉 믿음, 소망, 사랑, 이 세가지는 항상 있을 것인데 그 중의 제일은 사랑이라"(고전 13 : 13).

바울이 그의 서신들 중에서 특히 몇번씩이나 강조했던 것은 곧 '믿음으로 구원받는다'는 명제였다. 그는 특히 할례의 문제가 대두되었던 갈라디아 교회들에게 쓴 편지에서 격한 음성으로 이것을 역설하였다.

"내가 너희에게 다만 이것을 알려 하노니 너희가 성령을 받은 것은 율법의 행위로냐 듣고 믿음으로냐"(갈 3 : 2).

"또 하나님 앞에서 아무나 율법으로 말미암아 의롭게 되지 못할 것이 분명하니 이는 의인이 믿음으로 살리라 하였음이니라"(갈 3 : 1).

이러한 바울의 구원론은 후일 그가 에베소에서 예수의 복음을 3년 동안이나 깊이 상고한 뒤 다시 아가야 지방으로 갔다가 로마 교회에 보낸 편지에도 여전히 강조되고 있다.

"복음에는 하나님의 의가 나타나서 믿음으로 믿음에 이르게 하나니 기록된바 오직 의인은 믿음으로 말미암아 살리라 함과 같으니라"
(롬 1 : 17).

이렇게 바울은 입을 열어 말할 때마다 믿음으로써 구원받는다고 강
조했는데 어째서 사랑이 제일이라고 했는지 궁금하지 않을 수 없었
다. 예수께서도 병들고 가난한 갈릴리 사람들과 만나실 때 늘 믿음을
강조하셨다.

"예수께서 이르시되 할 수 있거든이 무슨 말이냐 믿는 자에게는 능
치 못할 일이 없느니라"(막 9 : 23).

"나는 부활이요 생명이니 나를 믿는 자는 죽어도 살겠고 무릇 살아
서 나를 믿는 자는 영원히 죽지 아니하리니 이것을 네가 믿느냐"(요
11 : 25, 26).

예수께서는 물론 '믿음'만 강조하신 것이 아니라 '사랑'도 말씀하셨
다. 나는 다시 '사랑'에 대한 그의 말씀도 찾아 보았다. 예수께서는
한 예루살렘의 율법사가 그를 시험하기 위해서 율법 중에 어느 계명
이 크냐고 물었을 때 사랑의 계명에 대해서 말씀하셨다.

"예수께서 가라사대 네 마음을 다하고 목숨을 다 하고 뜻을 다 하
여 주 너의 하나님을 사랑하라 하셨으니 이것이 첫째되는 계명이요
둘째는 그와 같으니 네 이웃을 네 몸과 같이 사랑하라 하셨으니 이 두
계명이 온 율법과 선지자의 강령이니라"(마 22 : 37~40).

"새 계명을 너희에게 주노니 서로 사랑하라 내가 너희를 사랑한 것
같이 너희도 서로 사랑하라"(요 13 : 34).

결국 나는 믿음과 사랑 사이에서 갈팡질팡 하다가 두가지 모두 다
필요한 것인데 경우에 따라서 어느 한쪽이 더 강조된 것이려니 생각
하는 수밖에 없었다. 그러던 중 나는 교회의 어른들과 함께 난생 처
음 기도원이라는 데를 따라갔다가 중요한 내용의 설교를 듣게 되었
다.

## ② 구원받았습니까?

그 날의 설교는 데살로니가전서 5장 23절을 토대로 한 것이었다.

"평강의 하나님이 친히 너희로 온전히 거룩하게 하시고 또 너희 온 영 (靈)과 혼 (魂)과 몸이 우리 주 예수 그리스도 강림하실 때에 흠없게 보전되기를 원하노라"

대개 예수를 믿는 그리스도인들도 사람의 구성요소에 대해서 이야기할 때에는 흔히 영혼과 육체로 구분하여 말하는데 바울은 여기서 영 (spirit), 혼 (soul), 몸 (body)의 세 요소로 구분하고 있었던 것이다.

본래 하나님께서 만물을 창조하실 때에 모든 생물에게 혼과 몸을 주시었으므로 모든 생물이 다 혼과 몸을 가지고 있으나 사람이 다른 생물과 다른 점은 바로 하나님께서 그 코에 생기를 불어넣으실 때 영을 받았다는 것이었다. 그래서 창세기는 사람을 생령 (living soul)이 되었다고 기록한 것이다. 다른 생물들도 다 혼을 가지고 있으나 그들의 혼은 영이 없기 때문에 죽은 영 (dead soul)이라고 말한다. 혼이란 바로 이성 (理性), 감정 (感情), 의지 (意志)를 말하는 것으로 짐승도 모두 이것을 지니고 있다. 가령 개에게도 주인과 도둑을 구별하는 이성, 기쁠 때에 꼬리치는 감정, 그리고 가기 싫은 곳에 가지 않으려고 버티는 의지가 있는 것이다. 그러나 영이 살아 있지 않으면 그 혼은 죽은 영이라고 말한다.

"다 흙으로 말미암았으므로 다 흙으로 돌아가나니 다 한 곳으로 가거니와 인생의 혼은 위로 올라가고 짐승의 혼은 아래 곧 땅으로 내려가는 줄을 누가 알랴" (전 3 : 20, 21).

그래서 바벨론 왕 느부갓네살은 자기의 능력과 권세로 세운 바벨론 제국을 자랑하다가 들로 쫓겨나서 소처럼 풀을 먹으며 일곱 때를 지냈던 것이다 (단 4 : 28~34). 그래서 사람들은 하나님을 모르는 일본 사람들을 경제적 동물 (economic animal)이라고 부르며 성경은 마지막 때에 세계를 다스릴 적그리스도를 '짐승'이라고 부르는 것이다 (계 13 : 15) .

결국 사람이 영과 혼과 몸으로 구성되어 있다면 사람은 이 세가지 모두가 '온전히 거룩하게 되고' '흠 없이 보전되어야만' 주 예수 그리스도의 강림하실 때에 구원을 받을 수 있다는 것이었다. 그렇다면 우리의 구원을 확인하기 위해서는 역시 영과 혼과 몸의 구원에 대해서 모두 점검해 두지 않으면 안될 것 같았다.

우선 영은 사람을 흙으로부터 지으실 때 하나님께서 주신 것으로 아담과 하와가 범죄하여 하나님께로부터 멀어지면서 점점 빈사상태에 이르게 되었고 사람은 짐승처럼 살게 되었던 것이다. 이 메마른 빈사의 영이 살려면 성령을 받아야 하는데 이는 믿음으로 받는 것이었다.

"나를 믿는 자는 성경에 이름과 같이 그 배에서 생수의 강이 흘러 나리라 하시니 이는 그를 믿는 자들의 받을 성령을 가리켜 말씀하신 것이라" (요 7 : 38, 39) .

그러므로 우리의 영은 성령을 받아 예수 그리스도께서 주신 보혈의 능력을 믿고 그를 구주로 시인함으로써 구원받는 것이며 예수를 믿는 그리스도인들에게는 과거적인 구원이다. 흔히들 이것을 갖고 '구원받았습니까 ?' 하고 물어보는 것이다.

그러나 우리에게는 두가지의 구원이 더 남아 있다. 그것이 곧 혼의 구원과 몸의 구원인데 먼저 '몸'은 예수께서 재림하시는 날에 변화되어 들림받음으로써 구원받는다 (고전 15 : 15~52) . 그래서 몸의 구원은 '소망'으로써 구원 받는 것이며 미래적인 구원인 것이다.

그러나 가장 어려운 것이 '혼'의 구원인 것이다. 이 혼이야말로 사탄이 우는 사자처럼 으르렁거리며 삼킬 기회를 찾는 대상이며 사탄이 하와를 유혹할 때에 '결코 죽지 아니하리라'했던 것도 바로 이 혼 (魂)이었다. 비록 영의 구원을 받은 자라 하더라도 혼에 대한 사탄의 유혹은 계속되며 심지어 사탄은 감히 하나님의 아들이신 예수 그리스도까지 유혹했던 것이다.

그러므로 사탄으로부터 우리의 혼을 지키려는 싸움은 주님 앞에 설 때까지 계속된다. 그렇다면 이 싸움에서 우리를 지킬 수 있는 무기는 무엇인가? 사탄이 하나님께 반역하기 전 천사장으로 있을 때에 그는 피조물을 관리하기 위해서 하나님으로부터 온갖 능력을 다 받았다. 그는 죄를 다스리는 권한과 지혜를 받았을 뿐만 아니라 미모와 재능까지도 갖추어 받았다. 그러므로 인간은 그 무엇으로도 사탄에게 대항할 수 없는 것이었다.

그런데 오직 한가지, 하나님께서 사탄에게 주지 않은 것이 있었다. 그것이 곧 '사랑'이었던 것이다. 우리가 사탄의 유혹을 물리칠 수 있는 것은 오직 이 사랑의 무기뿐이다. 위로는 마음과 뜻과 성품을 다하여 하나님을 사랑하고 내 몸처럼 이웃을 사랑하는 자만이 마지막까지 사탄의 유혹을 물리치고 승리할 수 있는 것이다. 그러므로 영은 이미 예수를 믿음으로써 구원받았고 몸은 장차 소망으로 구원받을 것이니 지금 우리에게 가장 귀중한 무기는 사랑이라고 바울은 말한 것이었다. 그것은 곧 아낌 없이 주는 것이요, 아픔이고 수고였다.

"너희의 믿음의 역사 (役事) 와 사랑의 수고 (受苦) 와 우리 주 예수 그리스도에 대한 소망의 인내 (忍耐) 를 우리 하나님아버지 앞에서 쉬지 않고 기억함이니…" (살전 1 : 3).

이 모든 것을 이해하게 된 후에 내가 소설 '땅끝에서 오다'를 써서 좀 이름이 알려지게 되자 나와 내 아내에게는 여러 이단교파의 유혹자들이 접근해왔는데 그 중에서도 '구원파'에 속한 자들의 수법은 "구원 받았습니까?" "어디서 구원받았습니까?" 하는 식의 질문을 퍼부어서 상대를 당황하게 하는 것이었다. 그러나 우리에게는 이미 그 따위 속임수 질문에 대응할 대답이 준비되어 있었다.

"우리의 영은 예수 그리스도를 믿음으로써 구원받았습니다. 우리의 혼은 성령께서 주신 사랑의 능력으로 구원 받고 있으며 우리의 몸은 부활의 소망으로 주님께서 재림하시는 날에 구원 받을 것입니다. 영과 혼과 몸이 온전히 구원받기 전에 구원받았다고 장담하는 것은 교만이며 우리의 영적싸움을 무산시키려는 사탄의 속임수입니다."

우리에게 무엇보다도 사랑이 더 소중하다는 이유는 또 하나가 있었다. 주님께서 오셔서 우리를 데리고 가실 그 곳에서는 오직 '사랑'만이 남을 것이기 때문이었다. 우리가 모두 승리하여 그곳에 이르렀을 때 이미 믿음은 이루었고 소망도 이루어졌으니 오직 천국에는 사랑만이 남아 있을 것이기 때문이다. 그러고보면 거의 모든 이단교파들의 특징은 바로 그들에게 유혹은 있어도 '사랑'이 없다는 것이었다. 그들이 아무리 극단적인 종말론으로 사람을 유혹하여도 사랑이 없으면 울리는 꽹과리에 지나지 않을 것이며 우리는 천국에서 그들의 모습을 찾아볼 수 없을 것이다. 믿음, 소망, 사랑, 이 세가지는 항상 있을 것이나 그 중의 제일은 사랑이기 때문이다.

# 루스드라의
# 이변

어째서 바울은 디모데에게 할례를
행했던 것일까? 누가는 이 일을
'유대인을 인하여'라고 애매하게
기록하고 있다. 주님의 제자들에게도
서슴지 않고 대들었던 바울이
유대인들을 두려워하여 자기 손으로
할례를 행했단 말인가?

# 루스드라의 이변

## ① 칭찬받는 자 디모데

안디옥 교회의 열정적인 교사이며 전도대의 선봉장이었던 바울이 갈라디아 지방의 여러 성읍에 그리스도의 교회들을 개척하고 1차 전도여행에서 돌아온 것은 AD 49년경이었다. 예루살렘의 박해를 피해 흩어졌던 그리스도인들이 세운 안디옥 교회가 차츰 복음의 기지로서 정착되고 갈라디아 지방에 새로운 교회들이 늘어나기 시작하던 그즈음에 신앙의 선구자들이었던 유대출신 교우들 중의 일부가 갑자기 엉뚱한 말썽을 일으키기 시작하였다.

그들은 갑자기 유대의 율법을 들고 나와서 이방인 출신 교우들이 할례를 받아야 한다고 주장하였고 유대인들과 이방인들은 함께 식사를 하면 안되며 이방인들은 우상의 제물 먹는 것과 음행을 금해야 한다고 주장하였다.

유대로부터 헤롯의 박해를 피해 떠나온 이 신앙의 선구자들은 갑작스러운 교회의 팽창과 새로운 물결의 홍수에 불안을 느꼈던 것이다. 그들은 교회가 성장하기 시작하자 서로 물건을 통용하며 오손도손 살아왔던 신앙공동체가 붕괴될 것을 염려하였고 사도들의 관심이 이방전도 쪽으로 기울자 자신들의 비중이 줄고 있는 것 같은 소외감을 갖기 시작했던 것이다. 그러한 선배 교우들의 불안과 불만이 바로 이방인 구박으로 나타나기 시작했다. 예수께서 들려주신 '돌아온 탕자'의 비유 속에서 나오는 맏아들의 불만이 현실로 나타났던 것이다.

이러한 선배들의 불만은 이방인에 대한 교리적 비난에서부터 시작되었다. 신입교우들인 이방인들 중에 아직도 풍속적 음행에 관련된 자들이 더러 있다는 것은 그들에게 최대의 약점이었다. 유대 출신 교우들은 이 약점을 기화로 삼아 제물이라든가 목매어 죽인 고기를 먹는 문제에서 시작하여 결국은 그들이 할례를 받아야 한다고 주장하기에 이르렀고 그렇게 하더라도 함께 식사 할 수는 없다고 치명적 차별을 그어 놓았던 것이다. 그것은 바로 초대교회 예배의 중요한 부분인 성찬과 애찬을 차별하려는 책략이었다.

유대 출신 선배 교우들이 이방 출신 교우들에게 이토록 심한 구박과 냉대를 드러내자 누구보다도 분노한 것은 바로 갈라디아 교회들을 고난 가운데 개척했던 바울이었다. 바울의 그러한 분노는 엉뚱하게도 예루살렘에서 탈옥하여 안디옥에 도착하였던 베드로에게 터져 버린 것이었다.

베드로는 안디옥에 도착하기 이전부터 유대 출신교우들이 일으키고 있는 말썽에 대해서 이미 듣고 있었다. 그러나 그는 이미 욥바에 있을 때에 하나님의 계시를 받고 가이사랴 주둔군인 이달리야 부대의 백부장 고넬료에게 세례를 준 적이 있기 때문에 유대 출신 교우들이 일으키고 있는 말썽에 대해서 모른 체 하며 헬라인들과 함께 섞여서 식사를 하고 있었다. 바로 그 때 안디옥 교회에 일어난 말썽을 조사하기 위해서 예루살렘 교회가 파견한 조사단이 도착하였다.

예루살렘 교회의 조사단이 도착하자 베드로는 당황하였다. 그는 우선 주님의 수제자요 그리스도인의 최고 지도자로 알려져 있는 자신이 이 분쟁에 휘말리는 것에 대해서 겁을 내었던 것이다. 더구나 지금 예루살렘 교회를 치리하고 있는 감독은 주님의 아우인 야고보였다. 당황한 베드로는 슬그머니 식사 자리에서 일어섰고 그를 따라서 유대인들이 우루루 일어섰으며 바울의 동역자였던 바나바도 어물어

물 일어섰다. 바로 그 때 바울의 벽력같은 호통이 베드로를 향하여 터졌던 것이다.

"네가 유대인으로서 이방을 좇고 유대인답게 살지 아니하면서 어찌하여 이방인을 유대인처럼 살게 하려는가"(갈 2 : 14).

바울의 분노는 이에서 멈추지 않았다. 그는 즉시 갈라디아 교회들에게 편지를 써서 유대인 교우들의 부당함을 밝히는 한편 이 문제를 예루살렘 총회에 정식으로 제소한 것이었다.

"육체를 따라 난 자(이스마엘)가 성령을 따라 난 자(이삭)를 핍박한 것 같이 이제도 그러하도다"(갈 4 : 29).

"율법 안에서 의롭다 함을 얻으려 하는 너희는 그리스도에게 끊어지고 은혜에서 떨어진 자로다 우리가 성령으로 믿음을 좇아 의의 소망을 기다리노니 그리스도 예수 안에서는 할례나 무할례가 효력이 없되 사랑으로써 역사하는 믿음 뿐이니라"(갈 5 : 4 6).

이 교회의 분쟁사건은 어떠한 탄압이나 핍박보다 더 무서운 초대교회 최대의 위기였다.

마침내 예루살렘에서 초대교회 최초의 대규모 총회가 열렸다. 이 총회에서는 베드로가 이방인에게도 하나님께서 성령을 주셨음을 들어서 그들에게 율법의 멍에를 씌우는 것이 옳지 않다고 증언함으로써 이방인들이 별도로 할례받을 필요가 없음을 확인했다. 다만 예루살렘 교회의 대표이며 주님의 아우인 야고보는 유대인들이 자존심을 상하게 되지 않을까 염려하여 지혜로운 절충안을 제출했는데 즉 우상의 제물 먹는 것만은 삼가고 믿는 자들이 음행에 빠지지 않도록 단속하자는 것이 그것이었다. 이렇게 해서 예루살렘 총회는 위기를 넘기고 무사히 마무리가 되었으나 결국 이 총회는 바울의 승리로 끝난 셈이었던 것이다.

그러나 예루살렘 총회를 승리로 끝낸 바울은 2차 전도 여행을 떠나면서 먼젓번 여행 때 중도에 예루살렘으로 돌아갔던 마가를 데리고 가지 않겠다고 고집하여 그의 동반자였던 바나바와 심히 다투고 갈라지게 되었다. 이렇게 불편한 마음으로 출발한 바울은 루스드라에 이르러 디모데라하는 청년을 만나는데 바로 여기서 바울이 디모데에게 할례를 베푸는 이상한 일이 일어났던 것이다. 할례 문제 때문에 예루살렘의 기라성같은 지도자들을 상대로 겁도 없이 싸움을 벌였던 바울이 스스로 디모데에게 할례를 행했다는 것은 실로 이변이 아닐 수 없었다.

"바울이 더베와 루스드라에도 이르매 거기 디모데라 하는 제자가 있으니 그 모친은 믿는 유대 여자요 부친은 헬라인이라 디모데는 루스드라와 이고니온에 있는 형제들에게 칭찬받는 자니 바울이 그를 데리고 떠나고자 할 새 그 지경에 있는 유대인을 인하여 그를 데려다가 할례를 행하니 이는 그 사람들이 그의 부친은 헬라인인줄 다 앎이러라"(행 16 : 1~3).

어째서 바울은 디모데에게 할례를 행했던 것일까? 누가는 이 일을 '유대인을 인하여'라고 애매하게 기록하고 있으나 과연 그것이 자신의 주장을 꺾게 된 이유가 될 수 있을 것인가? 주님의 제자들에게도 서슴지않고 대들었던 바울이 유대인들을 두려워하여 자기 손으로 할례를 행했단 말인가?

## 2 고독한 그리스도의 선봉장

이 사건 전후의 상황을 점검하기 위해서 사도행전을 다시 읽으며 나는 마가의 다락방에서부터 시작한 하나님의 선교 전략에 놀라지 않을 수 없었다. 예루살렘의 다락방에서 성령의 대 폭발을 점화하신 하나님께서는 박해로 흩어졌던 성도들을 안디옥에 끌어모아 복음의 기지를 삼으시고 빌립 집사를 광야의 길로 보내어 에디오피아의 내관을 만나 세례를 주게 함으로써 아프리카 선교의 계기를 준비하시는 한편 베드로를 가이사랴에 보내 로마의 엘리트 장교 고넬료에게 세례를 주게 하여 로마 공략의 기틀을 마련하셨던 것이다.

이런 준비 끝에 하나님께서는 드디어 뛰어난 율법학자요 과격한 행

동파인 바울을 회심시켜 아시아와 유럽 선교의 선봉장으로 삼으셨던
것이다. 하나님께서는 당신의 필요에 따라 그 일꾼의 성격을 예비하
신다. 과격하고 열정적인 바울의 성격이 하나님의 사업에 쓰이게 되
니까 그것은 엄청난 충성으로 변화되었던 것이다.

그러나 그러한 격정적인 성격이 하나님께 잘 쓰임을 받았다 하더
라도 바울은 그 성격 때문에 늘 외로워야 했다. 그는 자신의 열정만
을 기준으로 마가를 못마땅하게 생각하여 떼어버렸던 것이다. 뿐만
아니라 바울은 처음에 자기를 사도들에게 소개했고 (행 9 : 27) 또 다
소에 있던 자신을 불러 안디옥 교회에서 일하게 했으며 (행 11 : 25)
늘 자기를 돌보아주고 보살펴주었던 바나바와도 다투고 헤어지게 되
었던 것이다.

이 바나바와의 헤어짐은 바울에게 큰 충격이었다. 결혼도 하지않
고 독신으로 떠돌아다니는 그에게 온유하고 너그러운 성품의 바나바
는 크나큰 위로자였던 것이다. 바나바와 다투고 헤어진 바울은 몹시
허전하고 괴로운 심정으로 제2차 전도 여행을 떠났다. 바로 그 때 바
울은 루스드라에서 착하고 진실한 청년 디모데를 만났던 것이다.

이 착한 청년 디모데가 고독한 바울에게 위로와 힘이 되었던 것은
짐작할 수 있는 일이었다. 바울은 그의 편지에서 디모데를 '사랑하는
아들'이라고 불렀다. 특히 바울이 디모데에게 보낸 두번째의 편지에
는 그에 대한 바울의 사랑이 넘쳐흐르고 있는 것을 볼 수 있다.

"나의 밤낮 간구하는 가운데 쉬지 않고 너를 생각하여 청결한 양
심으로 조상 적부터 섬겨오는 하나님께 감사하고 네 눈물을 생각하
여 너 보기를 원함은 내 기쁨이 가득하게 하려 함이니 이는 네 속에
거짓이 없는 믿음을 생각함이라 이 믿음은 먼저 네 외조모 로이스와
네 어머니 유니게 속에 있더니 네 속에도 있는 줄을 확신하노라" (딤
후 1 : 3~5).

이 디모데에 대한 바울의 사랑은 그것이 비록 믿음 안에서라 할지
라도 거의 광적 (狂的) 이었다. 바울은 그에게 지독한 남성우월의 사

상을 가르쳤는데 이는 그 정도가 너무나 심하여 아마도 디모데가 여자와 가까이 하지 못하게 하기 위해 그랬던 것이 아닌가 하는 추측까지도 낳게 하는 것이다.

"아담이 먼저 지음을 받고 이와가 그후며 아담이 꾀임을 보지 아니하고 여자가 꾀임을 보아 죄에 빠졌음이니라…" (딤전 2 : 13, 14).

바울이 디모데에게 독신을 권장했음은 디모데후서에서도 나타나고 있다.

"네가 그리스도의 좋은 군사로 나와 함께 고난을 받을찌니 군사로 다니는 자는 자기 생활에 얽매이는 자가 하나도 없나니 이는 군사로 모집한자를 기쁘게 하려 함이라"(딤후 2 : 3, 4).

뿐만 아니라 바울은 디모데가 절대로 자기를 배신하지 못하도록 배신자 알렉산더와 후메내오(딤전 1 : 20), 부겔로와 허모게네(딤후 1 : 15), 데마(딤후 4 : 10)등의 예를 들어가며 경고하는 것도 잊지 않았다. 디모데는 아직 나이가 어려서(딤전 4 : 12) 그로하여금 고린도 교회의 문제를 해결하도록 보낸 적이 있으나(고전 16 : 10) 제대로 처리하지 못했음에도 불구하고 바울은 다시 그를 에베소 교회의 책임자로 임명했던 것이다.

그러므로 누가가 아무리 애매한 표현으로 얼버무렸다 하더라도 루스드라에서 바울이 디모데에게 할례를 행한 사실을 우리는 이해할 수 없는 것이다. 그는 아무리 변명하더라도 결국 유대인 어머니에게서 난 디모데에게 유대인이 되는 의식을 행하여 그를 그의 헬라인 아버지로부터 빼앗아버렸다는 혐의를 벗어날 수 없는 것이다. 디모데는 유대인 어머니의 아들로서 유대인이 되는 의식인 할례를 받고 유대인인 바울을 따라 나섰으니 그의 헬라인 부친은 감쪽같이 그 아들을 바울에게 날치기 당한 셈이었다.

실로 바울에게 있어서 디모데를 그 아비로부터 빼앗아낸 이 할례 사건은 염치도 체면도 없는 강탈이었고 사도행전의 기록자 누가를 당황케 한 넌센스였으며 질투하시는 하나님의 진노를 살만한 행위였던 것이다.

그러나 하나님께서는 바울에게 아무런 꾸중도 내리시지 않았다. 하나님 그분도 외로우신 분이었다. 하나님은 외로우신 분이었기에 바울의 그 처절한 고독을 이해할 수 있었던 것이다. 오히려 하나님께서는 바울이 안디옥에 있을 때에도 루포의 어머니를 그의 곁에 두시어서 그를 아들처럼 돌보게 했으며 (롬 16 : 13) 고린도에서는 브리스길라와 아굴라부부를 만나게 하시어서 그와 동행하게 했고 (행 18 : 1~3) 자주장사 루디아와 감옥의 간수로부터 시작된 빌립보 교회로 하여금 늘 바울을 돕고 위로하게 했다 (빌 4 : 18).

그러나 비록 하나님께서는 바울에게 아무 말씀도 하지 않으셨지만 바울은 자신의 부끄러움을 잘 알고 있었다. 격렬하고 교만했던 바울은 이 부끄러운 루스드라의 할례사건으로 인하여 언제나 온유하려고 애썼으며 (고전 1 : 29) 그는 이 일로 인해 그 이후로 저 어부 출신의 사도들 앞에서 절대로 교만하게 행동하지 못했던 것이다.

그 옛날 광야에서 모세에게도 그렇게 하셨듯이 (민 20 : 11) 외로운 자의 실수를 꾸중하지 않으시며 오히려 그를 위로하시되 스스로 깨달아 겸비하게 하시는 아버지 하나님의 놀라우신 교육방법을 깨닫고 나는 숙연해지지 않을 수 없었다. 결국 디모데는 바울의 동역자가 되어 충성하다가 에베소에서 순교하였다고 한다. 천국에서 만난 두 사람이 드리는 감사의 찬양이 지금도 내 귓가에 들려오고 있는 것 같다.

# 수건을
# 쓴 여자

왜 바울은 고린도교회의 자매들에게
수건을 쓰라고 했는가? 왜 교회가 유대의
풍습을 따라야 하는가? 바울이야말로 유대의
율법으로는 구원받을 수 없다고 역설했으며
이방인들에게 할례를 받게 해야 한다고
주장했던 유대출신의 교우들을 맹공했던
장본인이 아닌가? 또 왜 여자에게만
머리수건을 써야 한다고 했을까?

# 수건을 쓴 여자

① 왜 여자만 머리에 쓰는가?

성경이 모두 사람의 손으로 기록된 것이라 하더라도 우리는 그것이 성령의 감동에 의하여 완성된 것이라 믿기 때문에 우리에게 제기된 모든 의문의 해결은 우선 그 무오설 (無誤說) 에서 출발하지 않으면 안된다.

"먼저 알 것은 경 (經) 의 모든 예언은 사사로이 풀 것이 아니니 예언은 언제든지 사람의 뜻으로 낸 것이 아니요 오직 성령의 감동하심을 입은 사람들이 하나님께 받아 말씀한 것임이니라" (벧후 1 : 20, 21) .

"모든 성경은 하나님의 감동으로 된 것으로 교훈과 책망과 바르게 함과 의로 교육하기에 유익하니…" (딤후 3 : 16) .

"너희는 여호와의 책을 자세히 읽어보라 이것들이 하나도 빠진 것이 없고 하나도 그 짝이 없는 것이 없으리니 이는 여호와의 입이 이를 명하셨고 그의 신 (神) 이 이것들을 모으셨음이라" (사 34 : 16) .

그런데도 우리는 자주 성경 속에서 '아니오'라고 말하고 싶은 대목들을 만나게 된다. 여자는 머리에 수건, 정확히 말하면 두건 (頭巾) 을 써야 한다는 바울의 고루한 주장도 그런 것들 중의 하나일 것이다.

특히 요즈음 감리교에서는 여성 목사와 여성 장로를 인정하고 있

으며 성공회에서도 여성 주교가 나왔고 가톨릭에서도 여사제를 인정
해야 한다는 논란이 일고 있는데 난데없는 바울의 남존여비식 발상
은 여성들뿐만 아니라 모든 그리스도인들을 의아하게 할만한 것이
다.

그러나 우리는 우리 생각에 맞지 않는다고 해서 성경을 함부로 자
기 생각에 따라 해석해 버리면 안된다. 그렇게하면 우선 마음은 편할
는지 모르나 이 사람 저 사람의 구미에 맞게 해석되다 보면 결국 성
경 자체가 생명의 말씀이 아니라 먹다버린 생선뼈다구처럼 볼품 없
는 문서로 전락해버리고 말 것이기 때문이다.

더구나 성경에 포함된 바울의 서신들은 예수 그리스도의 복음과 구
원의 도리를 완벽하게 정리하여 우리로 하여금 성령의 감동으로 거
듭나게 하고 충만한 은혜를 받게하는데 조금도 부족함이 없는 하나
님의 말씀인데 우리가 감히 그 중의 일부를 가지고 시비할 수가 없는
것이다.

그러나 어쨌든 바울의 가르침이 이상한 것은 사실이었다. 바울은
전혀 구원의 문제와 관계 없을 것 같은 머리 수건의 일을 가지고 고
린도교회의 자매들을 섭섭하게 했을 뿐만 아니라 오늘날의 여성들에
게도 받아들이기 어려운 문제를 제기해 놓은 것이었다.

"…만일 여자가 머리에 쓰지 않거든 깎을 것이요 만일 깎거나 미는
것이 여자에게 부끄러움이 되거든 쓸찌니라 남자는 하나님의 형상과
영광이니 그 머리에 마땅히 쓰지 않거니와 여자는 남자의 영광이니
라 남자가 여자에게서 난 것이 아니요 여자가 남자에게서 났으며 또
남자가 여자를 위하여 지음을 받지 아니하고 여자가 남자를 위하여
지음을 받은 것이니 이러므로 여자는 천사들을 인하여 권세 아래 있
는 표(票)를 그 머리 위에 둘찌니라"(고전 11 : 6~10).

필자는 다행히 남자로 태어났으므로 바울도 남자였기 때문에 그렇
게 말한 것이려니 생각하고 그냥 넘어가려 하였으나 아무래도 여자
만 수건을 써야 한다는 말에는 수긍이 가지를 않는 것이었다.

(…어째서 바울은 유대의 구닥다리 풍습에서 나온 머리수건을 고린도 교회의 자매들에게 쓰도록 했는가? 왜 교회가 유대의 풍습을 따라야 하는가? 바울이야말로 유대의 율법으로는 구원받을 수 없다고 역설했으며 이방인들에게 할례를 받게 해야 한다고 주장했던 유대 출신의 교우들을 맹렬히 공격했던 장본인이 아닌가? 그리고 왜 바울은 또 여자들만 머리 수건을 써야 한다고 했는가? 그는 로마 교회에 보내는 편지에서도 브리스가의 이름을 그 남편 아굴라보다도 앞에 적었을 정도로 페미니스트(여성해방론자)가 아니었던가?)

## ② 천사들을 인하여

89년 초의 어느 주일 새벽, 나는 새벽기도회에서 돌아와 곤히 잠들어 있는 아내의 모습을 바라보며 아내도 유대의 여인들처럼 수건을 쓰면 더 아름다와 보이지 않을까하는 생각을 하고 있었다. 내 생각 속에는 영화에서 본 유대 여인들의 모습이 떠올랐고; 미사포를 쓴 가톨릭의 여인들이며 수녀들의 모습도 떠오르고 있었다.

어쨌든 머리에 수건을 쓰고 있는 여인의 모습은 아름답다. 수녀의 모습도 아름답고 공장에서 수건을 쓰고 일하는 소녀의 모습도 아름답고 머리에 스카프를 쓰고 집안청소를 하는 주부의 모습도 아름답다.

(하지만…홀아비 바울이 그런 아름다운 모습을 감상하기 위하여 여인들에게 그 귀찮은 멍에를 지워주었단 말인가?)

나는 영화에 나오는 유대 여인들을 생각하고 있다가 갑자기 한가지 사실이 생각났다. 유대에서는 여자뿐만 아니라 남자들도 머리에 수건을 쓰고 있었던 것이다. 유대뿐만 아니라 아랍 사람들도 머리에 수건을 쓰고 있었다. 지금도 팔레스타인 해방기구의 의장인 야세르 아라파트는 표범무늬의 케피예를 뒤집어쓴 채 돌아다니고 있는 것이다. 그러고보면 중동지역에 살고 있는 셈 계의 종족들은 모두 다 머리 수건을 쓰고 있었다. 셈 계의 종족들 뿐만이 아니었다. 함 계열에 속하는 고대 에집트 사람들도 변형된 머리수건을 쓰고 있었던 것이다. 그러나 야벳 계열에 속하는 종족 중에서는 유브라데강 동쪽에 자리잡은 페르샤와 인도만 타번을 두르고 있을 뿐 서쪽의 바닷가로 진출한(창 10 : 5) 헬라, 로마, 이스파니아의 백성들은 수건이나 모자가 없는 맨머리로 살았다. 그들은 바다에 도전하며 살았기 때문에 머리 수건이 오히려 귀찮았을 것이며 물이 귀하여 머리감기도 어려운 중동지방과는 달리 날마다 물에 들어가 살았기 때문에 바람과 먼지로부터 머리를 보호하기 위해 수건을 쓸 필요가 없었을 것이었다.

그래서 머리 수건이나 모자는 목욕문화와 관계가 있게 된다. 목욕문화가 발달했던 헬라와 로마에는 머리 수건이 없었고 오히려 여자들의 머리는 팻션과 장식의 대상이었다. 목욕문화는 종말적인 문화이다. 서비스산업이 발달하고 빈부의 차이가 벌어지게 되면 먹기만 잘하고 운동이 부족한 사람들이 다량으로 나타나게 되고 그들을 위한 목욕문화가 발달하게 되며 그와 함께 성적인 타락과 퇴폐가 생겨나게 되는 것이다. 그러다보면 수건이나 모자를 쓰는 쪽의 문화가 교육, 절제, 경건의 하나님 중심인데 반하여 맨머리의 목욕문화는 외모, 탐욕, 향락의 인간 중심이 되어버리는 것이다.

이러한 헬라와 로마의 문화 속으로 진출하면서 초대교회의 유대인 출신 그리스도인들은 그들에게 예수의 복음을 전하고 있었다. 그런 유대인들 중에서 특히 밖에 나가 활동해야 했던 남자들이 먼저 머리 수건을 벗기 시작했다.

목욕문화가 발달한 곳에서 머리 수건을 쓸 필요가 없었을 뿐만 아니라 어차피 그들 속에 섞여 살며 활동하는데 유대인의 촌스러운 티를 낼 필요가 없었던 것이다.

그러나 아직도 유대의 여자들 중에서 구식의 여자들은 머리 수건을 쓰고 있었다. 아마도 바울은 그런 유대 여인들의 모습이 보기에 좋았는지 모르지만 고린도교회 여인들의 경우에는 그 출신부터가 달랐다. 고린도는 로마와 소아시아 사이를 오가는 상선들이 지나가다가 정박하는 항구도시였고 전 세계의 뱃사람들과 장사꾼들과 건달들이 모이는 항구도시였다. 따라서 고린도에 모여든 여자들도 대부분이 창녀, 포주, 술장사가 아니면 장사꾼들이었다. 그러므로 고린도교회의 여성 신자들도 모두 그렇게 남성들과 대결하는 생활의 최전선에서 뛰다가 복음을 듣고 예수를 믿게 된 여인들이었던 것이다. 그들은 비록 회개하고 새로운 삶을 시작했다 하더라도 고루한 유대 여인들과는 달리 개화된 여인들이었다. 이 고린도교회의 첨단여성들이 머리 수건을 쓰라고 권고한 바울의 말에 이의를 제기했던 것이다.

이런 경우 나는 자주 성경의 난해한 구절 속에서 힌트를 얻는다. 앞에서 인용한 고린도전서 11장의 말씀 중에서는 10절의 말씀이 그런 구절이었다.

"이러므로 여자는 천사들을 인하여 권세아래 있는 표(票)를 그 머리 위에 둘찌니라 "

바울은 '천사들을 인하여' 머리에 수건을 쓰라고 한 것이다.

(…천사들을 인하여?)

바울은 갑자기 그 머리 수건의 문제를 '천사'와 관련시키고 있었던 것이다. 이것은 '엠마오 주석성경'에 보면 천사들의 면전에서 남편에게 순종하는 것을 나타내야 한다는 뜻이라고 했고 '류형기 단권주석'에는 수호천사들을 낙심시키지 않기 위해, '이상근 주석성경'에는 예배에 임재하는 천사들 앞에서 남자의 권세 아래 있음을 나타내야 한다고 적혀 있었다.

(왜 남자에게는 권세 아래 있는 표가 필요 없으며 여자에게만 권세 아래 있는 표가 필요한 것인가?)

바울은 남자가 여자에게서 난 것이 아니요 여자가 남자에게서 났으며, 남자가 여자를 위하여 지음을 받은게 아니라 여자가 남자를 위하여 지음을 받았다고 했다. 나는 다시 창세기를 펼쳐보았다.

"아담이 돕는 배필이 없으므로 여호와 하나님이 아담을 깊이 잠들게 하시니 잠들매 그가 그 갈빗대 하나를 취하고 살로 대신 채우시고 여호와 하나님이 아담에게서 취하신 그 갈빗대로 여자를 만드시고 그를 아담에게로 이끌어 오시니 아담이 가로되 이는 내 뼈 중의 뼈요 살 중의 살이라…" (창 2 : 20~23).

(여자는 아담을 돕는 배필로 지어졌다 했는데 무엇을 돕는다는 말인가 ?)

흔히들 이 여자의 '돕는 역할'을 밥 짓고 빨래하는 것으로 생각하지만 하나님께서는 아담을 범죄로부터 지켜주지 못한 하와에게 아기를 낳아서 아담의 생명을 연장해 가도록 예비하셨고 또 그로 말미암아 여자에게서 태어나는 아기 가운데 그리스도의 소망이 있을 것을 예고하셨다 (창 3 : 15, 16). 이것이 바로 여자의 '돕는 역할'이었던 것이다.

그러므로 여자는 인간에게 범죄의 원인이 되기도 했지만 구원의 소망을 잉태하게 되었던 것이다. 그래서 바울은 여자들이 믿음과 사랑과 거룩함에 거하면 그 '해산함'으로써 구원을 얻으리라고 하였다 (딤전 2 : 15). 해산(解産)한다는 것은 영적으로 구원을 의미하는 것이며 더 나아가서는 예수님과의 다시 만남을 의미하는 것이었다 (요 16 : 21). 그러므로 여자는 인류의 구원에 대한 소망을 잉태하고 구원을 해산할 책임을 받았던 것이다.

그래서 아담은 하와를 가리켜 '내 뼈 중의 뼈요 살 중의 살'이라고 고백했다. 즉 여자는 '사람'이라는 개념 속에서 가장 중요한 엣센스인 '소망'의 부분이며 남자는 이 소중한 부분을 지키기 위해 수건을 벗어던지고 그리스도의 권세와 함께 종말적 상황 속에 뛰어들어 싸우는 부분인 것이다.

이렇게 여자가 하나님의 권세에 순종하지 않으면 인류에게는 절망과 죽음만이 있게 되지만 여자가 하나님의 권세 아래있어 그에게 순종하면 인류에게는 구원의 소망이 있게 된다. 그러므로 주님께서 우리를 위해 살과 피를 다 주시며 사탄과 싸우셨듯이 우리가 혼탁한 세상에 나가서 싸우고 있을 때에도 우리의 외모는 수건을 벗은 채 게릴

라처럼 숨어들어가기도 하며 잠복하기도 하지만 '사람'가운데 가장
소중한 부분, 즉 '인간의 진심'은 하나님의 권세아래 있음을 분명하
게 선언(宣言)해야 하는 것이다.

거기까지 추적하고 나서야 나는 왜 바울이 머리 수건의 문제를 천
사와 관련시켰는지를 깨달을 수 있었다.

천사들 중에는 구원얻을 후사들을 섬기는 선한 천사가 있고(히 1 :
14) 사탄의 반역에 동조한 악한 천사가 있다 (계 12 : 9) . 하나님의 명
령을 받은 천사가 우리를 지켜보고 있으니 우리의 진심은 분명히 하
나님의 백성됨을 선언해야 할 것이며 우리를 유혹하려는 사탄의 동
조자들이 우는 사자처럼 우리를 노리고 있으니 우리의 결연한 정절
을 시위해야 할 것이다.

이것이 바로 바울이 말하는 머리수건이었다. 바울은 구원의 소망
인 고린도교회의 자매들에게 머리를 치장하는 길거리의 세상 여인들
과는 다른 모습을 보여달라고 부탁했던 것이다. 오늘날 우리들의 교
회에서도 세상 여인들과 구별하기 어려운 여인들이 얼마나 많은가 ?
그것은 반짝거리는 십자가 목걸이만으로 구별되지는 않는다. 주님의
권세 아래에 있다는 선언이 그리스도의 향기로 넘쳐흘러야 하는 것
이다. 바울이 고린도의 자매들에게 부탁했던 것과 같이 오늘날 인류
의 소망을 간직하고 있는 '우리의 진심'인 이 나라의 여인들에게서도
주님과 권세 아래 있음을 단호하게 선언하는 아름답고 선명한 모습
을 발견하고 싶다. 그런 모습을 바라볼 때 어려운 싸움을 싸우는 우
리 믿음의 형제들이 용기를 얻으며 그런 모습을 보고 주님을 모르던
세상의 형제들이 더 많이 주님께 돌아오게 될 것이기 때문이다.

# 귀신의
# 정체

…귀신이라니?
다행히도 우리가 살고있는 세대는 온갖
첨단과학들이 발전되어 있는 세대여서 성경의
많은 난제들이 현대과학으로 증명되고 있다.
그런데 그 현대과학으로도 귀신의 문제만큼은
풀어낼 수가 없는 것일까?

# 귀신의 정체

## ① 밤중에 찾아든 소리

중학생 때에 교회를 떠나 세상 속에서 헤엄쳐다니던 나는 어느날 갑자기 닥쳐온 아내의 위암수술과 항암치료의 암울한 터널을 지나면서 다시 성경을 읽기 시작했고 새벽기도회에도 나가게 되었다. 성경을 다시 읽기 시작하면서 나는 하나님께 수많은 질문을 했고 그때마다 하나님께서는 마치 자상한 가정교사처럼 내 질문에 일일이 대답해 주셨다.

닫혀있던 것이 열리고 안보이던 것이 보이게 되면서 나는 학교에 처음 들어간 아이처럼 열심히 공부하고 노트에 적었다. 그야말로 나는 밭에 감추인 보화(寶貨)를 찾아낸 사람처럼 날마다 두근거리는 마음으로 성경을 펼쳤다. 그러면서 나는 성경의 많은 계시들을 이해하게 되었고 그 속에 들어있는 많은 비밀들을 깨달아 알게되었다. 그러나 많은 것들을 이해하고 깨닫게 된 다음에도 내게는 아직 개운치 않은 부분이 남아 있었는데 그것은 곧 성경에 자주 나오는 '귀신'에 관한 이야기들이었다.

(……귀신이라니?)

다행히도 우리가 살고 있는 세대는 온갖 첨단과학들이 발전되어 있는 세대여서 성경의 많은 난제들이 현대과학으로 증명되고 있다. 그

런데 그 현대과학으로도 귀신의 문제만큼은 풀어낼 수가 없는 것이
었다.

물론 나도 어렸을 때에 할머니로부터 도깨비 이야기나 귀신 이야
기를 듣다보면 변소가기가 무서워져서 그냥 참고 자다가 오줌을 싼
적도 있었다. 그러나 나이가 들고 어른이 되면 그런 일들은 모두 어
렸던 시절의 추억으로만 남게 마련인 것이다.

그런데 나이 40이 다 되어 성경을 다시 공부하다가 나는 그 '귀신
'의 문제에 부딪치게 된 것이었다. 우주선이 해왕성, 천왕성까지 날
아가고 온 지구가 전자정보망으로 뒤덮여 있는 이 시대에 귀신의 이
야기 같은 것을 진지하게 들어주는 사람은 아무도 없을 것이다. 그런
데도 성경에는 여러 곳에서 귀신의 이야기가 나오고 있는 것이었다.

(그 당시의 사람들은 자신들의 지식으로 이해할 수 없는 일들을 그
런 식으로 이해하거나 표현했던 것 아닐까?)

가령 정신이상의 증세라든가 난해한 현상들을 당시의 지식으로는
표현하기 어렵기 때문에 편의상 '귀신'의 짓으로 설명한 것이 아닐까
하는 것이 내 합리적인 추측이었다. 그러나 성경에는 예수께서 귀신
과 대화를 하시기도 하고 귀신에게 물러 가라고 명령을 하시기도 하
는 것이었다. 더구나 예수께서 그 제자들에게 주신 세가지 권능 중에
서 제일 먼저의 순위는 바로 귀신 쫓는 권능이었다.

"예수께서 그 열 두 제자를 부르사 더러운 귀신을 쫓아내며 모든 병
과 모든 약한 것을 고치는 권능을 주시니라"(마 10 : 1).

이 문제로 고심하고 있던 나는 놀랍게도 그 일을 직접 당하고 체험
하는 기회를 갖게 되었던 것이다.

내 아내는 위 수술과 항암치료를 받고 퇴원한 후 집에서 요양을 하
고 있었는데 계속되는 설사 때문에 몸이 쇠약해져서 다시 입원을 하
게 되었다. 그 두번째 입원을 한 첫날에 이상한 일이 일어난 것이었
다.

곤히 잠들었던 아내는 밤 열두시가 좀 지나서 갑자기 눈을 뜨며 말

했다. 누군가 밖에서 자기 이름을 불렀다는 것이었다. 나는 병실 문을 열고 불빛이 어스름한 복도를 내다 보았다. 그러나 복도에는 아무도 없었다. 나는 자꾸만 이상하다고 하는 아내를 달래어 재웠는데 그 다음 날부터 아내는 이상한 증세를 나타내기 시작하였다. 병원의 간호원이 링겔을 꽂아주고 나가면 갑자기 관절이 쑤시고 가슴이 답답하다면서 일어나더니 그 자리에서 자꾸 서성거리는 것이었다. 아내의 그런 증세는 점점 심해져서 복도까지 나가다가 나중에는 엘리베이터를 타고 아래층으로 내려가고 마침내는 길거리까지 나가서 돌아다니게 되었다. 나는 당황하여 교회의 목사님을 모셔다가 기도를 받게 했으나 증세는 점점 더 심해져서 결국 일주일째 되는 날에는 아내를 집으로 데려오는 수밖에 없었다.

그 일주일째 되는 날의 증세가 몹시 심했기 때문에 나는 여리고성의 기적을 기대하며 아내의 두손을 강하게 움켜잡고 기도를 시작했다. 나는 그저 기도원의 전도사님들이 하는 식으로

"예수의 이름으로 물러갈지어다!"를 계속해서 외쳤다. 아내는 그런 강압적인 기도에 견디다 못하여 내게 놓아달라고 애원했으나 나는 그것을 묵살하고 기도를 계속했다. 예수께서는 "기도 외에 다른 것으로는 이런 유가 나갈 수 없느니라"(막 9 : 29)고 말씀하셨던 것이다. 그렇게 기도를 계속하자 마침내 아내의 입술이 파래지더니 춥다고 하소연하며 온몸을 떠는 것이었다. 나는 다시 귀신이 사람에게서 나갈 때에는 그로 하여금 '경련을 일으키게' 하였다(막 1 : 26)는 것을 기억하며 기도를 강행하였다. 그렇게 기도를 강행하며 자정이 좀 지났을 때 아내는 마침내 지쳐서 그 자리에 쓰러지더니 잠이 들어버렸다.

다음날 새벽, 잠깐 눈을 붙였다가 잠을 깬 내가 아내의 얼굴빛이 좀 평안해진 것을 느끼며 내려다보고 있을 때 아내는 눈을 떴다. 눈빛이 정상으로 돌아와 있었다. 나는 이것저것 아내에게 말을 시켜보았는데 언제 그랬냐는 듯 그 무서운 증세가 씻은 듯이 사라지고 없는 것

이었다. 나는 시편 37편 10절을 생각하며 하나님께 감사의 기도를 드렸다.

"잠시 후에 악인이 없어지리니 네가 그곳을 자세히 살필찌라도 없으리로다"

## ② 어둠 속의 그림자

우리가 성경에서 귀신에 대하여 살피려고 할 때 먼저 부딪치는 문제는 성경이 귀신의 유래에 대해서 언급하고 있지 않다는 점이다. 성경은 사탄의 유래에 대해서도 상세히 기록하고 있지 않으나 여기 저기 나타나 있는 기록들과 외경의 기사들을 대조하여 그가 본래 지혜와 능력이 출중한 천사장이었으며 교만하여져서 천사중의 3분의 1을 이끌고 반역을 일으켰다가 하늘에서 추방당한 존재라는 사실을 찾아 볼 수 있다(계 12 : 9). 그러나 귀신에 대해서는 그 정도만이라도 정리된 것이 없는 것 같았다. 그러므로 나는 그 주변의 기록으로부터 귀신의 정체를 추적하는 수밖에 없었다.

어떤 사람들은 귀신을 사탄의 반역에 동조하였던 타락한 천사들이라고 생각하기도 하지만 이는 성경적으로 맞지 않는 것이었다. 성경에 나오는 귀신들은 몸을 가지고 있지 않으므로 사람의 몸 속에 들어가서 더러운 살림을 차린다.

"더러운 귀신이 사람에게서 나갔을 때에 물 없는 곳으로 다니며 쉬기를 구하되 얻지 못하고 이에 가로되 내가 나온 내 집으로 돌아가리라 하고…"(눅 11 : 24).

"귀신들이 예수께 간구하여 가로되 만일 우리를 쫓아 내실진대 돼지떼에 들여보내소서 한대 저희더러 가라 하시니 귀신들이 나와서 돼지에게로 들어가는지라…"(마 8 : 31, 32).

그러나 사탄의 반역에 동조한 악한 천사들은 영적인 존재이어서 시간과 공간의 광추면 속에 들어오지 않으며 우리가 그들을 볼 수 없다해도 성경은 천사들이 몸을 가지고 있다는 것을 기록하고 있다.

"올라가실 때에 제자들이 자세히 하늘을 쳐다 보고 있는데 흰옷 입은 두 사람이 저희 곁에 서서…"(행 1 : 10).

"날이 저물 때에 그 두 천사가 소돔에 이르니 마침 롯이 소돔 성문에 앉았다가 그들을 보고 일어나 영접하고…… 롯이 그들을 위하여 식탁을 베풀고 무교병을 구우니 그들이 먹으니라"(창 19 : 1~3).

이와 같이 천사는 몸을 가지고 있으므로 성경 어디에서도 선한 천사이든 악한 천사이든 사람의 몸 속에 들어갔다는 기록은 없다. 그러므로 귀신은 악한 천사와는 다른 것이다.

또 악한 천사들은 반역의 공범자들이므로 전적으로 사탄의 편에 서서 하나님께 대적하는 자들이나 귀신은 때때로 하나님의 지시에 따르기도 하며(삼상 16 : 14, 왕상 22 : 21, 22)예수의 명령에 복종하여 사람의 몸에서 나오기도 한다(눅 4 : 35).

그러므로 귀신은 악한 천사와는 다르나 거짓말로 속이기를 좋아하며 인간의 몸 속에 들어가 살기를 원하기 때문에 사탄과 그 이해(利害)가 일치하므로 자주 사탄의 용병(傭兵)노릇을 하는 것이다.

"저희는 귀신의 영이라 이적을 행하여 온 천하 임금들에게 가서 하나님 곧 전능하신 이의 큰 날에 전쟁을 위하여 그들을 모으더라"(계 16 : 14).

귀신이 악한 천사라는 오해 외에 귀신의 유래에 대한 또 한가지의 추측은 그것이 우리가 어려서부터 들었던 대로 죽은 사람의 영이라고 하는 것이었다. 즉 유령의 이야기를 기독교적으로 해석하여 죽어서 구원받지 못한 영혼이 귀신이 되어 돌아다닌다는 것이다.

그러나 그러한 추측도 성경을 찾아보니 맞지 않음을 알 수 있었다. 하나님 우편에 앉으신 예수께서 사망과 음부(陰府)의 열쇠를 가지고 계시므로(계 1 : 18) 죽은 사람의 영이 마음대로 공중에 나와서 돌아다닐 수가 없으며(눅 16 : 22, 23) 선한 일을 행한 자는 생명의 부활로 악한 일을 행한 자는 심판의 부활로 나오기 때문에(요 5 : 29) 구원받은 자는 들림받을 때까지 아브라함의 품에 그리고 심판받을 자는 흰 보좌의 심판 때까지 음부에 있어야 하는 것이다.

그러므로 흔히 무당이나 심령술사가 죽은 자의 혼을 불러내는 것은 귀신의 장난임에 지나지 않는다. 귀신은 거짓을 행하는 영이므로 죽은 자의 목소리를 흉내내어 사람을 위협하기도 하고 과거와 미래의 기밀을 일러주어서 그 능력을 과시하기도 한다. 귀신은 영이기 때문에 영계의 일을 알고 있으며 심지어는 예수께서 하나님의 아들이심도 알아보았던 것이다(마 8 : 29).

그렇다면 귀신은 무엇인가? 그것이 악한 천사도 아니고 죽은 자의 원혼도 아니라면 그것은 어디서 온 것인가? 안타깝게도 성경은 그것에 대하여 침묵하고 있다. 귀신은 무엇인가? 귀신은 사탄과 함께 행동하며 온갖 나쁜짓을 다 하지만 계시록 20장에 벌어지는 대심판에서는 사탄과 그를 따른 악한 천사들, 적그리스도와 거짓선지자, 심판받은 죄인들이 모두 불못에 던져지는데 귀신은 그 처형자 명단에도 들어있지 않았다. 나는 이러한 것들에 대해서 의아하게 생각하며 성경을 살피다가 섬찟한 대목을 발견하고 깜짝놀랐다.

"…과연 우리가 여기 있어 탄식하며 하늘로부터 오는 우리 처소로 덧입기를 간절히 사모하노니 이렇게 입음은 벗은 자들로 발견되지 않으려 함이라"(고후 5 : 2, 3).

우리의 장막집은 이 세상에서의 몸이요, 하늘로부터 오는 처소는 바로 우리가 새로 입을 몸이라는 것이었다. 하늘로부터 오는 새 몸을 입지 못하면 우리는 '벗은 자'가 되는 것이다. 이 새 몸을 받을 자격은 '화목케 하는 직책'(고후 5 : 18)을 얼마나 충실히 이행했느냐에 따라 채점되는 것이었다. 이것은 마태복음 25장에 나오는 달란트의 비유와도 관계가 있었다.

"이 무익한 종을 바깥 어두운데로 내어쫓으라 거기서 슬피 울며 이를 갊이 있으리라"(마 25 : 30).

하나님의 하시는 일이 영속된다고 하면 아담에서 심판에 이르는 이 세대(Generation)말고도 다른 세대가 있으리라 추측할 수 있다. 그렇다면 우리 세대에 떠돌고 있는 귀신들은 바로 아담 이전의 세대에 서 바깥 어두움에 내어쫓겨 하늘의 몸을 입지 못하고 추위에 떨며 유 리하는 영들이 아닐까? 아내에게 들어왔던 그 귀신은 물러가면서 춥 다고 하소연 했던 것이다.

지금 우리는 국민의 80퍼센트가 노이로제 증상이 있고 그 중의 30 퍼센트가 정신분열의 징후를 보이며 무당과 점쟁이가 설쳐대는 귀신 들린 시대에 살고 있다. 아직 우리가 자신이 구원받았다는 것만을 기 뻐하기에는 너무 이른 것 같다. 주님 앞에 설 때에 내어놓을 열매가 없어서 입을 몸도 없이 어두운 바깥에 내어 쫓기는 가련한 '벗은 자 '가 되지 않으려면 우리는 주님의 복음을 들고 귀신을 몰아내며 더욱 열심히 주님의 일을 위하여 뛰어야 할 것이다.

# 로마교회의 뿌리

로마교회의 소문난 믿음을 생각해보며
이상한 느낌을 갖지 않을 수 없었다.
바울이 도착하기도 전에 그토록
강한 조직과 큰세력을 이루고 있었던
로마교회는 도대체  누가 가서 전도하고
누가 가서 개척했던 것일까?

# 로마교회의 뿌리

## ① 온 세상에 전파된 믿음

신약성경에 수록된 말씀들 가운데서는 그 중간 쯤에 삽입되어 있
는 로마서가 큰 분수령을 이루고 있다. 예수 그리스도의 말씀과 행적
에 관한 기록마저 제대로 정리되고 있지 않던 때에 이미 바울은 그리
스도 신앙의 본질을 파악하여 전파하고 있었는데 특히 AD 56년경 그
가 로마교회에 보낸 이 서신에는 그리스도 신학의 기초가 완벽하게
정리되어 있기 때문이다.

아마도 그가 에베소의 두란노서원에서 3년간 복음을 강론할 때 정
리된 것으로 보이는 이 바울의 신학은 죄의 인식과 회개에서 시작하
여 칭의(稱義) —구원(救援) —성화(聖化)에 이르는 기독교 신앙의
풀코스를 설명하고 있을 뿐만 아니라 하나님의 마스터플랜과 종말
론, 그리고 실천신학에 이르기까지 언급을 하고 있어 실로 로마서 하
나만으로도 그리스도 신앙을 설명하는데 부족함이 없을 정도이다.

바울은 그가 세번째 전도여행중 3개월동안 고린도교회에 머물고
있을 때에 이 편지를 기록하여 두었던 것 같으며 겐그레아교회에 들
렀을 때 그곳의 여집사 뵈뵈 편에 그것을 로마로 보냈는데 늘 마음 속
으로 로마에 가고 싶어하는 그의 마음을 편지의 서두에 적고 있다.

"…항상 내 기도에 쉬지 않고 너희를 말하며 어떠하든지 이제 하

나님의 뜻 안에서 너희에게로 나아갈 좋은 길 얻기를 구하노라"(롬 1 : 9, 10).

왜 바울이 그토록 로마에 가고 싶어했는지 우리는 이해할 수 있다. 바울은 이미 다메섹으로 가는 길에서 주님을 만났을 때부터 자신에게 주어진 사명이 이방인에게 복음전하는 것임을 자각하고 있었고 또 늘 자신을 가리켜 이방인의 사도라 자칭하고 있었다. 그런데 로마는 바로 그 이방인들의 중심지였고 전 세계를 다스리는 세상 권세의 수도였던 것이다. 그러므로 바울이 그 로마를 자기 사역의 최대 목표지이자 최종 선교지로 삼았을 것은 당연한 일이었다. 그러나 바울은 또 로마를 눈 앞에 둔 채 마게도냐와 아가야 교회들의 연보를 전달하기 위해 예루살렘으로 가야 했다. 그래서 마음이 급해진 바울은 우선 자신이 정리한 그리스도 신앙의 본질을 적어서 로마교회에 보냈던 것이다.

그러나 이러한 바울의 열정에도 불구하고 로마교회는 이미 엄청난 속도로 성장하고 있었다. 당시 박해받던 그리스도인들을 장사하던 로마의 카타콤(지하묘지)에는 약 4백만구의 시체가 매장되어 있는데 이들이 박해받던 3백년간 약 10~20세대가 지나갔다고 본다면 로마의 대화재 사건으로 네로의 박해를 받은 AD 64년경에는 적어도 20만명 이상의 기독교인이 있었을 것으로 추정된다.

더군다나 이들의 조직은 매우 치밀해서 가난한 도시빈민들은 물론 정계의 고관에 이르기까지 다양하게 침투해 들어갔음이 밝혀졌다. 많은 고관들이 비밀교인으로서 로마교회를 은밀하게 돕고 있었으며 나중의 도미티아누스황제 때에는 황제 다음가는 권력자였던 집정관 글라브리오와 역시 집정관이며 황제의 조카사위였던 클레멘스까지도 기독교인임이 밝혀져 처형되었다. 뿐만 아니라 로마서 16장 12절에 나오는 드루배나와 드루보사 자매도 클라우디우스황제 때의 시녀였음이 확인되고 있다.

로마서 16장에는 바울이 자기가 알고 있는 26명의 이름을 적으며 문안하고 있는데 이들 중에서 9명은 유대인이며 16명이 헬라인이고 오직 빌롤로고의 아내 율리아만이 로마출신의 여성으로 추측되고 있다. 이것은 이미 바울이 알고 있던 유대 및 헬라출신의 교우들도 로마교회의 주축세력은 아니었음을 보여주고 있는 것이다. 그래서 바울은 로마서의 서두에서도 이 편지의 수신자가 16장에 언급된 유대인과 헬라인 형제들이 아닌 로마인 교우들인 것을 밝히고 있다.

"형제들아 내가 여러번 너희에게 가고자 한 것을 너희가 모르기를 원치 아니하노니 이는 너희 중에서도 다른 이방인 중에서와 같이 열매를 맺게 하려 함이로되 지금까지 길이 막혔도다"(롬 1 : 13).

로마인들의 그리스도 신앙이 왕성하였던 반면에 유대인들 속에서는 전혀 그리스도의 복음이 전파되지 않고 있었다. 바울이 로마에 도착하였을 때 아직 유대인들은 그리스도의 소문만을 겨우 듣고 있었다.

"이에 우리가 너의 사상이 어떠한가 듣고자 하노니 이 파(派)에 대하여는 어디서든지 반대를 받는 줄 우리가 앎이라"(행 28 : 22). 로마교회는 유대인들과 관계없이 성장했을 뿐만 아니라 그 선행이 또한 모든 로마사람들에게 널리 알려져 있었다. 로마교회의 성도들은 그 위험한 상황 속에서도 가난한 사람들과 병자들을 돌보는가 하면 타락한 로마의 산물로 티베리스 강에 버려진 아기들을 주워다 길렀으며 감옥의 간수들을 매수하면서까지 갇힌 사람들을 위문하였다. 그야말로 마태복음 25장에 나오는 예수의 가르침을 그대로 실천하고 있었다.

그래서 바울도 온 천하에 소문난 로마교회의 믿음에 대하여 그 편지에서 언급하고 있다.

"첫째는 내가 예수 그리스도로 말미암아 너희 모든 사람을 인하여 내 하나님께 감사함은 너희 믿음이 온 세상에 전파됨이로다"(롬 1 : 8).

이러한 로마교회의 소문난 믿음을 생각해보며 나는 이상한 느낌을 갖지 않을 수 없었다. 바울이 도착하기도 전에 그토록 강한 조직과 큰 세력을 이루고 있었던 로마교회는 도대체 누가 가서 전도하고 누가 가서 개척했던 것일까?

바울이 로마교회의 교인을 처음 만난 것은 그가 예루살렘 총회에 참석하고 나서 2차 전도여행을 떠나 고린도에 머물렀던 AD 51년경 이었다. 바울은 고린도에서 클라우디우스황제의 유대인 추방령 때문에 로마에서 쫓겨온 아굴라 부부를 만나 동역자가 되었다. 역사가 수에토니우스의 기록에 의하면 클라우디우스황제는 AD 49년에 경제력이 막강해진 유대인들을 소요죄로 몰아서 추방했다.

"이 후에 바울이 아덴을 떠나 고린도에 이르러 아굴라라 하는 본도에서 난 유대인 하나를 만나니 글라우디오가 모든 유대인을 명하여 로마에서 떠나라 한고로 그가 그 아내 브리스길라와 함께 이달리야로부터 새로 온지라 바울이 그들에게 가매 업이 같으므로 함께 거하여 일을 하니 그 업은 장막을 만드는 것이더라"(행 18 : 1~3).

이 기록에서 아굴라 부부가 그리스도교로 개종했다든가 바울의 전도를 받았다는 사실이 언급되지 않은 것으로 보아 이들은 이미 로마에 있을 때부터 기독교인이었음이 분명하다. 그렇다면 이 사실은 이미 로마에 49년 이전부터 그리스도를 믿는 신앙과 교회가 상당한 세력을 이루고 있었다는 것을 증명하고 있다.

## ② 숨어있는 전도자

나는 우선 이 로마교회의 뿌리를 찾아내기 위해 여러가지의 가능성과 추측들을 모두 다 검토해 보았다. 워낙 로마교회의 성립 자체가 베일 속에 가려져 있기 때문에 가설도 여러가지가 나올 수 있는 것이었다.

우선 그 첫번째의 가능성은 예루살렘에 갔다가 오순절에 성령을 받은 1백20문도가 각각 다른 방언으로 증거하는 복음을 듣고 세례를 받았던 3천명의 방문객 가운데 로마에서 온 유대인들이 있었다는 점이었다(행 2 : 10). 이들이 로마에 돌아가서 예수의 복음을 전하고 로마교회를 세웠을지도 모르는 것이었다. 그러나 이러한 가설에 대해서는 많은 학자들이 이의를 제기하고 있었다. 로마교회의 조직이 유대인 회당의 조직과는 판이하게 다르다는 사실이 그 문제 중의 하나였고 또 그 유대인들이 어째서 동족이 아닌 로마사람들에게 먼저 전도했느냐는 문제도 설명하기 어려울 뿐만 아니라 그렇다면 왜 로마교회의 주축이 유대인들이 아니고 로마인들이었느냐는 문제도 해결하기 어렵기 때문이었다.

이와 비슷한 경우로서 스데반의 순교와 함께 시작된 환난을 피하여 흩어진 유대인 문도들이 베니게와 구브로와 안디옥까지 이르러 전도했다고 하므로(행 11 : 19) 그들 중에는 로마까지 들어가서 전도한 사람도 있으리라는 가능성이 있었다. 그러나 역시 이 경우에도 앞의 경우와 같은 문제점들을 충족시키기에는 설득력이 부족하고 그것을 증명해 줄만한 아무런 역사적 자료도 또한 찾아볼 수 없었다.

다음으로는 바울과 바나바가 제1차 전도에 나섰을 때 예수를 믿고 세례받았던 갈라디아지방의 교인들이 로마까지 들어갔을지도 모른다는 가정이었다. 그러나 바울과 바나바가 갈리디아지방 전도를 끝내고 안디옥에 귀환한 것이 AD 49년경이므로 그곳에서 세례받는 유대인들이나 헬라인들이 로마에 갔다 하더라도 속주출신인 그들이 로마에 거대한 로마인들의 교회조직을 이룩했다고 하기에는 그 기간이 너무나 짧았다.

이와 같은 논리는 바울이 로마서 16장에서 문안하고 있는 교우들의 경우에도 해당된다. 그들 중의 유대인들은 AD 49년에 추방되었다가 추방령이 풀린 54년에 다시 들어갔거나 처음 들어갔을 것이며 헬라인들도 바울이 1차 전도여행을 끝낸 49년 또는 그 이후에 들어갔을 것이기 때문에 이 가능성에서 제외될 수 밖에 없는 것이다.

마지막으로 우리는 아직 거론해 보지 않았던 사도 베드로의 직접 전도에 대해서도 생각해 볼 수 있다. 여러가지 증거상의 취약에도 불구하고 이 가설을 뒷받침해 주는 것은 무엇보다도 로마교회에 남아 있는 베드로의 강력한 영향이다. 로마교회는 후일 오랜 고난 끝에 로마정부로부터 공인을 받고 다시 기독교가 국교로 지정되는 영광을 얻자 베드로를 초대 교황으로 추존하였다. 뿐만 아니라 다시 수세기가 지난 후에는 베드로가 순교하고 그의 유해가 묻혀 있다고 전해지는 바티카누스 언덕에 로마교회의 상징인 거대한 성당을 건축하고 그 이름을 성 베드로 대성당이라 하였던 것이다.

박해를 받던 시절에 로마교회 성도들이 은밀히 사용하던 암호는 '물고기'였는데 그것은 '하나님의 아들이신 구세주 예수 그리스도'의 헬라어 이니셜로 만든 ' $ιχθυς$ '(물고기)에서 연유한 것이었다. 그러나 이 암호도 역시 어부였던 베드로와 관련이 있는 것임을 짐작할 수 있다.

그래서 로마교회를 세운 사람은 베드로라는 것이 로마가톨릭의 전통적인 입장이다. 그러나 성경을 잘 읽어보면 베드로가 AD 42년경에 로마를 방문하였다는 가톨릭의 전승에는 무리가 있다는 것을 알 수 있다. 이때 베드로는 예루살렘에 있었으며 AD 44년경에는 헤롯 아그립바의 박해로 체포되어 감옥에 갇히게 되는 것이다(행 12 : 14). 베드로는 천사의 도움으로 감옥을 나와 예루살렘을 떠났는데 (행 12 ; 17) 그가 다시 사도행전에 모습을 나타낸 것은 AD49년경 저 유명한 안디옥교회의 식사시간이었다.

당시 안디옥교회에서는 이방인 신자들의 갑작스런 증가로 소외를 느낀 유대출신 교우들이 이방인들도 할례를 받아야 한다느니, 이방인과 유대인들은 함께 식사를 할 수 없다느니 하며 구박을 시작하여 이방인 선교의 선봉인 바울과 대립하고 있었다. 이러한 사정을 짐작하면서도 안디옥에 도착한 베드로는 이방인 형제들과 함께 식사를 했다. 그러나 마침 그때 예루살렘의 야고보가 보낸 조사단이 도착하자 당황한 베드로가 말썸을 피하기 위해 자리에서 일어서다 바울의 호통을 들었다(갈 2 : 1~14).

그러므로 베드로의 행적 중 분명하지 않은 데가 있다면 바로 AD 44년에서 49년 사이의 공백이다. 그러나 이 기간에 그가 로마를 방문하였다는 기록은 어디에도 없다. 뿐만 아니라 베드로가 로마교회를 설립했다면 바울이 로마교회에 편지하면서 베드로의 일을 한번도 언급하지 않을 리가 없는 것이다. 오히려 베드로전서의 서두에서 베드로는 본도 갈라디아 갑바도기아 아시아 비두니아의 형제들에게 문안을 하고 있다(벧전 1 : 1). 이것은 성령께서 바울이 아시아 비두니아 쪽으로 가지 못하게 하셨다는 시도행전 16장 7절의 기사와 연결시켜 볼 때 베드로가 이 지역에서 활동했으리라는 추정을 가능케 한다.

이렇게 볼 때 누가 로마에 복음을 전했는지는 샤프(P.Shaff)의 말대로 '알 수 없는 신비'로 남을 수밖에 없는 것이다. 그러나 이 숨어 있는 전도자에 대한 나의 추적은 좀 더 계속되었다. 나는 로마교회의 특징을 다시 한번 정리해 보았다.

(…빈민층과 귀족층을 동시에 침투한 강력한 조직력, 폭넓은 구제 활동과 실천력, 그리고 그들 사이에 박혀 있던 베드로의 깊은 영향…)

거기까지 생각해 가다가 나는 갑자기 한가지 잊었던 것을 생각해 내고 사도행전을 다시 뒤지기 시작했다.

### ③ 고뇌하는 로마의 지성

로마교회에 남아있는 베드로의 강한 영향에 대하여 살펴보던 중에 내가 생각해낸 것은 베드로가 직접 로마에 가서 전도하지 않았다 하더라도 베드로의 영향을 깊이 받은 사람이 로마교회를 세웠을 경우에 같은 현상이 생길 수 있다는 점이었다.

(베드로의 영향을 깊이 받은 로마사람…)

그렇게 생각하자마자 내 머리 속에 번개같이 떠오르는 이름이 있었다. 그것은 바로 가이사랴에 주둔하고 있던 이달리야대(隊)의 백부장 고넬료였다. 그는 바로 베드로에게서 세례를 받았던 것이다! 나는 부지런히 사도행전 10장을 찾아서 들여다보았다.

"가이사랴에 고넬료라 하는 사람이 있으니 이달리야대라 하는 군
대의 백부장이라 그가 경건하여 온 집으로 더불어 하나님을 경외하
며 백성을 많이 구제하고 하나님께 항상 기도하더니…" (행 10 : 1, 2).

그러나 나는 아직 이 고넬료라 하는 로마 군대의 장교가 확실히 로
마 사람인지는 알 수가 없었다. 당시 로마 군대의 장교 중에는 속주
의 출신으로서 로마 시민권을 가진 사람들도 다수 있었기 때문이었
다.

나는 즉시 고넬료가 소속되어 있던 이달리야대에 관해서 알아보기
시작하였다. 람세이 (Ramsay)의 조사에 의하면 이달리야대는 다른
로마의 부대와는 달리 이달리야출신의 로마 시민만으로 조직된 특수
부대였다. 말하자면 이달리야대는 로마의 엘리트들만으로 구성되어
황제에게 충성하는 정예부대였던 것이다. 그러므로 이 특수한 엘리
트 부대가 로마를 떠나 속주에 진주한다는 것은 아주 중대한 상황이
벌어지고 있을 때 뿐이었다. 그 예로서 유대 전역에 열심당의 반란이
확산되고 있던 AD 69년에도 로마는 이 이달리야대를 갈릴리 지역에
파견하였던 것이다.

(그렇다면…로마는 어째서 헤롯 아그립바1세 때에 이달리야대를
다른 4개 부대와 함께 가이사랴에 진주시켰던 것일까?)

헤롯 아그립바1세가 다스리던 당시의 유대에는 어떤 우려할만한
상황도 일어나지 않고 있었다. 그래서 나는 다시 로마쪽의 상황을 알
아보았다. 당시 로마에서는 광란의 황제 칼리굴라가 근위대의 장교
들에 의해 암살되고 장교단은 그의 숙부인 클라우디우스를 새 황제
로 추대했는데 그것이 AD 41년이었다. 쿠데타로 정권을 장악한 근
위대 장교단이 우선 취해야 했던 조처는 각 속주들이 새 정권에 승복
하도록 단속하는 일이었다. 그 때에 그들에게 가장 위험한 인물로 떠
오른 것이 바로 유대의 왕인 헤롯 아그립바1세였던 것이다.

헤롯 아그립바1세는 세례 요한을 체포하여 죽였던 헤롯 안디바의
형 아리스토불루스의 아들이었다. 아리스토불루스가 그 부친 헤롯1

세의 미움을 받아 피살되자 그의 딸 헤로디아는 숙부 헤롯 빌립에게 시집갔다가 후에 다시 다른 숙부 헤롯 안디바와 야합했으며 헤로디아의 동생 아그립바는 로마로 피신했는데 그는 로마에서 공부하다가 젊은 칼리굴라와 친구가 되었던 것이다.

칼리굴라는 황제가 되자 AD 39년 유대의 안디바를 거세하고 아그립바를 유대의 왕으로 임명하였다. 그러니 칼리굴라를 암살하고 정권을 잡은 로마 근위대의 장교단이 아그립바를 가장 위험한 인물로 지목할 수밖에 없었을 것이고 마침내 충성스러운 정예부대 이달리야대를 비롯한 5개 부대를 가이사랴에 진주시켜 아그립바를 위압하려 했을 것이었다.

성경에도 이 당시 로마 정부와 아그립바 사이에 있었던 신경전의 분위기가 나타나고 있다. 아그립바는 자신의 친구이며 후원자였던 칼리굴라가 암살되자 스스로 위기에 처해 있음을 의식하고 모든 유대인들을 결속시켜 자신에 대한 지지를 굳게 하려고 하였다. 그가 유대인들이 미워하던 나사렛당의 박해를 시작하여 요한의 형 야고보를 처형하고 베드로를 체포했던 것도 모두 유대인들의 환심을 사기위해서였던 것이다.

"그때에 헤롯 왕이 손을 들어 교회 중 몇 사람을 해하려하여 요한의 형제 야고보를 칼로 죽이니 유대인들이 이 일을 기뻐하는 것을 보고 베드로도 잡으려 할새 때는 무교절일이라 잡으매 옥에 가두어 군사 넷 씩인 네패에 맡겨 지키고 유월절 후에 백성 앞에 끌어내고자 하더라"(행12 : 1~4).

베드로가 탈옥한 이후 신경이 날카로워진 아그립바는 직접 가이사랴로 가서 로마가 파견한 주둔군의 목전에서 자신의 통치능력과 백성들의 지지를 과시하려 했다. 그는 두로와 시돈 지방의 지도자들이 식량원조의 문제 때문에 자신에게 화친을 요청해 온 것을 기회로 대규모의 군중집회를 열어 자신에 대한 백성들의 열렬한 지지를 과시했던 것이다.

요세푸스의 기록에 의하면 아그립바는 **AD 44**년 가이사랴의 군중 집회가 열린 노천극장에 은으로 만든 옷을 입고 나타났다. 장내의 군중들은 그를 신(神)이라 부르며 환호했는데 관중의 열광과 찬사에 도취해 있던 왕은 갑자기 위에 통증을 느꼈다. 그로부터 5일 후에 그는 숨을 거두었다. 사도행전의 기록도 요세푸스의 기록과 일치하고 있다.

"헤롯이 날을 택하여 왕복을 입고 위(位)에 앉아 백성을 효유한대 백성들이 크게 부르되 이것은 신의 소리요 사람의 소리는 아니라 하거늘 헤롯이 영광을 하나님께로 돌리지 아니하는 고로 주의 사자가 곧 치니 충(蟲)이 먹어 죽으니라"(행 12 : 21~23).

어쨌든 아그립바가 죽었으므로 가이사랴에 진주했던 이달리야대는 더이상 거기 머무를 필요가 없어 로마로 귀환했을 것이다. 그러므로 이달리야대의 청년장교 고넬료(로마식으로 읽으면 코르넬리우스 : Cornelius)는 칼리굴라가 암살되고 클라우디우스가 황제로 즉위한 AD 41년에 가이사랴에 파견되었다가 아그립바가 죽은 AD 44년에 로마로 돌아갔을 것이다. 그렇다면 그가 베드로에게 세례를 받은 것은 AD 43년 쯤이었다고 할 수 있다.

그런데 성경은 그가 베드로를 만나기 이전부터 이미 '하나님을 경외하는'사람이었다고 적고 있는 것이다. 그러나 베드로가 그의 집에 이르러 예수 그리스도의 부활과 구원의 도리를 전한 것으로 보아 그는 아직 예수에 관해서 모르고 있었으며 오직 '여호와 하나님'을 경외하여 늘 기도하며 구제에 힘쓰고 있었다.

(…로마의 청년 장교 코르넬리우스는 어떻게 여호와 하나님을 알게 되었던 것일까?)

그가 AD 41년에 가이사랴로 와서 43년경에 베드로를 만났으니 그 짧은 동안에 하나님을 알게되고 늘 기도하며 구제에 힘쓸 정도의 믿음을 갖게 되었다고 보기는 어렵다. 그리고 유대 땅에서 이방인에게 자기들의 종교를 가르치는 유대인은 아무도 없었던 것이다. 다만 이방인들이 이방의 각 나라에 흩어져 있는 유대인들의 회당에서 그들의 강론을 듣고 유대인의 하나님을 알게되는 경우는 더러 있었다.

그렇다면 청년 장교 코르넬리우스는 이미 로마에서부터 유대인의 하나님을 믿었을 것이고 그것은 저 광란의 황제 칼리굴라 시대였을 것이다. 아마도 그는 다른 장교들이 칼리굴라의 암살을 모의하고 있을 때 이 세상 권세에 환멸을 느끼며 로마의 거리를 걷다가 여호와 하나님을 만났는지도 모른다.

"과연 로마는 세계를 지배할 자격과 이상을 가지고 있는가?"

아마도 그것은 그가 세상권세의 수도이며 정치와 무역의 중심지인 로마의 한 복판에서 정의와 진실의 부재를 목격하며 방황하고 있을 때였을 것이다.

"…도대체 인간은 무엇인가? 그리고 신이 인간을 다스린다면 신은 또 무엇인가?"

### ④ 로마교회의 영광과 교훈

고뇌에 잠겨 로마의 거리를 걷고 있던 코르넬리우스는 곳곳에 서있는 수많은 신상(神像)들을 보았을 것이다. 이상적 공화정치를 표방하던 로마는 시민들과 각 속주에서 흘러들어온 사람들에게 종교의 자유를 허용하고 있었기 때문에 로마의 거리는 신들의 박물관이 되어 있었다. 로마의 신들은 물론이요 헬라의 신들이며 아시아의 아르테미스, 에집트의 이시스신 등 온갖 신들이 모여드는 곳이 로마였다. 그 수많은 신상들에게서 조차 더욱 회의와 환멸을 느끼던 그는 문득 유대인들의 회당에서 '보이지 않는 하나님'을 만나게 되었던 것이다. 유대인들의 '보이지 않는 하나님'을 만난 것은 그에게 경이로운 발견이었다. 그는 거기서 모세의 오경과 선지자들이 기록한 예언의 말씀들을 들었을 것이다. 거기엔 하나님이 창조하신 새로운 하늘과 땅이 있었고 고아와 과부를 돌보라는 가르침이 있었고 구원에 대한 약속의 말씀이 있었다. 유대인쪽에서 볼 때 이방인인 코르넬리우스는 점점 그 유대인들의 하나님을 경외하게 되었고 그 가르침 속에서 마음의 평안을 얻기 시작하고 있었다. 그는 곧 군인다운 실천력으로 하나님의 가르침을 그대로 실천하며 여호와 하나님을 사모하다가 유대의 가이사랴지방으로 파견되었던 것이다. 그는 가이사랴에서도 구제와 기도에 힘쓰던 중 하나님의 지시를 받았다.

"…천사가 가로되 네 기도와 구제가 하나님 앞에 상달하여 기억하신 바가 되었으니 네가 지금 사람들을 욥바에 보내어 베드로라 하는 시몬을 청하라"(행 10 : 4, 5).

베드로가 하나님의 지시를 받고 가이사랴에 이르렀을 때 그를 마중하는 코르넬리우스의 감격은 우리까지도 감동하게 한다.

"…고넬료가 일가와 가까운 친구들을 모아 기다리더니 마침 베드로가 들어올 때에 고넬료가 맞아 엎드리어 절하니 베드로가 일으켜 가로되 일어서라 나도 사람이라…"(행 10 : 24~26).

"오셨으니 잘 하였나이다 이제 우리는 주께서 당신에게 명하신 모든 것을 듣고자 하여 다 하나님 앞에 있나이다"(행 10 : 33).

이렇게 하여 코르넬리우스와 그의 가족들과 친구들은 베드로의 강론을 듣게 되었고 마침내 성령이 모든 사람에게 임하여 방언을 말하고 하나님을 높이는 찬양이 온 집안에 가득하게 되었으며 성령받은 모든 사람들이 세례를 받게 되었던 것이다(행 10 : 34~48).

그 후 코르넬리우스는 이달리야대의 철수와 함께 로마로 돌아가서 열정적이고도 헌신적인 전도활동을 시작하였다. 로마교회는 엘리트 장교인 코르넬리우스의 영향을 받아 군대식의 강력한 조직으로 사회 각층에 파고 들었으며 폭넓은 구제활동과 사회봉사도 역시 그의 실천적 믿음을 본받은 것이었다. 또한 로마교회는 그에게 세례를 주었던 베드로의 영향을 가장 강력하게 받았던 것이다.

나는 이러한 가정을 토대로 로마교회 역사의 빈 공백 속에 코르넬리우스의 이름을 대입해 보았다.

AD 37~41 : 칼리굴라 황제의 광란적 통치. 청년 장교 코르넬리우

스, 유대인회당에서 여호와 하나님을 알게 되다

　AD 41 : 칼리굴라 피살, 클라우디우스 황제 즉위. 로마 정부, 이달리야대를 유대의 가이사랴에 파견

　AD 43 : 코르넬리우스, 베드로에게서 세례받음

　AD 44 : 베드로 체포, 탈옥, 헤롯 아그립바1세 사망. 이달리야대 철수. 코르넬리우스 로마에 귀환, 로마교회 개척

　AD 49 : 클라우디우스 황제, 유대인 추방령. 아굴라 부부 고린도에

　AD 50 : 바울, 예루살렘 총회 끝나고 제2차 전도여행 중 고린도에서 아굴라 부부를 만남. 아굴라 부부는 에베소에 잔류

　AD 54 : 클라우디우스 사망. 네로황제 즉위. 추방령 해제. 아굴라 부부 등 유대인들 로마에 귀환

　AD 56 : 바울, 3차 전도여행 중 로마서를 집필하여 뵈뵈 편에 전달. 예루살렘에 갔다가 거기서 체포됨

　AD 58 : 바울, 로마로 압송됨

　AD 59 : 바울, 로마에 도착

　AD 62 : 베드로, 로마에 도착

　AD 64 : 로마의 대화재 사건. 바울과 베드로 순교

　이렇게 하여 나는 로마교회의 감동적인 교회사를 조립할 수 있었다. 이러한 문학적 추리가 학자들에 의하여 입증되려면 더 많은 방증들이 필요할는지 모른다. 어쨌든 나는 로마교회의 뒤안에 숨어 있는 코르넬리우스의 짙은 그림자를 느끼지 않을 수 없는 것이다.

　그렇다. 코르넬리우스는 끝내 교회사의 표면에 그의 모습을 드러내지 않았다. 코르넬리우스 뿐만 아니라 로마교회를 배후에서 키우던 많은 인물들이 교회사의 뒤에 숨어 있었다. 오른 손이 하는 일을 왼 손이 모르게 하며 은밀한 곳에서 아버지께 기도하라는 예수의 가르침을 그대로 실천했던 그들은 그러나 그들이 기독교도임이 드러나서 황제 앞에 서게 되면 성령의 지시를 따라 기꺼이 예수를 구주로 시

인하고 처형을 받았다.

사람들은 흔히 교회사 속의 두 가지 기적을 말할 때 로마교회의 자생(自生)과 한국교회의 자생을 말한다. 그래서 2천년 전, 로마교회를 칭찬하며 또 충고했던 바울의 권면은 오늘의 한국교회에 주는 충고가 될 수도 있을 것이다.

"…너희를 핍박하는 자를 축복하라 축복하고 저주하지 말라 즐거워 하는 자들로 함께 즐거워하고 우는 자들로 함께 울라 서로 마음을 같이 하며 높은 데 마음을 두지 말고 도리어 낮은 데 처하며 스스로 지혜있는 체 말라 아무에게도 악으로 악을 갚지 말고 모든 사람 앞에서 선한 일을 도모하라"(롬 12 : 14~17).

2백70년간의 충성으로 대제국 로마를 거의 다 정복했던 로마의 지하교회는 AD 313년 콘스탄티누스 황제가 기독교를 공인했을 때 큰 실수를 저질렀다. 그들은 높은 데 마음을 두지 말고 낮은 데 처하라고 충고한 바울의 가르침과 끝내 교회사의 전면에 나타나지 않은 코르넬리우스의 전통을 포기하고 권력과 손을 잡았다. 그리고 마침내 완성되어가던 하나님의 나라를 암흑 속으로 끌어내리게 되었던 것이다.

오늘날 세상권력과 야합하는 교회, 또는 그 권력을 탈취하겠다고 투쟁하는 교회들은 모두 다 심각하게 로마교회의 실패를 되새겨보아야 할 것이다.

# 예수와
# 로마제국

어째서 예수는 조국의 독립을 열망하는
예루살렘 백성들의 기대를 무시하였으며
왜 그는 지하독립운동 단체인 열심당을
배후에서 후원하는 바리새파의
지도자들을 로마정부에 협력하는
사두개파 사람들과 함께 싸잡아서
'회칠한 무덤'이며 '독사의 자식들'이라고
극언을 퍼부었던 것일까?

# 예수와 로마제국

## 1 세상 권세에 굴복하라

교회에서 청년부 지도를 맡고 있다보니 대학생들의 고민을 중심으로 대화하는 시간을 자주 갖게 되고 여러가지 질문에 대답해야 하는 경우도 생기게 된다. 대학에 다니고 있는 청년들에게서 많이 나오는 질문은 역시 대학가의 관심사가 되어 있는 학생운동에 관한 것이 그 주류를 이룬다.

"크리스천으로서 민주화운동 또는 반정부 투쟁에 참여하는 것을 어떻게 생각하십니까?"

지난 날에는 주로 민주화운동과 노동운동에 대한 질문이 많이 나오더니 요즘은 또 민중주도의 통일문제가 관심의 대상이 되고 있다.

나 자신이 지난 날에는 매우 급진적인 생각을 가진 학생이었고 반항적인 기질의 청년이었기 때문에 순수한 열정에서 나오는 의분과 체제의 사슬을 거부하는 용기를 매우 소중히 여기고 또 공감하는 편이다. 아마도 내가 그대로 세상에 있을 때라면 그런 젊은이들의 혈기에 불을 지르고 격려했을 것이다.

실제로 작가로서의 나는 지금도 영화 '미션'에서 과라니 인디오를 위해 칼을 들었던 멘도자신부나 '로메로'에서 엘살바도르의 독재정권에 항거하여 총을 잡았던 모란테신부 쪽에 더 인간적인 공감을 하고 있는 편이다.

그런데 문제는 내가 40세에 다시 예수를 만나고 성경에 기록된 모든 말씀을 구원의 복음으로 받아들인데서 비롯된다. 진지하게 내 답변을 기다리고 있는 청년들에게 내가 성경대로 해 줄 수 있는 대답이라고는 오직 로마서 13장 1, 2절의 말씀밖에 없었던 것이다.

"각 사람은 위에 있는 권세들에게 굴복하라 권세는 하나님께로 나지 않음이 없나니 모든 권세는 다 하나님의 정하신 바라 그러므로 권세를 거스리는 자는 하나님의 명을 거스림이니 거스리는 자들은 심판을 자취하리라"

아무리 성경대로 대답한다 하더라도 좀더 신선하고 자극적인 답변을 기대하고 있는 젊은이들에게 이것은 그들을 실망케하는 찜찜한 말씀이 아닐 수 없었다. 그러나 그 구절이 예수 자신의 말씀이 아닌 바울의 것이라 하여 그의 글이 잘못되었다고 할만한 용기는 내게 없었다. 뿐만 아니라 바로 예수 그분까지도 그의 공생애 기간을 통하여 유대를 점령하고 있던 로마제국에 항거하거나 부패한 헤롯정권에 대항하여 투쟁한 언동이 전혀 없었던 것이다.

오히려 그는 가이사에게 세를 바치는 것이 옳으냐고 묻는 바리새인들에게 '가이사의 것은 가이사에게, 하나님의 것은 하나님께 바친다'고 대답함으로서 로마정권을 인정하는 발언을 했다.

어째서 예수는 조국의 독립을 열망하는 예루살렘 백성들의 기대를 무시하였으며 왜 그는 지하독립운동 단체인 열심당을 배후에서 후원하는 바리새파의 지도자들을 로마정부에 협력하는 사두개파 사람들과 함께 싸잡아서 '회칠한 무덤'이며 '독사의 자식들'이라고 극언을 퍼부었던 것일까?

이스라엘은 전통적으로 반제국주의적인 나라였다. 그들의 역사 자체가 역대의 제국으로부터 침략당하고 능욕당했던 수난사였다. 뿐만 아니라 그들 자신이 왕의 제도를 설치할 때에도 강력한 반발이 있었을 정도로 (삼상 8 : 4~22) 그들의 정치방식은 본래 장로들의 합의에 의하여 운영되는 장자권의 통치였다.

역대 이스라엘의 왕들도 그렇게 심한 견제와 감사를 받았다. 그곳에서는 선지자라고 하는 사람들이 왕들을 감시하고 탄핵하는 역할을 했다. 구약성경의 열왕기와 역대기는 왕권에 대한 끈질긴 감시와 비판의 기록이다. 이러한 이스라엘의 전통은 후일 마카비의 반란으로 이어졌고 다시 바리새인들의 저항과 열심당의 독립운동으로 나타나게 되었다.

그런데 예수는 이스라엘의 조상들이 그토록 혐오했던 로마제국의 통치권에 대해서 굴복하는 발언을 했다. 이것이 예루살렘 사람들을 분노하게 했다. 마침내 예루살렘의 저항정신을 상징하는 열심당과 그들을 뒷바라지 해주던 바리새파와 예수의 비난을 골치 아프게 생각하던 사두개파가 예수를 죽이기로 합의하였고 예수를 열심당 쪽으로 끌어들이려 하던 가롯 유다가 예수를 고발하는 역할을 맡았던 것이다.

어째서 예수는 예루살렘 민중들의 열망과 기대를 무시했던 것일까? 그는 반민족적 보수 반동분자인가, 아니면 로마의 권세에 기가 죽었던 비겁자에 불과했다는 말인가?

## 2 장자권(長子權)과 패권(覇權)

이 의문을 풀기 위해서 나는 우선 장자권의 기원까지 거슬러 올라가 보는 수밖에 없었다. 성경에서 인류 최초의 장자권자는 아담의 아들인 가인이었다. 하나님께서는 아담이 범죄한 이후 모든 사람과 직접 대화하지 않으시고 사람들 중에서 대표를 뽑아 장자권자로 세워 놓으시고 그를 통해서만 대화하시었다. 이 장자권자는 하나님과 대화하는 제사권과 모든 사람들에 대한 축복권을 가지고 있었다. 또한 장자권자는 모든 형제들을 돌보아야 하는 것은 물론이고 아담의 속죄와 아우들의 평안을 위하여 자신을 희생해야 하는 의무도 지니고 있었다.

그러나 우리가 창세기에서 보는 바와 같이 가인은 장자의 직분을 감당하는데 실패하였다. 그는 놀부와 같은 장자가 되어 아우 아벨을 죽게하였다. 그런 실패는 홍수가 끝난 후에도 계속되었다. 노아의 장자 셈에게는 다섯 아들이 있었는데 첫째인 엘람은 무슨 까닭인지 장자의 자리에서 밀려났고 둘째인 앗수르는 함 집안의 영웅 니므롯에게 점령당했다 (창 10 : 8~11). 셈 집안의 아니꼬운 장자권에 대한 함 집안의 도전이 시작된 것이다.

니므롯이 세운 반역의 제국 바벨론은 역사상의 모든 권력이 재력과 결탁하듯이 농사와 기술과 무역으로 부자가 된 가나안 세력과 손을 잡았고 가나안 사람들은 하나님의 장자권에 도전하는 함 집안을 위해서 자기들의 새로운 신들을 만들어내기 시작했다. 바알 신과 아스다롯과 아세라 등 그들은 얼마든지 자신들의 신을 만들어냈다.

하나님의 장자권이 거세당하고 바벨론제국의 패권이 천하를 지배하게 되자 셈 집안의 일부는 차라리 새로운 땅을 찾아서 아라랏산을 넘어 유랑의 길에 나섰고 아르박삿을 비롯한 룻, 아람 가문들은 이들 반역의 세력과 투쟁하기 위해서 메소포타미아에 그대로 남았다. 이들의 투쟁은 상당한 성과를 거두어서 아르박삿 가문의 에벨은 에덴이 있었다고 여겨지던 유브라데강의 상류인 밧단아람 지역에 셈 집안의 에블라왕국을 건설했다.

이 성공 때문에 그 후로도 에벨의 후손들은 히브리인이라고 불리었는데 히브리라는 이름은 바로 에벨에서 나온 것이다.

그러나 에블라왕국의 번영은 오래 가지 못하고 다시 무너졌다. 하나님의 장자권은 무력으로 성립되지 못한다는 것을 다시 한번 증명해 준 사건이었다. 에블라왕국은 가나안 가문의 헷 족속에 의해 무너지고 장자의 백성들은 뿔뿔이 흩어졌다. 갈대아 우르라는 변방까지 밀려가서 우상을 만들어 팔아 생계를 꾸려가던 데라는 마침내 그 아들 아브람을 데리고 추억의 땅 밧단아람의 하란으로 돌아가 거기서 한많은 삶을 끝낸다. 아버지의 한많은 죽음을 본 아브람에게 하나님의 명령이 떨어진다.

"너는 너의 본토 친척 아비집을 떠나 내가 네게 지시할 땅으로 가라"(창 12 : 1).

하나님이 그에게 지시한 땅은 바로 가나안 땅이었다. 마침내 하나님은 무너진 셈 집안의 아브람 하나를 택해서 가나안에 대한 징계를 계획하신 것이다. 하나님은 아브람을 훈련시키고 그에게 아브라함 즉 '열국의 아비'라는 새 이름을 주셨으나 다시 그의 자손들을 애굽에 보내 종살이를 시킴으로써 그들을 강인한 백성들로 길러내었다. 그리하여 마침내 하나님은 이스라엘을 당신의 장자로 지명하신 것이다 (출 4 : 22).

마침내 하나님께서 계획하신 심판의 날은 왔다. 광야의 40년 훈련을 받고 가나안에 진입하는 이스라엘 백성들에게 하나님께서는 그 땅에 들어가면 그 땅의 거민을 하나도 남기지 말고 진멸하라는 추상같은 명령을 내리셨다.

그러나 이스라엘 백성들은 가나안에 들어가 연전연승하자 마음이 해이해졌다. 그들은 거의 다 진멸하고 남은 가나안 사람들을 그냥 살려두어 자신들의 종으로 삼았다. 이것이 올무가 되어 그들의 신앙은 가나안의 우상으로 오염되었고 그들의 나라는 남북으로 갈라졌다가 다시 바벨론제국에 의해 멸망 당했던 것이다. 그후로도 유대는 계속해서 제국의 지배와 수모를 받았다.

함 집안의 제국세력은 야벳 집안으로 넘어가서 페르샤 헬라 로마의 제국들이 번갈아가며 유대를 짓밟았다. 그러나 유대는 끈질기게 제국의 세력에 저항하면서 하나님께서 보내주마고 약속하신 구세주를 기다렸다. 그런 때에 바로 예수라는 이름의 아기가 베들레헴에서 탄생했던 것이다. 그는 장성하여 갈릴리 지방에 나타났다. 그는 백성들에게 외쳤다.

"회개하라, 천국이 가까왔느니라! "(마 4 : 17).

그는 성경이 예언한 대로 소경의 눈을 뜨게 하고 앉은뱅이를 걷게

하고 벙어리가 말하게 하였다. 사람들은 비로소 메시야가 온 것을 알고 기뻐했다. 그러나 그는 로마를 철장으로 다스리려 하지 않았다. 그는 말하기를 하나님의 나라는 볼 수 있게 임하는 것이 아니요 하나님의 나라는 너희 안에 있다고 하였다 (눅 17 : 20, 21). 그것이 무슨 뜻이었는지는 그의 제자들도 그가 승천한 후 오순절날 성령을 받고 나서야 알았다.

예수 그리스도는 하나님의 진정한 '맏아들'곧 영원한 장자권자로서 오신 것이었다 (롬 8 : 29). 그는 자기 몸으로 속죄의 제사를 드려 우리의 영원한 대제사장이 되었으며 (히 6 : 20) 형제들의 구원을 위하여 자신을 희생하는 장자의 참 모습을 보여주었다. 그는 이 세상에 제국의 패권이 나타난 원인이 장자의 실패 때문이었음을 알고 있었다. 그래서 하나님의 나라를 회복하려면 제국의 타도가 아니라 '회개'가 먼저이어야 함을 알았던 것이다.

그에게 있어서 로마제국은 원수가 아니라 하나님의 사랑으로 구원해야 하는 야벳 집안의 아우들이었다. 그래서 그는 장자임을 자처하는 유대의 사두개인들과 바리새인들의 회개를 먼저 요구했다.

과부의 돈을 삼키며 교권에만 집착하던 사두개파와 인간적 노력으로 로마를 타도하려던 바리새파의 합작으로 예수는 처형되었다. 그러나 예수가 부활하고 승천한 후 성령을 받은 그의 제자들을 마침내 구원의 복음을 전 세계에 전하기 시작했고 하나님나라의 권세는 제국의 심장부인 로마를 점령하기에 이르렀다. 그러나 온갖 박해를 받으며 예수의 가르침을 실천해온 로마교회는 가나안에 진입했던 히브리 백성들처럼 결정적인 순간에 실수를 저질렀다.

거의 모든 로마시민들이 예수를 믿게되자 그 세력을 이용하고 싶었던 콘스탄티누스황제가 기독교를 국교로 삼겠다는 바람에 로마교회는 너무 감격하여 그만 제국의 세력과 손을 잡게 되었다. 이로써 기독교를 손에 쥔 제국의 패권은 계속 이어져서 오늘날까지 세상을 지배하고 있다. 그러면서 세상권세와 혼합된 기독교는 늘 제국들의 패권과 팽창주의에 엉켜다니며 예수의 이름을 망신시켜 온 것이다.

기독교를 동반한 제국세력이 세계를 지배하고 있을 때 가룟 유다처럼 인간적인 이상과 의지로 이에 대항하겠다고 나선 것이 칼 마르크스였다. 그러나 하나님의 나라가 아닌 인간의 나라를 지향했던 마르크스의 열정은 실패했다.

우리는 오늘날 붕괴되고 있는 공산주의 국가들의 비참한 모습 속에서 목을 매고 죽었던 가룟 유다의 슬픈 모습을 보고 있는 것이다.

하나님 나라의 장자권 회복은 회개하고 사랑하고 섬기고 희생하는 그리스도의 장자정신으로만 가능하다. 어떤 사상이나 이념이나 투쟁도 인간을 행복하게 해 주지 못했다는 것을 역사가 웅변으로 증명하고 있다. 세상의 권세라도 착한 일을 법으로 막을 수 없는 그 명분성 때문에 때로 그리스도인에게 유리한 보호막이 될 수도 있다(롬 13 : 3). 세상세력의 행악이 극심하여 성도들의 부르짖는 기도가 하나님께 상달되면 하나님께서는 또 다른 세상세력을 일으키시어 먼저의 세력을 몰아내신다.

여기까지 추적한 내가 학생들의 질문에 대답할 수 있는 말은 분명해졌다.

"그대들이 악한 세력을 몰아내는 새 세력에 가담하겠다면 그것은 정치적인 선택이며 보이지 않게 임하는 하나님의 나라와는 관계없는 일이다. 그러므로 그대가 정치적인 선택을 할 때에는 반드시 자기의 이름으로 할 것이며 결코 교회의 이름으로 하지말라."

오늘날 교회의 이름으로 분신자살을 선동하고 교회의 이름으로 과격한 노사분규를 조종하고 교회의 이름으로 독선적 통일을 주도하려는 사람들 때문에 수많은 사람들이 기독교에 실망하여 교회에 나가기를 그만두고 있다. 교회의 이름으로 정치에 나선 사람들의 신념이 옳든 그르든간에 그들은 나중에 하나님 앞에서 그 수많은 영혼들을 잃어버린 책임을 어떻게 감당할 것인지 궁금하지 않을 수 없다.

# 유대인의
# 비극

유대인들이 옳지않은 방법으로 세계를
지배하려고 획책하려는 것이 사실인 것 같은데
우리는 어떻게 그들을 위해 기도할 수
있을 것인가. 정말 유대인들은
장사의 명수들일까…?

# 유대인의 비극

## ① 선택받은 백성의 미스테리

인류의 역사가 시작된 이래 많은 비극들이 발생했지만 그 중에서도 가장 끔찍한 것이 아마도 유대인들의 비극일 것이다.

애굽에서 430년간 종살이한 일이라든가 바벨론에게 멸망 당하여 70년간 포로 생활을 한 것이나 페르샤, 헬라, 로마의 지배를 받은 것은 그만 두고라도 AD 70년 로마군의 예루살렘 포위로부터 시작된 유대인들의 수난은 너무나 참혹한 것이었다. 그해 봄에도 유월절을 지키기 위해 예루살렘으로 올라갔던 순례자들이 많았기 때문에 성의 함락과 함께 학살당한 유대인은 1백만명이 넘었고 겨우 목숨을 건진 소년들과 여자들은 모두 노예로 팔렸다. 그로부터 3년 후에는 마사다에서 결사의 항전을 벌리던 반란군들이 집단자살을 함으로써 유대의 역사는 종지부를 찍었고 전 세계에 흩어진 유대인들은 가는 곳마다 혹독한 박해를 받았다.

AD 313년 로마의 콘스탄티누스 황제에 의해 기독교가 공인되자 예수를 십자가에 못박은 자들로 낙인 찍힌 유대인들의 수난은 더 극심해졌고 십자군 원정 때에는 그들이 가는 곳마다 유대인 사냥이 성행하였다. 이들에 대한 박해는 근대 유럽과 러시아에서도 계속되었고 마침내 1933년 히틀러가 독일의 정권을 장악하면서 그 절정에 달하게 되었다. 유럽 경제가 파탄에 이르게 된 죄를 유대인에게 뒤집어 씌운 히틀러는 독일뿐만 아니라 모든 점령지에서 유대인 말살정책을 전개하여 6백만이 넘는 유대인을 학살했던 것이다.

신명기 28장에는 하나님께서 모세를 통하여 유대인들에게 주신 무서운 경고가 기록되어 있다. '네가 만일 네 하나님 여호와의 말씀을 순종치 아니하여 내가 오늘날 네게 명하는 그 모든 명령과 규례를 지켜 행하지 아니하면… (신 28 : 15) '으로 시작되는 이 무시무시한 저주는 무려 54절에 걸쳐서 계속되는데 그 저주의 끝 부분은 이렇게 되어 있는 것이다.

"…여호와께서 너를 땅 이 끝에서 저 끝까지 만민 중에 흩으시리니 네가 그곳에서 너와 네 열조의 알지 못하던 목석 우상을 섬길 것이라. 그 열국 중에서 네가 평안함을 얻지 못하여 네 발바닥을 쉴 곳도 얻지 못하고 오직 여호와께서 거기서 너의 마음으로 떨고 눈으로 쇠하고 정신으로 산란케 하시리니…" (신 28 : 64, 65) .

참으로 유대인들은 이상한 백성들이었다. 그들은 이토록 무시무시한 저주의 예언을 자기들의 손으로 기록해 놓고서 바로 자신들이 기록한 그대로 수난을 당한 것이었다.

이 무서운 재난을 예감했던 예수께서는 예루살렘을 바라보며 눈물을 흘리셨고 (눅 19 : 41~44) 겟세마네 동산에서는 그들의 수난을 생각하시면서 흐르는 땀이 핏방울 같이 되도록 간절한 기도를 드렸다 (눅 22 : 44) .

그러나 하나님께서는 예수의 수난에 침묵하신 것처럼 (막 15 : 34) 유대인의 수난에 대해서도 침묵하시었다. 하나님께서는 이방인들의 구원받는 수가 찰 때까지 장자로 택하셨던 이스라엘의 구원을 유보하셨던 것이다 (롬 11 : 25) .

그래서 그런지 지난 날 모든 나라들은 난국에 부딪힐 때마다 유대인들에게 그 책임을 씌워서 박해하였다. 그리고 지금 우리들의 시대에도 또 마찬가지 현상이 벌어지고 있다. 세계를 주름잡던 거대한 두

세력인 미국과 소련의 경제가 비틀거리고 일본과 일부 아시아 국가
들을 제외한 지구촌의 모든 나라들이 불황에 휩싸이게 되면서 저 히
틀러가 유대인을 학살할 때 이용하였던 괴문서 '프로토콜'(Zion
Protocol)이 다시 나돌기 시작하고 있는 것이다.

이 '프로토콜'이라는 문서는 1897년 스위스의 바젤에서 열린 제1차
시오니스트 회의 때 세계지배 전략을 토의한 유대인들의 회의록이라
고 하는데 나중에 위서(僞書)였음이 밝혀졌다고는 하나 그 내용이 너
무나 예언적으로 되어 있어서 사람들이 아직도 유대인을 수상하게 보
는 근거가 되고 있다.

이 회의록에 보면 메시야의 강림을 준비하기 위한 유대인의 세계
지배 전략이 구체적으로 열거되고 있는데 정보망의 점령, 식량과 석
유의 장악 등이 중요한 과제로 등장하고 모든 나라의 부패를 조장하
면서 동시에 반정부 세력을 지원하여 세계를 혼란의 경기장으로 만
든다든가 유럽을 새로운 세계 정부의 중심지로 삼는다든가 하는 중
요한 전략들이 버젓하게 기재되어 있다.

이 문서가 계속해서 사람들의 관심을 끌고 있는 것은 그 내용의 예
언적 성취 때문일 것이다. 실제로 유대인들은 AP, UPI, AFP, 로
이타 등 전 세계의 주요 통신사들을 장악하였고 거대한 정보시스템
판매자인 IBM을 움직이고 있다. 또 그들은 세계 석유 거래량의 80%
를 공급하고 있는 7대 석유 메이저를 독점하고 있으며 전세계의 식량
공급을 장악하고 있는 5대 곡물 메이저 중에서 3개 회사를 운영하고
있는 것이다.

뿐만 아니라 20세기를 유혈과 혼란 속에 몰아넣었던 러시아 혁명
은 유대인 칼 마르크스의 '자본론'에서 시작되었고 역시 유대인인 레
닌과 트로츠키 등에 의해 주도되었다. 그리고 지금도 세계 각처에서
반체제 운동을 주도하고 있는 해방신학 역시 히브리 민족의 애굽 탈
출을 민중해방운동으로 파악하고 이사야 53장이 예언하고 있는 고난
의 메시야를 억압받는 민중으로 해석하는 유대교적 논리가 그 기본

을 이루고 있는 것이다.

더구나 최근 미국의 경제를 주름잡고 있던 유대계 자본들은 록펠러 센터, 콜롬비아 영화사, 엑슨 빌딩 등 주요 기업과 부동산들을 모두 일본의 재벌들에게 팔아넘김으로써 그들이 드디어 유럽으로 거점을 옮기고 있는 것이 아닌가 하는 의혹을 불러일으키고 있다. 이런 현상들과 때를 맞추어서 괴문서 '프로토콜'이 다시 나돌고 있는 것은 과연 심상치 않은 일이 아닐 수 없는 것이다.

그러나 성경은 유대인을 미워하면 안된다는 것을 경고하고 있다.

"너를 축복하는 자에게는 내가 복을 내리고 너를 저주하는 자에게는 내가 저주하리니…"(창 12 : 3).

더구나 바울의 말대로 이방인의 구원을 위하여 유대인의 구원이 유보되었다면 우리는 유대인들의 수난을 마음 아프게 여기며 그들의 구원을 위해 기도해야하는 것이다.

그러나 우리가 보기에 유대인들이 옳지 않은 방법으로 세계를 지배하려고 획책하는것은 사실인 것 같은데 그렇다면 어떻게 그들을 위하여 기도할 수 있을 것인가. 나는 그런 생각을 하다가 문뜩 한가지 이상한 사실을 깨닫고 깜짝 놀랐다.

(정말 유대인들은 장사의 명수들일까…?)

내가 알기로 유대인들은 고지식한 율법주의자들이며 고집스럽고 융통성도 없을 뿐 아니라 때로는 교만하여 하나님께 여러번 목이 곧은 백성들이라고 (출 33 : 3) 꾸중을 들은 백성들이었다. 그들의 조상 아브라함은 아내를 바로 왕에게 내어줄 정도로 겁장이였고 그의 아들 이삭은 계속해서 우물만 파는 고지식한 사내였으며 이삭의 아들 야곱은 여자 하나를 얻기 위해 20년간이나 종살이를 했던 곰같은 사람이었다.

(유대인과 장사꾼…)

그것은 참으로 어울리지 않는 두개의 개념이었다. 나는 이상하다고 생각하며 유대인과 장사와의 관계를 알아보기 시작했다.

(그들은 과연 유능한 장사꾼이었던가…?)

2 보이지 않는 그림자

식량을 구하기 위해 애굽에 내려갔다가 요셉을 만난 야곱의 자손들은 그대로 차일피일하며 그 땅에 눌러 살다가 430년 동안이나 종살이를 하게 되었다. 하나님께서는 그들의 탄식하며 부르짖는 소리를 들으시고 모세라고 하는 지도자를 세워 그들을 애굽에서 이끌어 내시었다. 그들에게 '홀로서기'를 가르치시기 위해 광야에서 40년간을 훈련시키신 하나님께서는 그들이 가나안으로 진입할 때 한가지 엄한 명령을 내리셨다.

"네 하나님 여호와께서 네게 붙이신 모든 민족을 네 눈이 긍휼히 보지말고 진멸하고 그 신을 섬기지 말라. 그것이 네게 올무가 되리라"(신 7 : 16).

하나님의 가나안 진멸은 저들이 하나님의 장자권에 거역하여 바벨론을 세우고 다른 신들을 만들어내기 시작했을 때부터 계획된 것이었다. 하나님께서는 셈 집안의 에벨 왕국이 가나안의 헷 족속에게 멸망당한 이후로 다시 에벨의 후손 중에서 아브람을 불러내시어 그와 약속을 맺으시고 그 자손들을 훈련시키시며 가나안 진멸의 날을 기다리고 계셨던 것이다.

그러나 가나안에 진입하여 연전연승을 거두며 마음이 해이해진 이스라엘 백성은 가나안 백성을 다 진멸하지 않고 그들 중의 일부를 남겨 종으로 삼았다(수 15 : 63 ; 16 : 10). 이것이 나중에 이스라엘 사람들에게 올무가 되었다. 가나안 사람들이 섬기고 있던 우상들이 이스라엘 백성들 사이에 독버섯처럼 번지기 시작했던 것이다. 그것은 바로 전무후무한 영화를 누렸다는 솔로몬의 때부터 시작되었다. 그는 하나님께서 주신 영화를 조금도 사양함이 없이 다 받아 누렸는데 그 영화의 틈새에 문제가 끼어들기 시작한 것이었다.

"왕은 후비가 7백인이요 빈장이 3백인이라, 왕비들이 왕의 마음을 돌이켰더라. 솔로몬의 나이 늙을 때에 왕비들이 그 마음을 돌이켜 다른 신들을 좇게 하였으므로…" (왕상 11 : 3, 4)

나는 솔로몬 왕 때의 일들을 좀 더 자세히 살펴보기 위해 그의 시대에 추진된 성전 건축의 기사를 읽어나가다가 이상한 대목을 발견하였다.

"전에 솔로몬의 부친 다윗이 이스라엘 땅에 거한 이방 사람을 조사하였더니 이제 솔로몬이 다시 조사하매 모두 15만3천6백인이라. 그 중에 7만인은 담군(擔軍)이 되게 하였고 8만인은 산에서 벌목하게 하였고 3천6백인은 감독을 삼아 백성들에게 일을 시키게 하였더라" (대하 2 : 17, 18).

이스라엘 백성들은 자기들이 나무를 베고 돌을 져 나른 것이 아니라 가나안 출신의 종들을 부려서 성전을 지었던 것이다. 나는 다시 이 공사에 이스라엘 사람들은 얼마나 동원되었는가를 찾아 보았다.

"이에 솔로몬 왕이 온 이스라엘에서 역군을 불러 일으키니 그 역군의 수가 3만이라" (왕상 5 : 13).

"솔로몬 왕의 공장(工匠)을 감독하는 자가 2백5십인이라" (대하 8 : 10).

결국 이스라엘 일꾼과 가나안 인부의 수는 3만과 15만이요, 감독의 수는 2백5십과 3천6백이었다. 그런데 솔로몬 왕이 죽고 난 후 그 감독 중의 하나였던 에브라임 지파의 여로보암이 새 왕 르호보암에게 노역의 경감을 요구하며 항명파동을 일으켰다. 그는 말하자면 노사분규를 주동한 셈이었다.

그 분규를 일으킨 여로보암의 배후에는 물론 공사에 동원된 18만명의 인부와 3천8백5십명의 감독이 있었고 그들 중의 중추 세력은 물론 가나안 사람들이었던 것이다.

새 왕 르호보암은 예상했던 대로 노인들의 충고를 따르지 않고 자기와 함께 자라난 소년들의 가르침을 따라 오히려 그 부친보다 더 인부들을 혹사하였다. 마침내 여로보암은 이스라엘의 열 두 지파 중 열

지파를 이끌고 북쪽으로 올라가 새 왕국을 세웠다.

이 여로보암의 배후가 된 가나안 인부들은 차츰 북쪽의 왕국에서 보이지 않는 거대한 세력을 형성하기 시작했다. 그들의 세력이 너무나 커졌기 때문에 이스라엘의 7대 왕인 아합은 가나안족속인 시돈 왕 엣바알의 딸 이세벨과 결혼할 수 밖에 없었으며 (왕상 16 : 31) 이세벨은 여호와의 선지자들을 다 죽이고 이스라엘을 바알과 아세라의 나라로 만들어 버렸다. 또 남쪽의 유다 왕 여호사밧도 자기 아들 여호람을 아합과 이세벨 사이에서 낳은 딸 아달랴와 결혼시킴으로서 유다까지도 가나안 세력에 물들게 되었다 (왕하 8 : 18).

이렇게 하여 히브리 민족 가운데 끼어든 가나안 사람들은 유대인으로 행세하기 시작했다.

더구나 십자군들에 의해 수많은 유대인 부녀자들이 강간 당하여 혼혈아를 낳게 되자 그들은 결국 남자에 의하여 혈통을 보존하던 전통을 바꾸게 되었다. 즉 그들은 어머니가 유대인이면 다 유대인의 혈통으로 인정하게 되었고 가나안 사람들도 자연스럽게 유대인이 된 것이었다. 그러나 유대인들이 세계 각처에서 박해받는 동안 가나안 사람들은 예루살렘 공사 때의 경험으로 나라마다 세워지는 기독교 성당의 공사에 불려다니며 대우를 받았고 마침내 그들의 장사꾼 기질은 다시 국제적 비지니스에 눈을 떠 거대한 재력을 축적하게 되었던 것이다.

즉 장사를 잘 한 것은 유대인이 아니라 그들 속에 섞여 있던 가나안 세력이었다. 그러고 보면 '가나안'이라는 이름도 본래 '장사꾼'을 의미하는 것이었고 그들은 역사상 가장 먼저 화폐를 사용한 사람들이었다. 그러므로 에스겔은 가나안 족속인 두로의 상인을 사탄에 비유하여 저주하였으며 (겔 28 : 12~18) 요한 계시록은 마지막 때에 바벨론이 저주를 받아 무너지면 모든 장사꾼들이 그로 인하여 통곡할 것이라고 기록했던 것이다 (계 18 : 11).

마지막 때에 적그리스도가 나타나 인류 최후의 제국 (帝國)을 세워 인간을 강압으로 통치하게 되면 그는 고대의 바벨론이 가나안 세력과 결탁했던 것처럼 또 그들과 결탁하게 될 것이다. 그러나 아합왕 때에 이세벨이 여호와의 선지자를 다 죽였어도 7천명의 '남은 자'가 있었듯이 유대인들 중에 경건한 자가 남아 있을 것이며 (롬 11 : 4) 적그리스도는 그들을 핍박하게 될 것이다 (계 12 : 13~17). 그러나 가나안에 대한 하나님의 심판은 이미 임박하고 있다. 이제는 우리가 가나안 세력 가운데 뒤섞여 있는 '하나님의 백성'의 구원을 위하여 간절히 기도할 때인 것이다.

"…그 날에는 만군의 여호와의 전에 가나안 사람이 다시 있지 아니하리라"(슥 14 : 21).

# 너를 기쁘게 받으리니

한국은 전세계의 가장 많은 성경을 보급하며
가장 많은 선교사를 파송하는 나라가
되어 있으며 매일 새벽기도를 드리는
유일한 나라. 한국은 도대체 어디서
온 누구이며 한국을 향한
하나님의 뜻은 무엇인가?

# 너를 기쁘게 받으리니

## ① 한국과의 만남

세상에서 방황하던 사람이 준비된 은혜로 말미암아 예수 그리스도를 만나고 그분께서 주인공 되신 성경을 알게 되면 마침내 성경을 '모든 것이 다 들어 있는 책'으로 고백하지 않을 수 없게 된다. 그래서 저 유명한 가말리엘 문하의 엘리트 율법학자였던 바울은 예수를 중심으로 한 복음의 실상을 깨닫고 나서 세상의 모든 학문과 율법들이 '초등학문 (初等學問)'이요 '몽학선생 (蒙學先生)'에 불과한 것이라고 고백하였던 것이다 (갈 3 : 24 ; 4 : 3).

바울의 고백대로 성경 속에 예수 그리스도가 주인공으로 자리잡게 되면 거기 기록된 모든 말씀들은 생명의 샘이 되고 무엇이든 마음대로 꺼낼 수 있는 보화의 창고가 된다. 거기엔 역사를 주관하시는 하나님의 마스터플랜이 들어 있고 우주가 있고 과학이 있으며 지혜가 있고 신유 (神癒)가 있으며 위로가 있고 격려가 있다. 그리고 그 중에서도 무엇보다 중요한 것은 그 속에 바로 하나님께서 '나'에게 주시는 메시지가 들어 있다는 사실이다.

성경은 단순한 생활의 지식이나 교훈을 적어 놓은 책이 아니다. 그런 것은 세상의 책들이나 명심보감에서도 얼마든지 찾을 수 있다. 우리가 성경에서 찾아야 하는 것은 하나님께서 '나'에게 주시는 계시인 것이다.

그러나 사람은 자기 뿐 아니라 자기가 속해 있는 공동체의 운명에
도 관심을 갖게 마련이다. 왜냐하면 나의 장래는 곧 내가 속해 있는
공동체의 운명과 깊은 관계를 가지고 있기 때문이다. 그래서 우리는
흔히 성경을 읽다가 성경이 우리나라에 대해서는 어떻게 기록하고 있
는가 알고 싶어하는 것이다. 하지만 유감스럽게도 성경은 한국에 대
해서 아무것도 언급하고 있지 않다. 다만 성경에는

"…저희의 넘어짐으로 구원이 이방인에게 이르러 이스라엘로 시
기나게하려 함이니라"(롬 11 : 11).

하였으니 한국은 그저 이스라엘이 완악하여 구원받지 못하고 있는
사이에 은혜를 입은 나라들 중의 하나라는 것만 짐작할 수 있는 것이
다. 어떤 사람들은 성경에서 한국에 관한 암시를 찾으려고 고심하다
가 계시록 7장 2절을 읽고서 흥분하기도 한다.

"또 보매 다른 천사가 살아 계신 하나님의 인 (印) 을 가지고 해 돋
는 데로부터 올라와서 땅과 바다를 해롭게 할 권세를 얻은 네 천사를
향하여 큰 소리로 외쳐 가로되 우리가 우리 하나님의 종들의 이마에
인치기까지 땅이나 바다나 나무나 해하지 말라 하더라 내가 인 맞은
자의 수를 들으니…"

이것은 바로 이스라엘의 열 두 지파 중에서 14만4천명이 구원받는
대목이다. 한국에 관한 암시를 너무 열심히 찾다가 그만 '해 돋는 곳
'이란 말만 보고도 놀라서 마지막 때에 이스라엘은 한국으로 말미암
아 구원받는다고 단정하기도 하는 것이다.

그러나 성경에는 '해 돋는 곳' 또는 '동방'이란 말이 수 없이 나온다.

"너희가 동방에서 여호와를 영화롭게 하며…"(사 24 : 15).

"이스라엘 하나님의 영광이 동편에서부터 오는데…"(겔 43 : 2)

본래 예로부터 동방 (Orient) 이란 말은 해가 뜨는 곳을 의미하기 때
문에 신성, 회복, 소망의 뜻으로 많이 사용되었다. 그러므로 성경을
기록한 사람들이 동방이란 말을 많이 사용한 것은 당연한 것이다. 어

쨌든 우리나라가 이스라엘 쪽에서 보면 동방에 위치하고 있으니 기분이 좋을 수도 있다. 어떤 분의 해석처럼 복음이 이스라엘에서부터 서쪽으로 진행하여 지구를 한바퀴 돌아 한국으로 왔는데 이제 다시 한국은 이스라엘을 구원하기 위하여 그들에게 복음을 전해야 한다는 해석도 고무적일 수 있다.

그러나 많은 사람들이 이 '동방'에 너무 환상적으로 집착하여 월권적인 이단 종파를 만드는가 하면 천부교나 통일교의 교주들처럼 자기가 감람나무라 하기도 하고 재림한 예수라고 자칭하는 사람들이 있으니 우리는 한편으로 이 웃지 못할 '동방'증후군(症候群)에 대해서 정신차려 경계해야 할 것이다.

어쨌든 오늘날 우리가 살고 있는 한국은 옛날의 이스라엘처럼 매우 계시적인 역사를 이어 온 것이 사실이다. 4천3백년전 만주 벌판에 광활한 터전을 잡아 나라를 열었던 우리 민족은 한번도 남의 나라를 침략해 본 적이 없을 정도로 평화를 사랑하는 백성들이었다. 그런데도 오히려 우리는 주변의 나라들로부터 수 없이 침략을 받아 수난의 길을 걸었고 오늘날에는 겨우 남은 한반도마저 두 조각으로 갈라져 있는 상태인 것이다.

한국이 그렇게 박해만 받아온 나라인데도 인도의 시인 타고르는 한국을 가리켜 '동방의 등불'이라고 노래했다.

"옛날 동방의 황금 시절, 빛이 되었던 한국이여…너의 등불 다시 밝히는 날에 온 세계를 밝히는 빛이 되리라…"

이 한국 사람들은 어디서 왔는가? 예수원의 아처 토리 신부님은 한국을 가리켜 '하나님께서 숨겨놓으신 나라'라고 하였고 소설 '25시'의 작가 비르질 게오르규는 '하나님께서 한국인을 여기에 자리잡게 하셨다'고 말했다.

누가 뭐라 하더라도 우리가 살고 있는 시대에 지구상에서 가장 강력하게 성령이 역사하고 있는 나라는 단연 한국이라고 할 수 있다. 나라 밖에서 들어보면 더욱 그것을 알고 있다.

내가 아일랜드의 한 시골에서 만난 부인과 그 아들은 세계에서 제일 큰 교회가 한국에 있다는 것을 알고 있었고 언젠가는 한국에 가서 그 교회의 예배에 참석하고 싶다는 소망을 가지고 있었다. 한국은 이미 극동 지역을 찾아오는 기독교인들이 꼭 들려야 하는 성지가 되어 있는 것이다. 오늘날 한국은 전 세계에 가장 많은 성경을 보급하며 가장 많은 선교사를 파송하는 나라가 되어 있으며 매일 새벽 기도를 드리는 유일한 나라가 되었다.

그러한 한국은 도대체 어디서 온 누구인가? 한국인을 향한 하나님의 뜻은 무엇인가?

## ② 눈으로 주를 뵈옵나이다

학자들은 우리 민족의 언어를 분석하여 우랄 알타이계의 어족이라고 한다. 실제로 중앙 아시아와 시베리아 전역에는 터어키계 언어와 우리 동방계의 언어가 뒤섞여서 산재해 있으며 이는 우리가 터어키, 즉 메소포타미아의 '비옥한 초생달(Fertile Crescent)'지역으로부터 아라랏을 넘어 우랄산맥과 시베리아를 거쳐 만주에 까지 대 이동을 감행하였던 셈계의 민족임을 말해주고 있는 것이다.

어째서 우리 선조는 그 살던 땅을 떠나 그토록 먼 유랑 길에 나섰던 것일까? 우리 민족이 만주에 정착했던 연대를 계산해보면 그것은 홍수 이후 함 집안의 니므롯이 셈 집안의 장자권에 도전하여 바벨론 제국을 건설하였던 때로 거슬러 올라간다. 아우의 집안에서 부끄러움을 당한 장자의 집안 중에서 그 일부는 반역한 아우들의 땅을 떠나 서글픈 마음으로 아라랏을 넘었고 아르박삿, 룻, 아람 등은 남아서 광복운동을 계속하다가 에벨 왕국을 세웠으나 다시 가나안의 헷 족속에게 멸망당했던 것이다.

그래서 한국은 아르박삿과 에벨의 후예인 이스라엘과 서로 공통점이 많다. 우선 셈 집안의 백성들은 글씨를 오른 쪽에서 왼쪽으로 써간다. 히브리어도 그렇고 아랍어도 그렇고 몽고어도 그렇고 우리도 본래는 그랬다. 또 히브리백성들과 같이 우리도 고대로부터 모자를 쓰는 백성이었고 특히 중요한 의식이 있을 때에는 높은 관(冠)을 썼다. 실제로 중국의 산해경(山海經)에는 '동방에 군자의 나라가 있는데 그들은 모자를 쓴다'고 기록되어 있다.

또 이스라엘 사람들은 슬픈 일을 당했을 때 굵은 베옷을 입고 곡(哭)을 하는데 (왕하 19 : 1) 우리도 그러했고 그들이 흰 세마포 옷을 좋아 했는데 우리도 본래 흰 옷을 입는 백의민족이었다. 저들에게 왕이 생기기 전에는 장자권을 존중하고 장로들이 중대사를 결정하는 제도가 있었는데 우리도 역시 장자를 존중하였고 화백(和白)이라는 장로 제도가 있었다.

그러나 무엇보다도 기이한 것은 그들이 다스리 월. 즉 7월 15일을 초막절이라는 명절로 지킨다는 점이다 (레 23 : 24) . 그것은 곧 우리 달력으로 음력 8월 15일, 즉 추석인 것이다. 초막절은 바로 메시야의 강림을 예표하는 절기인데 우리나라에도 많은 민간 설화에 그 메시야 사상의 흔적들이 아직도 남아 있으니 신기한 일이 아닐 수 없는 것이다.

1989년 11월 7일 오후 7시, 나는 퇴근 길의 차 속에서 기독교 방송을 켰다가 히브리 대학의 평화연구소장인 베냐민 슐로니 교수의 특강을 들었다.

그는 한국과 이스라엘의 역사를 비교하면서 두 나라 사이의 신기한 공통점들을 발견해내고 있었다. 이스라엘과 한국은 항상 주변의 강국들로부터 핍박을 받으며 생존해 왔다. 그러면서도 두 나라의 뷰로크라트들은 고난을 극복하며 끊임 없이 자신들을 비판하고 반성함으로서 그 순결성을 지키려고 노력해 왔다.

두 나라는 자기들을 핍박했던 나라들, 즉 독일과 일본이 번영하고 있는 동안에 오히려 더 큰 시련을 겪었다. 6·25전쟁과 중동 전쟁이 그 것이었던 것이다. 그러나 두 나라는 불사신처럼 되살아났다. 아직도 이스라엘은 같은 뿌리인 아랍과 싸우고 있으며 한국은 세계 시장에서 같은 뿌리인 일본과 싸우고 있다. 이스라엘과 한국은 똑 같이 지구촌의 긴장을 상징하는 두개의 핵이 되어 있다. 이제 이 두 나라는 세계의 평화를 위해 헌신할 사명이 있다. 이스라엘의 인사말인 '샬롬'과 한국의 인사말인 '안녕'은 모두 다 '평화(Peace)'를 의미하는 말이기 때문이다….

슐로니 교수의 강연은 매우 감동적이었다. 고난 당한 민족이 오히려 평화를 위해 나서야 한다는 말이 내가 그동안 한국과 '욥'의 고난을 연관시켜 생각하고 있던 것과 일치하고 있었기 때문이다.

지난 86년, 나는 신문에서 작가 게오르규가 한국에 대하여 쓴 글을 읽은 적이 있었다.

"…한국의 운명은 구약성서가 말하는 욥의 운명과 비슷하다. 수난을 견디는 욥의 운명은 한이 없고 하나님을 믿는 신앙 또한 백절불굴이다. 한국은 바로 이와 닮았다. 한국은 지난 6천년 동안 숱한 고난을 겪었고 욥처럼 자신의 운명에 충실해 왔다…한국인들은 가장 큰 시련과 불행을 참는 훈련을 쌓았다. 아무도 한국인을 쓰러뜨리지 못한다. 그들은 자신의 잿더미 속에서 되살아나는 불사조이다."

게오르규의 글을 읽고서 나는 '욥'에 대해서 본격적으로 관심을 갖기 시작했다. 욥기를 보면 그 서두에서부터 '동방'이 등장하고 있다. 욥은 순전하고 정직하여 하나님을 경외하며 악에서 떠난 자였다는 것으로 시작되는 욥기는 욥을 '동방 사람 중에 가장 큰 자'였다고 소개하는 것이다.

한국 사람들은 본래 하나님을 섬기던 백성이었으며 이 땅에 불교가 들어오기까지는 하늘에 제사드리는 백성이었다고 삼국유사와 규원사화에 적혀 있다. 우리 선조들은 만주에 정착하여 그 영토가 요동 반도를 지나 북경에까지 이르렀던 동방의 장자들이었다. 그러나 흰옷을 좋아하고 하나님을 섬기며 경건한 평화주의자였던 한국 백성들은 계속 수난을 당하기 시작하여 가지고 있던 모든 영토와 영광을 잃어버렸고 주변 국가들에게 이리 짓밟히고 저리 찢기다가 끝내는 6·25

전쟁을 치루게 되었던 것이다.

욥이 그 온몸에 퍼진 악창(惡瘡)으로 인하여 재 가운데 앉아 기와 조각을 가져다가 몸을 긁고 있었던 것과 같이 이데올로기의 대리전을 치루고 살아남은 한국 사람들은 잿더미 위에 버려져 있었고 그들이 가진 것은 오직 폐허의 기와 조각뿐이었다.

본래 '욥'이란 이름은 고대 셈어의 '아얍'에서 유래된 것으로 '나의 아버지는 어디 계신가?'라는 뜻을 가지고 있었다. 한국 백성들은 그 욥처럼 하나님께서 다른 곳에서 일하고 계시는 동안 아버지를 모르고 살아왔던 것이다.

그러나 한국은 결코 하나님을 원망하지 않았다. 오히려 한국 사람들은 더욱 부르짖어 기도했고 곳곳마다 교회를 세웠기 때문에 한국을 방문하는 사람들은 김포가도를 달리면서 도로변에 나타나는 십자가의 숲을 보고 기가 질린다고 할 정도가 되었다.

마침내 하나님께서는 한국으로 오시어서 이 백성들을 고난으로부터 꺼내기 시작하시었다. 잿더미 위에 앉아서 기도하던 한국 백성들이 전 세계에 퍼져나가면서 활약하기 시작하더니 동방의 작은 나라를 세계 10대 교역국의 자리에 올려 놓았다. 그리고 마침내 그 나라에서 올림픽 경기를 주최하기에 이른 것이다.

"내가 주께 대하여 귀로 듣기만 하였삽더니 이제는 눈으로 주를 뵈옵나이다…"(욥 42 : 5).

하나님께서는 또한 고난당하는 욥을 비난하고 핍박하던 그의 친구들에게 진노하시며 욥에게 가서 그들의 속죄를 위해 기도를 부탁하라고 명하셨다.

"그런즉 너희는 수송아지 일곱과 수양 일곱을 취하여 내 종 욥에게 가서 너희를 위하여 번제를 드리라. 내 종 욥이 너희를 위하여 기도할 것인즉 내가 그를 기쁘게 받으리니 너희의 우매한대로 너희에게 갚지 아니하리라. 이는 너희가 나를 가리켜 말한 것이 내 종 욥의 말 같이 정당하지 못함이니라…"(욥 42 : 8).

욥이 그의 세 친구들을 위하여 빌었으므로 여호와께서 욥의 기도를 기쁘게 받으셨다. 하나님께서는 욥의 소유를 전보다 갑절이나 되게 하셨고 욥의 모든 형제 자매와 친구들이 찾아와서 욥의 잔치에 참여하였으며 욥을 위하여 위로하고 그에게 금고리 하나씩을 주었다 (욥 42 : 9~11).

그와 흡사하게도 잿더미에서 일어난 서울의 올림픽 경기에는 사상 최대인 160 개국의 선수단이 참여하였고 한국은 뜻밖에도 이 대회에서 열두개의 금메달을 얻었던 것이다.

하나님께서는 고난 당한 백성의 기도를 들으신다. 이제 욥과 같은 고난을 당해온 한국백성들은 셈과 함과 야벳의 모든 형제들에게 복음을 전하고 그들을 위해 기도해야 할 책임이 있는 것이다. 욥을 위한 잔치가 끝나고 욥기가 끝나듯이 이제 하나님의 마스터플랜도 마지막 부분에 이르고 있다. 우리는 하나님께서 '더 많은 사람에게 더 큰 축복을(弘益人間)' 내려주시도록 기도하며 우리의 장자권자이신 예수 그리스도의 인도를 따라 가나안에 입성할 준비를 해야 할 것이다.

# 다 지켜
# 행하라

우울한 시대가 아니라 바로
무서운 시대가 인류에게 다가오고 있다.
이 시대에 우리 그리스도인들은
어떻게 살아가야 할 것인가?
최후의 날이 임박하고 있는 이때에
우리가 할 것은 무엇인가?

# 다 지켜 행하라

## ① 그 뒤에 오는 것

미국의 시사주간지 '타임'은 1988년 첫호의 표지에 '올해의 인물'로 소련대통령 미하일 고르바초프를 내세웠었다. 과연 뭔가 심상치않은 새 바람을 일으킬만한 인물로 그를 꼽았던 타임지의 예감은 적중되어서 그는 마침내 대단한 선풍을 일으키기 시작한 것이었다.

글라스노스트 (개방) 과 페레스트로이카 (개혁) 의 쌍권총을 들고 나타난 소련의 카우보이 고르바쵸프는 동구의 공산국가들에게도 개혁을 권유하고 북한에도 개방을 촉구하였으며 19차 전국 공산당 대표자회의에서는 한국의 경제성장 모델을 배워야한다고 강조하였다.

그는 서울 올림픽에 520명의 대규모 선수단과 한국계 예술인들을 포함한 문화사절단까지 파견하여 한국에 대한 호의를 표시하였고 한국에 시베리아 개발 참여를 제의하였으며 3억 달러의 차관을 요청해왔다.

또 그는 그 해 12월 제3차 미소 정상회담에서 중거리핵전력의 폐기협정에 조인하였고 일방적으로 소련 병력의 50만 감축을 선언하였던 것이다. 그가 주도하는 개혁의 행진은 89년에도 계속되어 마침내 동구의 공산국가들 가운데 개혁의 지진이 일어나기 시작했다.

폴란드는 자유선거를 실시하여 바웬사의 자유노조가 압승을 거두었고 헝가리는 아예 공산당을 없애버렸으며 동독은 28년 동안 막혀 있던 베를린 장벽을 허물어버렸다. 뒤따라서 체코와 불가리아에서도 개혁이 진행되고 루마니아에서도 독재자 챠우세스쿠 부부가 총살 당함으로써 공산당정권이 무너졌다.

이로써 인간의 힘과 노력으로 이상국가를 건설해보려 했던 칼 마르크스의 사상과 그를 추종하던 공산주의자들의 꿈은 완전히 무너져 버린 셈이었다. 칼 마르크스는 종교를 가리켜 '인민의 아편'이라고 말했는데 공교롭게도 공산주의는 하나님 때문에 무너지게 되었다.

공산주의 국가란 그들 나름대로 울타리를 쳐놓고 살면 비록 비교 경쟁력과 번영이 없고 획일적이라고는 하더라도 그런대로 조용하게 살 수는 있다고 말한다. 그러나 그들이 하나님을 부인했기 때문에 하나님께서는 그들이 조용히 먹고 살 수 있도록 그냥 놓아두시지 않으셨다. 탄산가스의 보온층 형성으로 말미암아 지구의 표면 온도가 상승되어서 소련의 강설량은 날로 감소되고 눈이 와야 수확이 잘 되는 밀과 보리 농사가 10년 동안이나 흉작이 되었던 것이다.

그들은 결국 나라 밖에서 식량을 사들여야 하는데 그러기 위해서는 외화가 필요했고 외화를 벌자니 수출을 해야했다. 그러나 그들의 산업은 능률과 경쟁을 위한 시장경제 체제가 아니었기 때문에 그들이 수출할 수 있는 것이라고는 석유밖에 없었던 것이다. 그러나 이번에는 그 석유 값마저 폭락해서 석유를 판 돈만 가지고는 충분한 식량을 사들일 수가 없었다. 그래서 그들은 먹고 살기 위해 한국 같은 나라로부터 운동화나 전자제품을 만드는 경공업 기술이라도 배우는 수밖에 없게된 것이었다.

그러므로 지금 속절 없이 무너져내리고 있는 공산주의는 바로 하나님을 제쳐놓고 시도되는 어떠한 인간적 체제와 노력도 인간을 행복하게 하는데 성공할 수 없다는 것을 명확하게 증명해준 셈이었다.

그러나 과연 우리는 저 소련과 동구의 장벽이 무너지고 있는 것을 바라보면서 '자유주의의 승리'를 기뻐하고만 있을 수 있는 것인가?

우리가 지금 '자유주의'라고 부르고 있는 이 체제도 본래는 하나님의 통치에 반기를 들었던 바벨론 제국의 체제에서 유래된 것이다.

이 바벨론에서 유래된 제국주의 체제는 인간이 만든 신을 섬기었기 때문에 '종교의 자유'를 내세우는 것이 그 특징으로 되어 있다. 그것이 얼핏 보면 자유(自由)를 표방하는 것 같으나 사실은 온갖 종류의 종교를 난립시켜 진실을 호도하고 가치관의 혼란을 초래케 함으로써 백성을 우민화 하려는 의도가 그 뒤에 숨어 있는 것이다.

그러므로 온갖 세상 종교들 가운데 하나로 하나님을 섬기는 신앙이 겨우 명맥을 유지하는 자유주의의 체제도 결국 하나님 보시기에는 불의한 체제일 수 밖에 없다. 그래서 역대의 제국들을 보면 그들 나라 가운데 하나님을 섬기는 신앙이 강했을 때에는 그 나라도 번영했고 그 신앙이 시들기 시작하면 곧 종말적인 타락이 시작되어 그 나라도 소멸되었다.

그러므로 공산주의의 몰락이 지금 우리를 시원하게 해 주고 있다 하더라도 그것이 곧 인류의 구원으로 연결되지는 않는다. 오히려 인류를 더욱 무서운 탐욕의 사슬과 감시의 정보망으로 결박하려는 바벨론의 이빨이 저 자유와 평화라는 이름의 커텐 뒤에서 도사리고 있다는 것을 우리는 기억하고 있어야 한다.

"형제들아 때와 시기에 관하여는 너희에게 쓸 것이 없음은 주의 날이 밤에 도적같이 이를 줄을 너희 자신이 자세히 앎이라. 저희가 평안하다, 안전하다 할 그 때에 잉태된 여자에게 해산 고통이 이름과 같이 멸망이 홀연히 저희에게 이르리니 결단코 피하지 못하리라"(살전 5 : 1~3).

그렇기 때문에 무너지고 있는 공산주의의 마지막 모습을 바라보면서 미국 국무부의 정책기획실 부실장 프랜시스 후쿠야마 박사는 '역사의 종말'을 예감하고 있었다. 그는 계간지 '내셔널 인터레스트'지의 89년 여름호에 실린 에세이에서 지금 우리는 냉전의 종말이나 전후 역사의 특정 시기가 지났다는 사실 뿐만이 아니라 역사 그 자체의 종말을 목격하고 있다는 것을 대담하게 지적하여 큰 충격을 주었다.

그나마도 인간의 지혜와 이성으로 이념적 진화를 추구해보려던 공산주의가 실패함으로써 20세기의 체제 경쟁은 자유민주주의의 승리로 끝났으며 그와 함께 인류의 역사 그 자체도 끝나게 되었다고 그는 결론을 내렸던 것이다.

그는 '역사 이후'의 시대가 매우 슬픈 시대가 될 것이라고 예견한다. 창의력과 이상주의를 가져왔던 이데올로기 투쟁은 끝나고 경제적인 계산, 기술적인 문제들의 해결, 환경에 대한 관심, 까다로운 소비자 욕구의 충족 같은 것들에나 매달리게 될 것이라고 하면서 그는 이렇게 적었다.

"역사 이후의 시대는 예술도 철학도 없고 인류 역사의 박물관을 영원히 관리하기만 하는 우울한 시대가 될 것이다."

그러나 만약 프랜시스 후쿠야마가 성경을 읽었다면 이념 투쟁의 종언과 함께 곧 역사상 가장 무서운 마지막 바벨론의 거대한 그림자가 나타날 것이라는 것도 알 수 있었을 것이다. 그것은 마치 저 하나님의 백성들이 타락한 유다와 반체제 세력의 이스라엘로 갈라졌다가 결국 모두 멸망하고 바벨론에 포로로 잡혀가서 이방의 우상을 섬기게 되었던 사실과 똑같은 패턴이 될 것이라고 보아야 한다.

후쿠야마가 예감했던 우울한 시대가 아니라 바로 무서운 시대가 인류에게 다가오고 있는 것이다. 이 시대에 우리 그리스도인들은 어떻게 살아가야 할 것인가? 최후의 날이 임박하고 있는 이 때에 우리가 할 것은 무엇인가?

### ② 요단을 건널 때

하나님께서는 바벨론의 세력과 가나안의 흉계에 휘말려 무너진 셈 집안의 장자 중에서 아브라함을 택하시어 그를 불러내심으로서 바벨론과 가나안에 대한 징벌을 계획하시었다. 히브리 백성들의 애굽 탈출이 BC 1446년이니 그들이 애굽에 살았던 기간 430년을 더하면 아브라함의 후손들 70명이 애굽에 들어간 것은 BC 1876년 경이 된다. 이 때에 야곱은 130세였고 (창 47 : 9) 이삭은 60세에 야곱을 낳았으며 (창 26 : 26) 아브라함은 1백세에 이삭을 낳았으니 (창 21 : 5) 아브라함이 태어난 것은 BC 2166년이 되고 그가 하란에서 하나님으로부터 '내가 네게 지시할 땅으로 가라'고 지시를 받은 것은 75세 때였으므로 (창 12 : 4) BC 2091년이 되는 것이다.

그러니까 하나님께서는 하란에서 아브라함을 불러내신 후 그의 후손들을 애굽에서 430년, 그리고 광야에서 40년을 훈련시키시고 그들이 요단을 건너 가나안 땅으로 진입한 BC 1406년까지 685년을 기다리신 것이다. 그러나 요단강을 건너 가나안 지경에 진입한 히브리 백성들은 하나님의 지시대로 가나안 사람들을 다 진멸하지 않고 남겨 두었기 때문에 그 가나안 징벌은 완수되지 못하고 다만 종말의 때에 나타날 사건의 예표로써 남게 되었다.

그래서 하나님은 바벨론 심판과 가나안 징벌에 대해서 다시 오늘날까지 무려 35세기를 더 기다리고 계시는 것이다. 그리고 이제 다시 지구상에는 하나님께서 계획하신 그 결정적 시기가 다가오고 있는 것인지도 모른다.

35세기 전에 히브리 백성들을 이끌었던 선봉장 여호수아의 예표는 예수 그리스도의 오심으로 실현되었고 오늘의 성도들은 그들을 다시 가나안으로 인도하실 그의 재림을 기다리고 있다. 예수라는 이름은 헬라어로 '여호와가 구원하신다'는 뜻인데 (마 1 : 21) 이를 히브리어로 하면 곧 여호수아가 되는 것이다. 그렇다면 그 때 여호수아가 이끌었던 히브리 백성들은 곧 오늘날 하나님의 아들 예수 그리스도를 믿는 성도들의 예표였다고 할 수 있다.

가나안에 진입했던 히브리 백성들이 여호수아의 지휘를 따라서 요단을 건너기 전에 하나님께서는 그들에게 무엇을 지시하였던가?

"오직 너는 마음을 강하게 하고 극히 담대히 하여 나의 종 모세가 네게 명한 율법을 다 지켜 행하고 좌로나 우로나 치우치지 말라. 그리하면 어디로 가든지 형통하리니 이 율법책을 네 입에서 떠나지 말게 하며 주야로 그것을 묵상하여 그 가운데 기록한 대로 다 지켜 행하라. 그리하면 네 길이 평탄하게 될 것이라, 네가 형통하리라"(수 1 : 7,8).

결국 마지막 때를 눈 앞에 두고 살아가는 이 시대의 성도들에게 하나님께서 주시는 명령은 곧 '다 지켜 행하라'는 말씀으로 집약된다고 할 수 있을 것이다.

이 말씀은 곧 부활하신 예수 그리스도께서 우리에게 주신 말씀과도 일치하는 것이다.

"그러므로 너희는 가서 모든 족속으로 제자를 삼아 아버지와 아들과 성령의 이름으로 세례를 주고 내가 너희에게 분부한 모든 것을 가르쳐 지키게 하라. 볼지어다, 내가 세상 끝날까지 너희와 항상 함께 있으리라"(마 28 : 19,20).

역시 예수께서도 내가 분부한 것을 가르쳐 '지키게 하라'고 말씀하셨던 것이다. 나는 예수 그리스도의 가르침을 '다 지켜서 행한' 모범으로 로마 황제의 공인을 받기 이전에 이미 사랑으로써 로마를 정복했던 로마교회의 충성을 꼽는다.

그들은 혹독한 박해 가운데서도 늘 지하묘지에 모여서 성찬을 나눔으로써 그리스도의 강력한 공동체를 이루었고 티베리스 강에 버려진 아이들을 데려다 기르고 아픈 사람들을 치료하며 가난한 사람들을 돌보고 갇힌 자들을 위문하기 위해 감옥 밖에 줄을 설 정도였다고 한다. 그들 중에는 귀족과 관료도 있었고 혹은 군인이나 상인, 또는 노예도 있었지만 모두가 자기에게 주어진 달란트를 가지고 예수 그리스도의 사업을 위하여 헌신하였다. 초대 로마교회의 성도들이야말로 예수께서 분부하신 모든 것을 다 지켜서 행한 믿음의 선배들이었던 것이다.

"네 마음을 다하고 목숨을 다하고 뜻을 다하여 주 너의 하나님을 사랑하라 하셨으니 이것이 크고 첫째되는 계명이요  둘째는 그와 같으니 네 이웃을 네 몸과 같이 사랑하라 하셨으니 이 두 계명이 온 율법과 선지자의 강령이니라"(마 22 : 37~40).

"새 계명을 너희에게 주노니 서로 사랑하라. 내가 너희를 사랑한 것 같이 너희도 서로 사랑하라"(요 13 : 34).

"가면서 전파하여 말하되 천국이 가까왔다 하고 병든 자를 고치며 죽은 자를 살리며 문둥이를 깨끗하게 하며 귀신을 쫓아내되 너희가 거저 받았으니 거저 주어라"(마 10 : 7,8).

"내가 너희에게 전한 것은 주께 받은 것이니 곧 주 예수께서 잡히시던 밤에 떡을 가지사 축사하시고 떼어 가라사대 이것은 너희를 위하는 내 몸이니 이것을 행하여 나를 기념하라 하시고…"(고전 11 : 23,24).

"내가 주릴 때에 너희가 먹을 것을 주었고 목 마를 때에 마시게 하였고 나그네 되었을 때에 영접하였고 벗었을 때에 옷을 입혔고 병들었을 때에 돌아보았고 옥에 갇혔을 때에 와서 보았느니라…너희가 여기 내 형제 중에 지극히 작은 자 하나에게 한 것이 곧 내게 한 것이니라"(마 25 : 35~40).

"다섯 달란트를 받았던 자는 다섯 달란트를 더 가지고 와서 가로되, 주여 내게 다섯 달란트를 주셨는데 보소서 내가 또 다섯 달란트를 남겼나이다. 그 주인이 이르되 잘 하였도다 착하고 충성된 종아, 네가 작은 일에 충성하였으매 내가 많은 것으로 네게 맡기리니 네 주인의 즐거움에 참예할지어다"(마 25 : 20,21).

이제 참으로 예수께서 낫을 들고 계시는 시간이 되었다. 우리가 지금 오른 쪽이냐 왼 쪽이냐를 따지며 다투기에는 시간이 너무나 없는 것 같다.

하나님께서는 언제나 자기의 택하신 장자에게 문제의 책임을 물으셨다. 가인에게 그러하셨고 사울에게도 그렇게 하셨다. 예수께서도 로마의 총독이나 헤롯 왕을 나무라시지 않고 예루살렘의 종교지도자들에게 꾸중을 퍼부으셨다. 과연 우리는 그분의 택함받은 자임을 자랑하면서 그분 오셨을 때에 독사의 자식이라고 혹독한 꾸중을 듣게 되는 것이나 아닌지 점검할 때가 되었다.

　좌로나 우로나 치우치지 말고 네게 명한 모든 것을 다 지켜 행하라 말씀하시는 준엄한 음성이 들려오고 있는 시대이다.

　"열매가 익으면 곧 낫을 대나니, 이는 추수 때가 이르렀음이니라" (막 4 : 29) .

# 성경과의 만남

♣ ♣ ♣

초판발행 / 1990년 10월  1일
2판 10쇄 / 2002년  6월 29일

등록번호 / 제 13-46
지 은 이 / 김성일
발 행 인 / 조용기
발 행 처 / (주) 신앙계
　　　　　서울시 영등포구 여의도동 11-17
　　　　　대표전화 785-3814
인 쇄 처 / 서정인쇄
　　　　　전화 3159-9101
인 쇄 인 / 송희호
총 판 처 / 서울말씀사
　　　　　전화 858-2461. 3  FAX 858-2464

## 값 8,500원

ISBN 89-86622-00-9 03230

▶ 잘못 만들어진 책은 바꾸어 드립니다.

梁京陸